Über dieses Buch

Der Text ist in seiner Fassung und Anordnung mit dem der historisch-kritischen Ausgabe von 1969, herausgegeben von Walther Killy und Hans Szklenar, identisch.
Der Abdruck sämtlicher Dichtungen in allen noch auffindbaren Fassungen eröffnet einen neuen Zugang zum Werk dieses bedeutenden Expressionisten, einen Zugang, den bis zum Erscheinen der historisch-kritischen Ausgabe achtenswerte Mißverständnisse fast verstellt hatten.
Für den Leser, der Trakls Arbeitsweise, die poetische Ökonomie seines Vorgehens und die Genese seiner Gedichte anschaulich kennenlernen will, wurde der kritische Apparat zu einer Auswahl von Texten abgedruckt. Die etwas vereinfachte Form ermöglicht auch dem Benutzer, der vor dem hochkomplizierten Apparatteil der historisch-kritischen Ausgabe zurückschreckt, die Einübung in das Arbeiten mit philologisch exakt herausgegebenen Texten.

Literatur · Philosophie · Wissenschaft

Georg Trakl

Das dichterische Werk

Auf Grund der historisch-kritischen Ausgabe von
Walther Killy und Hans Szklenar

…chenbuch Verlag

Redaktion sowie Zusammenstellung und Bearbeitung
des Anhangs durch Friedrich Kur.

1. Auflage Januar 1972
11. Auflage Mai 1987: 72. bis 79. Tausend
Deutscher Taschenbuch Verlag GmbH & Co. KG,
München

Umschlaggestaltung: Celestino Piatti
unter Verwendung der Gedichthandschrift ›Gr
von Georg Trakl
Gesamtherstellung: C. H. Beck'sche Buchdru
Nördlingen
Printed in Germany · ISBN 3-423-021

Georg Trakl

Das dichterische Werk

Auf Grund der historisch-kritischen Ausgabe von
Walther Killy und Hans Szklenar

Deutscher Taschenbuch Verlag

Redaktion sowie Zusammenstellung und Bearbeitung des Anhangs durch Friedrich Kur.

1. Auflage Januar 1972
11. Auflage Mai 1987: 72. bis 79. Tausend
Deutscher Taschenbuch Verlag GmbH & Co. KG, München

Umschlaggestaltung: Celestino Piatti
unter Verwendung der Gedichthandschrift ›Grodek‹ von Georg Trakl
Gesamtherstellung: C. H. Beck'sche Buchdruckerei, Nördlingen
Printed in Germany · ISBN 3-423-02163-2

Inhalt

Gedichte

Die Raben

Über den schwarzen Winkel hasten
Am Mittag die Raben mit hartem Schrei.
Ihr Schatten streift an der Hirschkuh vorbei
5 Und manchmal sieht man sie mürrisch rasten.

O wie sie die braune Stille stören,
In der ein Acker sich verzückt,
Wie ein Weib, das schwere Ahnung berückt,
Und manchmal kann man sie keifen hören

10 Um ein Aas, das sie irgendwo wittern,
Und plötzlich richten nach Nord sie den Flug
Und schwinden wie ein Leichenzug
In Lüften, die von Wollust zittern.

Die junge Magd

Ludwig von Ficker zugeeignet

1

Oft am Brunnen, wenn es dämmert,
5 Sieht man sie verzaubert stehen
Wasser schöpfen, wenn es dämmert.
Eimer auf und nieder gehen.

In den Buchen Dohlen flattern
Und sie gleichet einem Schatten.
10 Ihre gelben Haare flattern
Und im Hofe schrein die Ratten.

Und umschmeichelt von Verfalle
Senkt sie die entzundenen Lider.
Dürres Gras neigt im Verfalle
15 Sich zu ihren Füßen nieder.

2

Stille schafft sie in der Kammer
Und der Hof liegt längst verödet.
Im Hollunder vor der Kammer
20 Kläglich eine Amsel flötet.

Silbern schaut ihr Bild im Spiegel
Fremd sie an im Zwielichtscheine
Und verdämmert fahl im Spiegel
Und ihr graut vor seiner Reine.

25 Traumhaft singt ein Knecht im Dunkel
Und sie starrt von Schmerz geschüttelt.
Röte träufelt durch das Dunkel.
Jäh am Tor der Südwind rüttelt.

3

30 Nächtens übern kahlen Anger
Gaukelt sie in Fieberträumen.
Mürrisch greint der Wind im Anger
Und der Mond lauscht aus den Bäumen.

Balde rings die Sterne bleichen
35 Und ermattet von Beschwerde
Wächsern ihre Wangen bleichen.
Fäulnis wittert aus der Erde.

Traurig rauscht das Rohr im Tümpel
Und sie friert in sich gekauert.
40 Fern ein Hahn kräht. Übern Tümpel
Hart und grau der Morgen schauert.

4

In der Schmiede dröhnt der Hammer
Und sie huscht am Tor vorüber.
45 Glührot schwingt der Knecht den Hammer
Und sie schaut wie tot hinüber.

Wie im Traum trifft sie ein Lachen;
Und sie taumelt in die Schmiede,
Scheu geduckt vor seinem Lachen,
50 Wie der Hammer hart und rüde.

Hell versprühn im Raum die Funken
Und mit hilfloser Geberde
Hascht sie nach den wilden Funken
Und sie stürzt betäubt zur Erde.

55 5

Schmächtig hingestreckt im Bette
Wacht sie auf voll süßem Bangen
Und sie sieht ihr schmutzig Bette
Ganz von goldnem Licht verhangen,

60 Die Reseden dort am Fenster
Und den bläulich hellen Himmel.
Manchmal trägt der Wind ans Fenster
Einer Glocke zag Gebimmel.

Schatten gleiten übers Kissen,
65 Langsam schlägt die Mittagsstunde
Und sie atmet schwer im Kissen
Und ihr Mund gleicht einer Wunde.

6

Abends schweben blutige Linnen,
70 Wolken über stummen Wäldern,
Die gehüllt in schwarze Linnen.
Spatzen lärmen auf den Feldern.

Und sie liegt ganz weiß im Dunkel.
Unterm Dach verhaucht ein Girren.
75 Wie ein Aas in Busch und Dunkel
Fliegen ihren Mund umschwirren.

Traumhaft klingt im braunen Weiler
Nach ein Klang von Tanz und Geigen,
Schwebt ihr Antlitz durch den Weiler,
80 Weht ihr Haar in kahlen Zweigen.

Romanze zur Nacht

Einsamer unterm Sternenzelt
Geht durch die stille Mitternacht.
Der Knab aus Träumen wirr erwacht,
5 Sein Antlitz grau im Mond verfällt.

Die Närrin weint mit offnem Haar
Am Fenster, das vergittert starrt.

Im Teich vorbei auf süßer Fahrt
Ziehn Liebende sehr wunderbar.

10 Der Mörder lächelt bleich im Wein,
Die Kranken Todesgrausen packt.
Die Nonne betet wund und nackt
Vor des Heilands Kreuzespein.

Die Mutter leis' im Schlafe singt.
15 Sehr friedlich schaut zur Nacht das Kind
Mit Augen, die ganz wahrhaft sind.
Im Hurenhaus Gelächter klingt.

Beim Talglicht drunt' im Kellerloch
Der Tote malt mit weißer Hand
20 Ein grinsend Schweigen an die Wand.
Der Schläfer flüstert immer noch.

Im roten Laubwerk voll Guitarren . . .

Im roten Laubwerk voll Guitarren
Der Mädchen gelbe Haare wehen
Am Zaun, wo Sonnenblumen stehen.
5 Durch Wolken fährt ein goldner Karren.

In brauner Schatten Ruh verstummen
Die Alten, die sich blöd umschlingen.
Die Waisen süß zur Vesper singen.
In gelben Dünsten Fliegen summen.

10 Am Bache waschen noch die Frauen.
Die aufgehängten Linnen wallen.
Die Kleine, die mir lang gefallen,
Kommt wieder durch das Abendgrauen.

Vom lauen Himmel Spatzen stürzen
15 In grüne Löcher voll Verwesung.
Dem Hungrigen täuscht vor Genesung
Ein Duft von Brot und herben Würzen.

Musik im Mirabell

2. Fassung

Ein Brunnen singt. Die Wolken stehn
Im klaren Blau, die weißen, zarten.
Bedächtig stille Menschen gehn
5 Am Abend durch den alten Garten.

Der Ahnen Marmor ist ergraut.
Ein Vogelzug streift in die Weiten.
Ein Faun mit toten Augen schaut
Nach Schatten, die ins Dunkel gleiten.

10 Das Laub fällt rot vom alten Baum
Und kreist herein durchs offne Fenster.
Ein Feuerschein glüht auf im Raum
Und malet trübe Angstgespenster.

Ein weißer Fremdling tritt ins Haus.
15 Ein Hund stürzt durch verfallene Gänge.
Die Magd löscht eine Lampe aus,
Das Ohr hört nachts Sonatenklänge.

Melancholie des Abends

– Der Wald, der sich verstorben breitet –
Und Schatten sind um ihn, wie Hecken.
Das Wild kommt zitternd aus Verstecken,
5 Indes ein Bach ganz leise gleitet

Und Farnen folgt und alten Steinen
Und silbern glänzt aus Laubgewinden.
Man hört ihn bald in schwarzen Schlünden –
Vielleicht, daß auch schon Sterne scheinen.

10 Der dunkle Plan scheint ohne Maßen,
Verstreute Dörfer, Sumpf und Weiher,
Und etwas täuscht dir vor ein Feuer.
Ein kalter Glanz huscht über Straßen.

Am Himmel ahnet man Bewegung,
15 Ein Heer von wilden Vögeln wandern
Nach jenen Ländern, schönen, andern.
Es steigt und sinkt des Rohres Regung.

Winterdämmerung

An Max von Esterle

Schwarze Himmel von Metall.
Kreuz in roten Stürmen wehen
5 Abends hungertolle Krähen
Über Parken gram und fahl.

Im Gewölk erfriert ein Strahl;
Und vor Satans Flüchen drehen
Jene sich im Kreis und gehen
10 Nieder siebenfach an Zahl.

In Verfaultem süß und schal
Lautlos ihre Schnäbel mähen.
Häuser dräu'n aus stummen Nähen;
Helle im Theatersaal.

15 Kirchen, Brücken und Spital
Grauenvoll im Zwielicht stehen.
Blutbefleckte Linnen blähen
Segel sich auf dem Kanal.

Rondel

Verflossen ist das Gold der Tage,
Des Abends braun und blaue Farben:
Des Hirten sanfte Flöten starben
5 Des Abends blau und braune Farben
Verflossen ist das Gold der Tage.

Frauensegen

Schreitest unter deinen Frau'n
Und du lächelst oft beklommen:
Sind so bange Tage kommen.
5 Weiß verblüht der Mohn am Zaun.

Wie dein Leib so schön geschwellt
Golden reift der Wein am Hügel.
Ferne glänzt des Weihers Spiegel
Und die Sense klirrt im Feld.

10 In den Büschen rollt der Tau,
Rot die Blätter niederfließen.
Seine liebe Frau zu grüßen
Naht ein Mohr dir braun und rauh.

Die schöne Stadt

Alte Plätze sonnig schweigen.
Tief in Blau und Gold versponnen
Traumhaft hasten sanfte Nonnen
5 Unter schwüler Buchen Schweigen.

Aus den braun erhellten Kirchen
Schaun des Todes reine Bilder,
Großer Fürsten schöne Schilder.
Kronen schimmern in den Kirchen.

10 Rösser tauchen aus dem Brunnen.
Blütenkrallen drohn aus Bäumen.
Knaben spielen wirr von Träumen
Abends leise dort am Brunnen.

Mädchen stehen an den Toren,
15 Schauen scheu ins farbige Leben.
Ihre feuchten Lippen beben
Und sie warten an den Toren.

Zitternd flattern Glockenklänge,
Marschtakt hallt und Wacherufen.
20 Fremde lauschen auf den Stufen.
Hoch im Blau sind Orgelklänge.

Helle Instrumente singen.
Durch der Gärten Blätterrahmen
Schwirrt das Lachen schöner Damen.
25 Leise junge Mütter singen.

Heimlich haucht an blumigen Fenstern
Duft von Weihrauch, Teer und Flieder.
Silbern flimmern müde Lider
Durch die Blumen an den Fenstern.

In einem verlassenen Zimmer

Fenster, bunte Blumenbeeten,
Eine Orgel spielt herein.
Schatten tanzen an Tapeten,
5 Wunderlich ein toller Reihn.

Lichterloh die Büsche wehen
Und ein Schwarm von Mücken schwingt.
Fern im Acker Sensen mähen
Und ein altes Wasser singt.

10 Wessen Atem kommt mich kosen?
Schwalben irre Zeichen ziehn.
Leise fließt im Grenzenlosen
Dort das goldne Waldland hin.

Flammen flackern in den Beeten.
15 Wirr verzückt der tolle Reihn
An den gelblichen Tapeten.
Jemand schaut zur Tür herein.

Weihrauch duftet süß und Birne
Und es dämmern Glas und Truh.
20 Langsam beugt die heiße Stirne
Sich den weißen Sternen zu.

An den Knaben Elis

Elis, wenn die Amsel im schwarzen Wald ruft,
Dieses ist dein Untergang.
Deine Lippen trinken die Kühle des blauen Felsenquells.

5 Laß, wenn deine Stirne leise blutet
Uralte Legenden
Und dunkle Deutung des Vogelflugs.

Du aber gehst mit weichen Schritten in die Nacht,
Die voll purpurner Trauben hängt
10 Und du regst die Arme schöner im Blau.

Ein Dornenbusch tönt,
Wo deine mondenen Augen sind.
O, wie lange bist, Elis, du verstorben.

Dein Leib ist eine Hyazinthe,
15 In die ein Mönch die wächsernen Finger taucht.
Eine schwarze Höhle ist unser Schweigen,

Daraus bisweilen ein sanftes Tier tritt
Und langsam die schweren Lider senkt.
Auf deine Schläfen tropft schwarzer Tau,

20 Das letzte Gold verfallener Sterne.

Der Gewitterabend

O die roten Abendstunden!
Flimmernd schwankt am offenen Fenster
Weinlaub wirr ins Blau gewunden,
5 Drinnen nisten Angstgespenster.

Staub tanzt im Gestank der Gossen.
Klirrend stößt der Wind in Scheiben.
Einen Zug von wilden Rossen
Blitze grelle Wolken treiben.

10 Laut zerspringt der Weiherspiegel.
Möven schrein am Fensterrahmen.
Feuerreiter sprengt vom Hügel
Und zerschellt im Tann zu Flammen.

Kranke kreischen im Spitale.
15 Bläulich schwirrt der Nacht Gefieder.
Glitzernd braust mit einem Male
Regen auf die Dächer nieder.

Abendmuse

Ans Blumenfenster wieder kehrt des Kirchturms Schatten
Und Goldnes. Die heiße Stirn verglüht in Ruh und
Schweigen.
Ein Brunnen fällt im Dunkel von Kastanienzweigen –
5 Da fühlst du: es ist gut! in schmerzlichem Ermatten.

Der Markt ist leer von Sommerfrüchten und Gewinden.
Einträchtig stimmt der Tore schwärzliches Gepränge.
In einem Garten tönen sanften Spieles Klänge,
Wo Freunde nach dem Mahle sich zusammenfinden.

10 Des weißen Magiers Märchen lauscht die Seele gerne.
Rund saust das Korn, das Mäher nachmittags geschnitten.
Geduldig schweigt das harte Leben in den Hütten;
Der Kühe linden Schlaf bescheint die Stallaterne.

Von Lüften trunken sinken balde ein die Lider
15 Und öffnen leise sich zu fremden Sternenzeichen.
Endymion taucht aus dem Dunkel alter Eichen
Und beugt sich über trauervolle Wasser nieder.

Traum des Bösen

1. Fassung

Verhallend eines Gongs braungoldne Klänge –
Ein Liebender erwacht in schwarzen Zimmern
Die Wang' an Flammen, die im Fenster flimmern.
5 Am Strome blitzen Segel, Masten, Stränge.

Ein Mönch, ein schwangres Weib dort im Gedränge.
Guitarren klimpern, rote Kittel schimmern.
Kastanien schwül in goldnem Glanz verkümmern;
Schwarz ragt der Kirchen trauriges Gepränge.

10 Aus bleichen Masken schaut der Geist des Bösen.
Ein Platz verdämmert grauenvoll und düster;
Am Abend regt auf Inseln sich Geflüster.

Des Vogelfluges wirre Zeichen lesen
Aussätzige, die zur Nacht vielleicht verwesen.
15 Im Park erblicken zitternd sich Geschwister.

Geistliches Lied

Zeichen, seltne Stickerein
Malt ein flatternd Blumenbeet.
Gottes blauer Odem weht
5 In den Gartensaal herein,
Heiter ein.
Ragt ein Kreuz im wilden Wein.

Hör' im Dorf sich viele freun,
Gärtner an der Mauer mäht,
10 Leise eine Orgel geht,
Mischet Klang und goldenen Schein,
Klang und Schein.
Liebe segnet Brot und Wein.

Mädchen kommen auch herein
15 Und der Hahn zum letzten kräht.
Sacht ein morsches Gitter geht
Und in Rosen Kranz und Reihn,
Rosenreihn
Ruht Maria weiß und fein.

20 Bettler dort am alten Stein
Scheint verstorben im Gebet,
Sanft ein Hirt vom Hügel geht
Und ein Engel singt im Hain,
Nah im Hain
25 Kinder in den Schlaf hinein.

Im Herbst

Die Sonnenblumen leuchten am Zaun,
Still sitzen Kranke im Sonnenschein.
Im Acker mühn sich singend die Frau'n,
5 Die Klosterglocken läuten darein.

Die Vögel sagen dir ferne Mär',
Die Klosterglocken läuten darein.
Vom Hof tönt sanft die Geige her.
Heut keltern sie den braunen Wein.

10 Da zeigt der Mensch sich froh und lind.
Heut keltern sie den braunen Wein.
Weit offen die Totenkammern sind
Und schön bemalt vom Sonnenschein.

Zu Abend mein Herz

Am Abend hört man den Schrei der Fledermäuse.
Zwei Rappen springen auf der Wiese.
Der rote Ahorn rauscht.
5 Dem Wanderer erscheint die kleine Schenke am Weg.
Herrlich schmecken junger Wein und Nüsse.
Herrlich: betrunken zu taumeln in dämmernden Wald.
Durch schwarzes Geäst tönen schmerzliche Glocken.
Auf das Gesicht tropft Tau.

Die Bauern

Vorm Fenster tönendes Grün und Rot.
Im schwarzverräucherten, niederen Saal
Sitzen die Knechte und Mägde beim Mahl;
5 Und sie schenken den Wein und sie brechen das Brot.

Im tiefen Schweigen der Mittagszeit
Fällt bisweilen ein karges Wort.
Die Äcker flimmern in einem fort
Und der Himmel bleiern und weit.

10 Fratzenhaft flackert im Herd die Glut
Und ein Schwarm von Fliegen summt.
Die Mägde lauschen blöd und verstummt
Und ihre Schläfen hämmert das Blut.

Und manchmal treffen sich Blicke voll Gier,
15 Wenn tierischer Dunst die Stube durchweht.
Eintönig spricht ein Knecht das Gebet
Und ein Hahn kräht unter der Tür.

Und wieder ins Feld. Ein Grauen packt
Sie oft im tosenden Ährengebraus
20 Und klirrend schwingen ein und aus
Die Sensen geisterhaft im Takt.

Allerseelen

An Karl Hauer

Die Männlein, Weiblein, traurige Gesellen,
Sie streuen heute Blumen blau und rot
5 Auf ihre Grüfte, die sich zag erhellen.
Sie tun wie arme Puppen vor dem Tod.

O! wie sie hier voll Angst und Demut scheinen,
Wie Schatten hinter schwarzen Büschen stehn.
Im Herbstwind klagt der Ungebornen Weinen,
10 Auch sieht man Lichter in der Irre gehn.

Das Seufzen Liebender haucht in Gezweigen
Und dort verwest die Mutter mit dem Kind.
Unwirklich scheinet der Lebendigen Reigen
Und wunderlich zerstreut im Abendwind.

15 Ihr Leben ist so wirr, voll trüber Plagen.
Erbarm' dich Gott der Frauen Höll' und Qual,
Und dieser hoffnungslosen Todesklagen.
Einsame wandeln still im Sternensaal.

Melancholie

3. Fassung

Bläuliche Schatten. O ihr dunklen Augen,
Die lang mich anschaun im Vorübergleiten.
Guitarrenklänge sanft den Herbst begleiten
5 Im Garten, aufgelöst in braunen Laugen.
Des Todes ernste Düsternis bereiten
Nymphische Hände, an roten Brüsten saugen
Verfallne Lippen und in schwarzen Laugen
Des Sonnenjünglings feuchte Locken gleiten.

Seele des Lebens

Verfall, der weich das Laub umdüstert,
Es wohnt im Wald sein weites Schweigen.
Bald scheint ein Dorf sich geisterhaft zu neigen.
5 Der Schwester Mund in schwarzen Zweigen flüstert.

Der Einsame wird bald entgleiten,
Vielleicht ein Hirt auf dunklen Pfaden.
Ein Tier tritt leise aus den Baumarkaden,
Indes die Lider sich vor Gottheit weiten.

10 Der blaue Fluß rinnt schön hinunter,
Gewölke sich am Abend zeigen;
Die Seele auch in engelhaftem Schweigen.
Vergängliche Gebilde gehen unter.

Verklärter Herbst

Gewaltig endet so das Jahr
Mit goldnem Wein und Frucht der Gärten.
Rund schweigen Wälder wunderbar
5 Und sind des Einsamen Gefährten.

Da sagt der Landmann: Es ist gut.
Ihr Abendglocken lang und leise
Gebt noch zum Ende frohen Mut.
Ein Vogelzug grüßt auf der Reise.

10 Es ist der Liebe milde Zeit.
Im Kahn den blauen Fluß hinunter
Wie schön sich Bild an Bildchen reiht –
Das geht in Ruh und Schweigen unter.

Winkel am Wald

An Karl Minnich

Braune Kastanien. Leise gleiten die alten Leute
In stilleren Abend; weich verwelken schöne Blätter.
5 Am Friedhof scherzt die Amsel mit dem toten Vetter,
Angelen gibt der blonde Lehrer das Geleite.

Des Todes reine Bilder schaun von Kirchenfenstern;
Doch wirkt ein blutiger Grund sehr trauervoll und düster.
Das Tor blieb heut verschlossen. Den Schlüssel hat der Küster.
10 Im Garten spricht die Schwester freundlich mit Gespenstern.

In alten Kellern reift der Wein ins Goldne, Klare.
Süß duften Äpfel. Freude glänzt nicht allzu ferne.
Den langen Abend hören Kinder Märchen gerne;
Auch zeigt sich sanftem Wahnsinn oft das Goldne, Wahre.

15 Das Blau fließt voll Reseden; in Zimmern Kerzenhelle.
Bescheidenen ist ihre Stätte wohl bereitet.
Den Saum des Walds hinab ein einsam Schicksal gleitet;
Die Nacht erscheint, der Ruhe Engel, auf der Schwelle.

Im Winter

Der Acker leuchtet weiß und kalt.
Der Himmel ist einsam und ungeheuer.
Dohlen kreisen über dem Weiher
5 Und Jäger steigen nieder vom Wald.

Ein Schweigen in schwarzen Wipfeln wohnt.
Ein Feuerschein huscht aus den Hütten.
Bisweilen schellt sehr fern ein Schlitten
Und langsam steigt der graue Mond.

10 Ein Wild verblutet sanft am Rain
Und Raben plätschern in blutigen Gossen.
Das Rohr bebt gelb und aufgeschossen.
Frost, Rauch, ein Schritt im leeren Hain.

In ein altes Stammbuch

Immer wieder kehrst du Melancholie,
O Sanftmut der einsamen Seele.
Zu Ende glüht ein goldener Tag.

5 Demutsvoll beugt sich dem Schmerz der Geduldige
Tönend von Wohllaut und weichem Wahnsinn.
Siehe! es dämmert schon.

Wieder kehrt die Nacht und klagt ein Sterbliches
Und es leidet ein anderes mit.

10 Schaudernd unter herbstlichen Sternen
Neigt sich jährlich tiefer das Haupt.

Verwandlung

2. Fassung

Entlang an Gärten, herbstlich, rotversengt:
Hier zeigt im Stillen sich ein tüchtig Leben.
Des Menschen Hände tragen braune Reben,
5 Indes der sanfte Schmerz im Blick sich senkt.

Am Abend: Schritte gehn durch schwarzes Land
Erscheinender in roter Buchen Schweigen.
Ein blaues Tier will sich vorm Tod verneigen
Und grauenvoll verfällt ein leer Gewand.

10 Geruhiges vor einer Schenke spielt,
Ein Antlitz ist berauscht ins Gras gesunken.
Hollunderfrüchte, Flöten weich und trunken,
Resedenduft, der Weibliches umspült.

Kleines Konzert

Ein Rot, das traumhaft dich erschüttert –
Durch deine Hände scheint die Sonne.
Du fühlst dein Herz verrückt vor Wonne
5 Sich still zu einer Tat bereiten.

In Mittag strömen gelbe Felder.
Kaum hörst du noch der Grillen Singen,
Der Mäher hartes Sensenschwingen.
Einfältig schweigen goldene Wälder.

10 Im grünen Tümpel glüht Verwesung.
Die Fische stehen still. Gotts Odem
Weckt sacht ein Saitenspiel im Brodem.
Aussätzigen winkt die Flut Genesung.

Geist Dädals schwebt in blauen Schatten,
15 Ein Duft von Milch in Haselzweigen.
Man hört noch lang den Lehrer geigen,
Im leeren Hof den Schrei der Ratten.

Im Krug an scheußlichen Tapeten
Blühn kühlere Violenfarben.
20 Im Hader dunkle Stimmen starben,
Narziß im Endakkord von Flöten.

Menschheit

Menschheit vor Feuerschlünden aufgestellt,
Ein Trommelwirbel, dunkler Krieger Stirnen,
Schritte durch Blutnebel; schwarzes Eisen schellt,
5 Verzweiflung, Nacht in traurigen Gehirnen:
Hier Evas Schatten, Jagd und rotes Geld.
Gewölk, das Licht durchbricht, das Abendmahl.
Es wohnt in Brot und Wein ein sanftes Schweigen
Und jene sind versammelt zwölf an Zahl.
10 Nachts schrein im Schlaf sie unter Ölbaumzweigen;
Sankt Thomas taucht die Hand ins Wundenmal.

Der Spaziergang

1

Musik summt im Gehölz am Nachmittag.
Im Korn sich ernste Vogelscheuchen drehn.
5 Hollunderbüsche sacht am Weg verwehn;
Ein Haus zerflimmert wunderlich und vag.

In Goldnem schwebt ein Duft von Thymian,
Auf einem Stein steht eine heitere Zahl.
Auf einer Wiese spielen Kinder Ball,
10 Dann hebt ein Baum vor dir zu kreisen an.

Du träumst: die Schwester kämmt ihr blondes Haar,
Auch schreibt ein ferner Freund dir einen Brief.
Ein Schober flieht durchs Grau vergilbt und schief
Und manchmal schwebst du leicht und wunderbar.

15 2

Die Zeit verrinnt. O süßer Helios!
O Bild im Krötentümpel süß und klar;
Im Sand versinkt ein Eden wunderbar.
Goldammern wiegt ein Busch in seinem Schoß.

20 Ein Bruder stirbt dir in verwunschnem Land
Und stählern schaun dich deine Augen an.
In Goldnem dort ein Duft von Thymian.
Ein Knabe legt am Weiler einen Brand.

Die Liebenden in Faltern neu erglühn
25 Und schaukeln heiter hin um Stein und Zahl.
Aufflattern Krähen um ein ekles Mahl
Und deine Stirne tost durchs sanfte Grün.

Im Dornenstrauch verendet weich ein Wild.
Nachgleitet dir ein heller Kindertag,
30 Der graue Wind, der flatterhaft und vag
Verfallne Düfte durch die Dämmerung spült.

3

Ein altes Wiegenlied macht dich sehr bang.
Am Wegrand fromm ein Weib ihr Kindlein stillt.

35 Traumwandelnd hörst du wie ihr Bronnen quillt.
Aus Apfelzweigen fällt ein Weiheklang.

Und Brot und Wein sind süß von harten Mühn.
Nach Früchten tastet silbern deine Hand.
Die tote Rahel geht durchs Ackerland.
40 Mit friedlicher Geberde winkt das Grün.

Gesegnet auch blüht armer Mägde Schoß,
Die träumend dort am alten Brunnen stehn.
Einsame froh auf stillen Pfaden gehn
Mit Gottes Kreaturen sündelos.

De profundis

Es ist ein Stoppelfeld, in das ein schwarzer Regen fällt.
Es ist ein brauner Baum, der einsam dasteht.
Es ist ein Zischelwind, der leere Hütten umkreist.
5 Wie traurig dieser Abend.

Am Weiler vorbei
Sammelt die sanfte Waise noch spärliche Ähren ein.
Ihre Augen weiden rund und goldig in der Dämmerung
Und ihr Schoß harrt des himmlischen Bräutigams.

10 Bei der Heimkehr
Fanden die Hirten den süßen Leib
Verwest im Dornenbusch.

Ein Schatten bin ich ferne finsteren Dörfern.
Gottes Schweigen
15 Trank ich aus dem Brunnen des Hains.

Auf meine Stirne tritt kaltes Metall
Spinnen suchen mein Herz.
Es ist ein Licht, das in meinem Mund erlöscht.

Nachts fand ich mich auf einer Heide,
20 Starrend von Unrat und Staub der Sterne.
Im Haselgebüsch
Klangen wieder kristallne Engel.

Trompeten

Unter verschnittenen Weiden, wo braune Kinder spielen
Und Blätter treiben, tönen Trompeten. Ein Kirchhofs-
schauer.
Fahnen von Scharlach stürzen durch des Ahorns Trauer
5 Reiter entlang an Roggenfeldern, leeren Mühlen.

Oder Hirten singen nachts und Hirsche treten
In den Kreis ihrer Feuer, des Hains uralte Trauer,
Tanzende heben sich von einer schwarzen Mauer;
Fahnen von Scharlach, Lachen, Wahnsinn, Trompeten.

Dämmerung

Im Hof, verhext von milchigem Dämmerschein,
Durch Herbstgebräuntes weiche Kranke gleiten.
Ihr wächsern-runder Blick sinnt goldner Zeiten,
5 Erfüllt von Träumerei und Ruh und Wein.

Ihr Siechentum schließt geisterhaft sich ein.
Die Sterne weiße Traurigkeit verbreiten.
Im Grau, erfüllt von Täuschung und Geläuten,
Sieh, wie die Schrecklichen sich wirr zerstreun.
10 Formlose Spottgestalten huschen, kauern
Und flattern sie auf schwarz-gekreuzten Pfaden.
O! trauervolle Schatten an den Mauern.

Die andern fliehn durch dunkelnde Arkaden;
Und nächtens stürzen sie aus roten Schauern
15 Des Sternenwinds, gleich rasenden Mänaden.

Heiterer Frühling

2. Fassung

1

Am Bach, der durch das gelbe Brachfeld fließt,
Zieht noch das dürre Rohr vom vorigen Jahr.
5 Durchs Graue gleiten Klänge wunderbar,
Vorüberweht ein Hauch von warmem Mist.

An Weiden baumeln Kätzchen sacht im Wind,
Sein traurig Lied singt träumend ein Soldat.
Ein Wiesenstreifen saust verweht und matt,
10 Ein Kind steht in Konturen weich und lind.

Die Birken dort, der schwarze Dornenstrauch,
Auch fliehn im Rauch Gestalten aufgelöst.
Hell Grünes blüht und anderes verwest
Und Kröten schliefen durch den jungen Lauch.

15 2

Dich lieb ich treu du derbe Wäscherin.
Noch trägt die Flut des Himmels goldene Last.
Ein Fischlein blitzt vorüber und verblaßt;
Ein wächsern Antlitz fließt durch Erlen hin.

20 In Gärten sinken Glocken lang und leis
Ein kleiner Vogel trällert wie verrückt.
Das sanfte Korn schwillt leise und verzückt
Und Bienen sammeln noch mit ernstem Fleiß.

Komm Liebe nun zum müden Arbeitsmann!
25 In seine Hütte fällt ein lauer Strahl.
Der Wald strömt durch den Abend herb und fahl
Und Knospen knistern heiter dann und wann.

3

Wie scheint doch alles Werdende so krank!
30 Ein Fieberhauch um einen Weiler kreist;
Doch aus Gezweigen winkt ein sanfter Geist
Und öffnet das Gemüte weit und bang.

Ein blühender Erguß verrinnt sehr sacht
Und Ungebornes pflegt der eignen Ruh.
35 Die Liebenden blühn ihren Sternen zu
Und süßer fließt ihr Odem durch die Nacht.

So schmerzlich gut und wahrhaft ist, was lebt;
Und leise rührt dich an ein alter Stein:
Wahrlich! Ich werde immer bei euch sein.
40 O Mund! der durch die Silberweide bebt.

Vorstadt im Föhn

Am Abend liegt die Stätte öd und braun,
Die Luft von gräulichem Gestank durchzogen.
Das Donnern eines Zugs vom Brückenbogen –
5 Und Spatzen flattern über Busch und Zaun.

Geduckte Hütten, Pfade wirr verstreut,
In Gärten Durcheinander und Bewegung,
Bisweilen schwillt Geheul aus dumpfer Regung,
In einer Kinderschar fliegt rot ein Kleid.

10 Am Kehricht pfeift verliebt ein Rattenchor.
In Körben tragen Frauen Eingeweide,
Ein ekelhafter Zug voll Schmutz und Räude,
Kommen sie aus der Dämmerung hervor.

Und ein Kanal speit plötzlich feistes Blut
15 Vom Schlachthaus in den stillen Fluß hinunter.
Die Föhne färben karge Stauden bunter
Und langsam kriecht die Röte durch die Flut.

Ein Flüstern, das in trübem Schlaf ertrinkt.
Gebilde gaukeln auf aus Wassergräben,
20 Vielleicht Erinnerung an ein früheres Leben,
Die mit den warmen Winden steigt und sinkt.

Aus Wolken tauchen schimmernde Alleen,
Erfüllt von schönen Wägen, kühnen Reitern.
Dann sieht man auch ein Schiff auf Klippen scheitern
25 Und manchmal rosenfarbene Moscheen.

Die Ratten

In Hof scheint weiß der herbstliche Mond.
Vom Dachrand fallen phantastische Schatten.
Ein Schweigen in leeren Fenstern wohnt;
5 Da tauchen leise herauf die Ratten

Und huschen pfeifend hier und dort
Und ein gräulicher Dunsthauch wittert
Ihnen nach aus dem Abort,
Den geisterhaft der Mondschein durchzittert

10 Und sie keifen vor Gier wie toll
Und erfüllen Haus und Scheunen,
Die von Korn und Früchten voll.
Eisige Winde im Dunkel greinen.

Trübsinn

1. Fassung

Weltunglück geistert durch den Nachmittag.
Baraken fliehn durch Gärtchen braun und wüst.
Lichtschnuppen gaukeln um verbrannten Mist,
5 Zwei Schläfer schwanken heimwärts, grau und vag.

Auf der verdorrten Wiese läuft ein Kind
Und spielt mit seinen Augen schwarz und glatt.
Das Gold tropft von den Büschen trüb und matt.
Ein alter Mann dreht traurig sich im Wind.

10 Am Abend wieder über meinem Haupt
Saturn lenkt stumm ein elendes Geschick.
Ein Baum, ein Hund tritt hinter sich zurück
Und schwarz schwankt Gottes Himmel und entlaubt.

Ein Fischlein gleitet schnell hinab den Bach;
15 Und leise rührt des toten Freundes Hand
Und glättet liebend Stirne und Gewand.
Ein Licht ruft Schatten in den Zimmern wach.

In den Nachmittag geflüstert

Sonne, herbstlich dünn und zag,
Und das Obst fällt von den Bäumen.
Stille wohnt in blauen Räumen
5 Einen langen Nachmittag.

Sterbeklänge von Metall;
Und ein weißes Tier bricht nieder.
Brauner Mädchen rauhe Lieder
Sind verweht im Blätterfall.

10 Stirne Gottes Farben träumt,
Spürt des Wahnsinns sanfte Flügel.
Schatten drehen sich am Hügel
Von Verwesung schwarz umsäumt.

Dämmerung voll Ruh und Wein:
15 Traurige Guitarren rinnen.
Und zur milden Lampe drinnen
Kehrst du wie im Traume ein.

Psalm

2. Fassung

Karl Kraus zugeeignet

Es ist ein Licht, das der Wind ausgelöscht hat.
Es ist ein Heidekrug, den am Nachmittag ein Betrunkener verläßt.
5 Es ist ein Weinberg, verbrannt und schwarz mit Löchern voll Spinnen.
Es ist ein Raum, den sie mit Milch getüncht haben.
Der Wahnsinnige ist gestorben. Es ist eine Insel der Südsee,
Den Sonnengott zu empfangen. Man rührt die Trommeln.
Die Männer führen kriegerische Tänze auf.
10 Die Frauen wiegen die Hüften in Schlinggewächsen und Feuerblumen,
Wenn das Meer singt. O unser verlorenes Paradies.

Die Nymphen haben die goldenen Wälder verlassen.
Man begräbt den Fremden. Dann hebt ein Flimmerregen an.
Der Sohn des Pan erscheint in Gestalt eines Erdarbeiters,
15 Der den Mittag am glühenden Asphalt verschläft.
Es sind kleine Mädchen in einem Hof in Kleidchen voll herzzerreißender Armut!
Es sind Zimmer, erfüllt von Akkorden und Sonaten.
Es sind Schatten, die sich vor einem erblindeten Spiegel umarmen.
An den Fenstern des Spitals wärmen sich Genesende.
20 Ein weißer Dampfer am Kanal trägt blutige Seuchen herauf.

Die fremde Schwester erscheint wieder in jemands bösen Träumen.
Ruhend im Haselgebüsch spielt sie mit seinen Sternen.
Der Student, vielleicht ein Doppelgänger, schaut ihr lange vom Fenster nach.
Hinter ihm steht sein toter Bruder, oder er geht die alte Wendeltreppe herab.
25 Im Dunkel brauner Kastanien verblaßt die Gestalt des jungen Novizen.
Der Garten ist im Abend. Im Kreuzgang flattern die Fledermäuse umher.
Die Kinder des Hausmeisters hören zu spielen auf und suchen das Gold des Himmels.
Endakkorde eines Quartetts. Die kleine Blinde läuft zitternd durch die Allee,
Und später tastet ihr Schatten an kalten Mauern hin, umgeben von Märchen und heiligen Legenden.

30 Es ist ein leeres Boot, das am Abend den schwarzen Kanal heruntertreibt.
In der Düsternis des alten Asyls verfallen menschliche Ruinen.
Die toten Waisen liegen an der Gartenmauer.
Aus grauen Zimmern treten Engel mit kotgefleckten Flügeln.
Würmer tropfen von ihren vergilbten Lidern.
35 Der Platz vor der Kirche ist finster und schweigsam, wie in den Tagen der Kindheit.
Auf silbernen Sohlen gleiten frühere Leben vorbei
Und die Schatten der Verdammten steigen zu den seufzenden Wassern nieder.
In seinem Grab spielt der weiße Magier mit seinen Schlangen.

Schweigsam über der Schädelstätte öffnen sich Gottes goldene Augen.

Rosenkranzlieder

An die Schwester

Wo du gehst wird Herbst und Abend,
Blaues Wild, das unter Bäumen tönt,
5 Einsamer Weiher am Abend.

Leise der Flug der Vögel tönt,
Die Schwermut über deinen Augenbogen.
Dein schmales Lächeln tönt.

Gott hat deine Lider verbogen.
10 Sterne suchen nachts, Karfreitagskind,
Deinen Stirnenbogen.

Nähe des Todes

2. Fassung

O der Abend, der in die finsteren Dörfer der Kindheit geht.
Der Weiher unter den Weiden
15 Füllt sich mit den verpesteten Seufzern der Schwermut.

O der Wald, der leise die braunen Augen senkt,
Da aus des Einsamen knöchernen Händen
Der Purpur seiner verzückten Tage hinsinkt.

O die Nähe des Todes. Laß uns beten.
20 In dieser Nacht lösen auf lauen Kissen
Vergilbt von Weihrauch sich der Liebenden
schmächtige Glieder.

Amen

Verwestes gleitend durch die morsche Stube;
Schatten an gelben Tapeten; in dunklen Spiegeln wölbt
25 Sich unserer Hände elfenbeinerne Traurigkeit.

Braune Perlen rinnen durch die erstorbenen Finger.
In der Stille
Tun sich eines Engels blaue Mohnaugen auf.

Blau ist auch der Abend;
30 Die Stunde unseres Absterbens, Azraels Schatten,
Der ein braunes Gärtchen verdunkelt.

Verfall

Am Abend, wenn die Glocken Frieden läuten,
Folg ich der Vögel wundervollen Flügen,
Die lang geschart, gleich frommen Pilgerzügen,
5 Entschwinden in den herbstlich klaren Weiten.

Hinwandelnd durch den dämmervollen Garten
Träum ich nach ihren helleren Geschicken
Und fühl der Stunden Weiser kaum mehr rücken.
So folg ich über Wolken ihren Fahrten.

10 Da macht ein Hauch mich von Verfall erzittern.
Die Amsel klagt in den entlaubten Zweigen.
Es schwankt der rote Wein an rostigen Gittern,

Indes wie blasser Kinder Todesreigen
Um dunkle Brunnenränder, die verwittern,
15 Im Wind sich fröstelnd blaue Astern neigen.

In der Heimat

Resedenduft durchs kranke Fenster irrt;
Ein alter Platz, Kastanien schwarz und wüst.
Das Dach durchbricht ein goldener Strahl und fließt
5 Auf die Geschwister traumhaft und verwirrt.

Im Spülicht treibt Verfallnes, leise girrt
Der Föhn im braunen Gärtchen; sehr still genießt
Ihr Gold die Sonnenblume und zerfließt.
Durch blaue Luft der Ruf der Wache klirrt.

10 Resedenduft. Die Mauern dämmern kahl.
Der Schwester Schlaf ist schwer. Der Nachtwind wühlt
In ihrem Haar, das mondner Glanz umspült.

Der Katze Schatten gleitet blau und schmal
Vom morschen Dach, das nahes Unheil säumt,
15 Die Kerzenflamme, die sich purpurn bäumt.

Ein Herbstabend

An Karl Röck

Das braune Dorf. Ein Dunkles zeigt im Schreiten
Sich oft an Mauern, die im Herbste stehn,
5 Gestalten: Mann wie Weib, Verstorbene gehn
In kühlen Stuben jener Bett bereiten.

Hier spielen Knaben. Schwere Schatten breiten
Sich über braune Jauche. Mägde gehn
Durch feuchte Bläue und bisweilen sehn
10 Aus Augen sie, erfüllt von Nachtgeläuten.

Für Einsames ist eine Schenke da;
Das säumt geduldig unter dunklen Bogen,
Von goldenem Tabaksgewölk umzogen.

Doch immer ist das Eigne schwarz und nah.
15 Der Trunkne sinnt im Schatten alter Bogen
Den wilden Vögeln nach, die ferngezogen.

Menschliches Elend

›Menschliche Trauer‹ *2. Fassung*

Die Uhr, die vor der Sonne fünfe schlägt –
Einsame Menschen packt ein dunkles Grausen,
Im Abendgarten kahle Bäume sausen.
5 Des Toten Antlitz sich am Fenster regt.

Vielleicht, daß diese Stunde stille steht.
Vor trüben Augen blaue Bilder gaukeln
Im Takt der Schiffe, die am Flusse schaukeln.
Am Kai ein Schwesternzug vorüberweht.

10 Im Hasel spielen Mädchen blaß und blind,
Wie Liebende, die sich im Schlaf umschlingen.
Vielleicht, daß um ein Aas dort Fliegen singen,
Vielleicht auch weint im Mutterschoß ein Kind.

Aus Händen sinken Astern blau und rot,
15 Des Jünglings Mund entgleitet fremd und weise;
Und Lider flattern angstverwirrt und leise;
Durch Fieberschwärze weht ein Duft von Brot.

Es scheint, man hört auch gräßliches Geschrei;
Gebeine durch verfallne Mauern schimmern.
20 Ein böses Herz lacht laut in schönen Zimmern;
An einem Träumer läuft ein Hund vorbei.

Ein leerer Sarg im Dunkel sich verliert.
Dem Mörder will ein Raum sich bleich erhellen,
Indes Laternen nachts im Sturm zerschellen.
25 Des Edlen weiße Schläfe Lorbeer ziert.

Im Dorf

1

Aus braunen Mauern tritt ein Dorf, ein Feld.
Ein Hirt verwest auf einem alten Stein.
5 Der Saum des Walds schließt blaue Tiere ein,
Das sanfte Laub, das in die Stille fällt.

Der Bauern braune Stirnen. Lange tönt
Die Abendglocke; schön ist frommer Brauch,
Des Heilands schwarzes Haupt im Dornenstrauch,
10 Die kühle Stube, die der Tod versöhnt.

Wie bleich die Mütter sind. Die Bläue sinkt
Auf Glas und Truh, die stolz ihr Sinn bewahrt;
Auch neigt ein weißes Haupt sich hochbejahrt
Aufs Enkelkind, das Milch und Sterne trinkt.

15 2

Der Arme, der im Geiste einsam starb,
Steigt wächsern über einen alten Pfad.
Die Apfelbäume sinken kahl und stad
Ins Farbige ihrer Frucht, die schwarz verdarb.

20 Noch immer wölbt das Dach aus dürrem Stroh
Sich übern Schlaf der Kühe. Die blinde Magd
Erscheint im Hof; ein blaues Wasser klagt;
Ein Pferdeschädel starrt vom morschen Tor.

Der Idiot spricht dunklen Sinns ein Wort
25 Der Liebe, das im schwarzen Busch verhallt,
Wo jene steht in schmaler Traumgestalt.
Der Abend tönt in feuchter Bläue fort.

3

Ans Fenster schlagen Äste föhnentlaubt.
30 Im Schoß der Bäurin wächst ein wildes Weh.
Durch ihre Arme rieselt schwarzer Schnee;
Goldäugige Eulen flattern um ihr Haupt.

Die Mauern starren kahl und grauverdreckt
Ins kühle Dunkel. Im Fieberbette friert
35 Der schwangere Leib, den frech der Mond bestiert.
Vor ihrer Kammer ist ein Hund verreckt.

Drei Männer treten finster durch das Tor
Mit Sensen, die im Feld zerbrochen sind.
Durchs Fenster klirrt der rote Abendwind;
40 Ein schwarzer Engel tritt daraus hervor.

Abendlied

Am Abend, wenn wir auf dunklen Pfaden gehn,
Erscheinen unsere bleichen Gestalten vor uns.

Wenn uns dürstet,
5 Trinken wir die weißen Wasser des Teichs,
Die Süße unserer traurigen Kindheit.

Erstorbene ruhen wir unterm Hollundergebüsch,
Schaun den grauen Möven zu.

Frühlingsgewölke steigen über die finstere Stadt,
10 Die der Mönche edlere Zeiten schweigt.

Da ich deine schmalen Hände nahm
Schlugst du leise die runden Augen auf,
Dieses ist lange her.

Doch wenn dunkler Wohllaut die Seele heimsucht,
15 Erscheinst du Weiße in des Freundes herbstlicher
Landschaft.

Drei Blicke in einen Opal

An Erhard Buschbeck

1

Blick in Opal: ein Dorf umkränzt von dürrem Wein,
5 Der Stille grauer Wolken, gelber Felsenhügel
Und abendlicher Quellen Kühle: Zwillingsspiegel
Umrahmt von Schatten und von schleimigem Gestein.

Des Herbstes Weg und Kreuze gehn in Abend ein,
Singende Pilger und die blutbefleckten Linnen.
10 Des Einsamen Gestalt kehrt also sich nach innen
Und geht, ein bleicher Engel, durch den leeren Hain.

Aus Schwarzem bläst der Föhn. Mit Satyrn im Verein
Sind schlanke Weiblein; Mönche der Wollust bleiche Priester,
Ihr Wahnsinn schmückt mit Lilien sich schön und düster
15 Und hebt die Hände auf zu Gottes goldenem Schrein.

2

Der ihn befeuchtet, rosig hängt ein Tropfen Tau
Im Rosmarin: hinfließt ein Hauch von Grabgerüchen,
Spitälern, wirr erfüllt von Fieberschrein und Flüchen.
20 Gebein steigt aus dem Erbbegräbnis morsch und grau.

In blauem Schleim und Schleiern tanzt des Greisen Frau,
Das schmutzstarrende Haar erfüllt von schwarzen Tränen,
Die Knaben träumen wirr in dürren Weidensträhnen
Und ihre Stirnen sind von Aussatz kahl und rauh.

25 Durchs Bogenfenster sinkt ein Abend lind und lau.
Ein Heiliger tritt aus seinen schwarzen Wundenmalen.
Die Purpurschnecken kriechen aus zerbrochenen Schalen
Und speien Blut in Dorngewinde starr und grau.

3

30 Die Blinden streuen in eiternde Wunden Weiherauch.
Rotgoldene Gewänder; Fackeln; Psalmensingen;
Und Mädchen, die wie Gift den Leib des Herrn umschlingen.
Gestalten schreiten wächsernstarr durch Glut und Rauch.

Aussätziger mitternächtigen Tanz führt an ein Gauch
35 Dürrknöchern. Garten wunderlicher Abenteuer;
Verzerrtes; Blumenfratzen, Lachen; Ungeheuer
Und rollendes Gestirn im schwarzen Dornenstrauch.

O Armut, Bettelsuppe, Brot und süßer Lauch;
Des Lebens Träumerei in Hütten vor den Wäldern.
40 Grau härtet sich der Himmel über gelben Feldern
Und eine Abendglocke singt nach altem Brauch.

Nachtlied

Des Unbewegten Odem. Ein Tiergesicht
Erstarrt vor Bläue, ihrer Heiligkeit.
Gewaltig ist das Schweigen im Stein;

5 Die Maske eines nächtlichen Vogels. Sanfter Dreiklang
Verklingt in einem. Elai! dein Antlitz
Beugt sich sprachlos über bläuliche Wasser.

O! ihr stillen Spiegel der Wahrheit.
An des Einsamen elfenbeinerner Schläfe
10 Erscheint der Abglanz gefallener Engel.

Helian

In den einsamen Stunden des Geistes
Ist es schön, in der Sonne zu gehn
An den gelben Mauern des Sommers hin.
5 Leise klingen die Schritte im Gras; doch immer schläft
Der Sohn des Pan im grauen Marmor.

Abends auf der Terrasse betranken wir uns mit braunem
Rötlich glüht der Pfirsich im Laub; ⌊Wein.
Sanfte Sonate, frohes Lachen.

10 Schön ist die Stille der Nacht.
Auf dunklem Plan
Begegnen wir uns mit Hirten und weißen Sternen.

Wenn es Herbst geworden ist
Zeigt sich nüchterne Klarheit im Hain.
15 Besänftigte wandeln wir an roten Mauern hin
Und die runden Augen folgen dem Flug der Vögel.
Am Abend sinkt das weiße Wasser in Graburnen.

In kahlen Gezweigen feiert der Himmel.
In reinen Händen trägt der Landmann Brot und Wein
20 Und friedlich reifen die Früchte in sonniger Kammer.

O wie ernst ist das Antlitz der teueren Toten.
Doch die Seele erfreut gerechtes Anschaun.

Gewaltig ist das Schweigen des verwüsteten Gartens,
Da der junge Novize die Stirne mit braunem Laub bekränzt,
25 Sein Odem eisiges Gold trinkt.

Die Hände rühren das Alter bläulicher Wasser
Oder in kalter Nacht die weißen Wangen der Schwestern.

Leise und harmonisch ist ein Gang an freundlichen Zimmern hin,
Wo Einsamkeit ist und das Rauschen des Ahorns,
30 Wo vielleicht noch die Drossel singt.

Schön ist der Mensch und erscheinend im Dunkel,
Wenn er staunend Arme und Beine bewegt,
Und in purpurnen Höhlen stille die Augen rollen.

Zur Vesper verliert sich der Fremdling in schwarzer Novemberzerstörung,
35 Unter morschem Geäst, an Mauern voll Aussatz hin,
Wo vordem der heilige Bruder gegangen,
Versunken in das sanfte Saitenspiel seines Wahnsinns,

O wie einsam endet der Abendwind.
Ersterbend neigt sich das Haupt im Dunkel des Ölbaums.

40 Erschütternd ist der Untergang des Geschlechts.
In dieser Stunde füllen sich die Augen des Schauenden
Mit dem Gold seiner Sterne.

Am Abend versinkt ein Glockenspiel, das nicht mehr tönt,
Verfallen die schwarzen Mauern am Platz,
45 Ruft der tote Soldat zum Gebet.

Ein bleicher Engel
Tritt der Sohn ins leere Haus seiner Väter.

Die Schwestern sind ferne zu weißen Greisen gegangen.
Nachts fand sie der Schläfer unter den Säulen im Hausflur,
50 Zurückgekehrt von traurigen Pilgerschaften.

O wie starrt von Kot und Würmern ihr Haar,
Da er darein mit silbernen Füßen steht,
Und jene verstorben aus kahlen Zimmern treten.

O ihr Psalmen in feurigen Mitternachtsregen,
55 Da die Knechte mit Nesseln die sanften Augen schlugen,
Die kindlichen Früchte des Hollunders
Sich staunend neigen über ein leeres Grab.

Leise rollen vergilbte Monde
Über die Fieberlinnen des Jünglings,
66 Eh dem Schweigen des Winters folgt.

Ein erhabenes Schicksal sinnt den Kidron hinab,
Wo die Zeder, ein weiches Geschöpf,
Sich unter den blauen Brauen des Vaters entfaltet,
Über die Weide nachts ein Schäfer seine Herde führt.
65 Oder es sind Schreie im Schlaf,
Wenn ein eherner Engel im Hain den Menschen antritt,
Das Fleisch des Heiligen auf glühendem Rost hinschmilzt.

Um die Lehmhütten rankt purpurner Wein,
Tönende Bündel vergilbten Korns,
70 Das Summen der Bienen, der Flug des Kranichs.
Am Abend begegnen sich Auferstandene auf
Felsenpfaden.

In schwarzen Wassern spiegeln sich Aussätzige;
Oder sie öffnen die kotbefleckten Gewänder
Weinend dem balsamischen Wind, der vom rosigen
Hügel weht.

75 Schlanke Mägde tasten durch die Gassen der Nacht,
Ob sie den liebenden Hirten fänden.
Sonnabends tönt in den Hütten sanfter Gesang.

Lasset das Lied auch des Knaben gedenken,
Seines Wahnsinns, und weißer Brauen und seines
Hingangs,
80 Des Verwesten, der bläulich die Augen aufschlägt.
O wie traurig ist dieses Wiedersehn.

Die Stufen des Wahnsinns in schwarzen Zimmern,
Die Schatten der Alten unter der offenen Tür,
Da Helians Seele sich im rosigen Spiegel beschaut
85 Und Schnee und Aussatz von seiner Stirne sinken.

An den Wänden sind die Sterne erloschen
Und die weißen Gestalten des Lichts.

Dem Teppich entsteigt Gebein der Gräber,
Das Schweigen verfallener Kreuze am Hügel,
90 Des Weihrauchs Süße im purpurnen Nachtwind.

O ihr zerbrochenen Augen in schwarzen Mündern,
Da der Enkel in sanfter Umnachtung
Einsam dem dunkleren Ende nachsinnt,
Der stille Gott die blauen Lider über ihn senkt.

Sebastian im Traum

SEBASTIAN IM TRAUM

Kindheit

Voll Früchten der Hollunder; ruhig wohnte die Kindheit
In blauer Höhle. Über vergangenen Pfad,
Wo nun bräunlich das wilde Gras saust,
5 Sinnt das stille Geäst; das Rauschen des Laubs

Ein gleiches, wenn das blaue Wasser im Felsen tönt.
Sanft ist der Amsel Klage. Ein Hirt
Folgt sprachlos der Sonne, die vom herbstlichen Hügel rollt.

Ein blauer Augenblick ist nur mehr Seele.
10 Am Waldsaum zeigt sich ein scheues Wild und friedlich
Ruhn im Grund die alten Glocken und finsteren Weiler.

Frömmer kennst du den Sinn der dunklen Jahre,
Kühle und Herbst in einsamen Zimmern;
Und in heiliger Bläue läuten leuchtende Schritte fort.

15 Leise klirrt ein offenes Fenster; zu Tränen
Rührt der Anblick des verfallenen Friedhofs am Hügel,
Erinnerung an erzählte Legenden; doch manchmal erhellt
sich die Seele,
Wenn sie frohe Menschen denkt, dunkelgoldene Frühlings-
tage.

Stundenlied

Mit dunklen Blicken sehen sich die Liebenden an,
Die Blonden, Strahlenden. In starrender Finsternis
Umschlingen schmächtig sich die sehnenden Arme.

5 Purpurn zerbrach der Gesegneten Mund. Die runden Augen
Spiegeln das dunkle Gold des Frühlingsnachmittags,
Saum und Schwärze des Walds, Abendängste im Grün;
Vielleicht unsäglichen Vogelflug, des Ungeborenen
Pfad an finsteren Dörfern, einsamen Sommern hin
10 Und aus verfallener Bläue tritt bisweilen ein Abgelebtes.

Leise rauscht im Acker das gelbe Korn.
Hart ist das Leben und stählern schwingt die Sense der Landmann,
Fügt gewaltige Balken der Zimmermann.

Purpurn färbt sich das Laub im Herbst; der mönchische Geist
15 Durchwandelt heitere Tage; reif ist die Traube
Und festlich die Luft in geräumigen Höfen.
Süßer duften vergilbte Früchte; leise ist das Lachen
Des Frohen, Musik und Tanz in schattigen Kellern;
Im dämmernden Garten Schritt und Stille des verstorbenen Knaben.

Unterwegs

Am Abend trugen sie den Fremden in die Totenkammer;
Ein Duft von Teer; das leise Rauschen roter Platanen;
Der dunkle Flug der Dohlen; am Platz zog eine Wache auf.
5 Die Sonne ist in schwarze Linnen gesunken; immer wieder kehrt dieser vergangene Abend.
Im Nebenzimmer spielt die Schwester eine Sonate von Schubert.
Sehr leise sinkt ihr Lächeln in den verfallenen Brunnen,
Der bläulich in der Dämmerung rauscht. O, wie alt ist unser Geschlecht.
Jemand flüstert drunten im Garten; jemand hat diesen schwarzen Himmel verlassen.
10 Auf der Kommode duften Äpfel. Großmutter zündet goldene Kerzen an.

O, wie mild ist der Herbst. Leise klingen unsere Schritte im alten Park
Unter hohen Bäumen. O, wie ernst ist das hyazinthene Antlitz der Dämmerung.
Der blaue Quell zu deinen Füßen, geheimnisvoll die rote Stille deines Munds,
Umdüstert vom Schlummer des Laubs, dem dunklen Gold verfallener Sonnenblumen.
15 Deine Lider sind schwer von Mohn und träumen leise auf meiner Stirne.
Sanfte Glocken durchzittern die Brust. Eine blaue Wolke
Ist dein Antlitz auf mich gesunken in der Dämmerung.

Ein Lied zur Guitarre, das in einer fremden Schenke
erklingt,
Die wilden Hollunderbüsche dort, ein lang vergangener
Novembertag,
20 Vertraute Schritte auf der dämmernden Stiege, der Anblick
gebräunter Balken,
Ein offenes Fenster, an dem ein süßes Hoffen zurückblieb –
Unsäglich ist das alles, o Gott, daß man erschüttert ins
Knie bricht.

O, wie dunkel ist diese Nacht. Eine purpurne Flamme
Erlosch an meinem Mund. In der Stille
25 Erstirbt der bangen Seele einsames Saitenspiel.
Laß, wenn trunken von Wein das Haupt in die Gosse sinkt.

Landschaft

2. Fassung

Septemberabend; traurig tönen die dunklen Rufe der Hirten
Durch das dämmernde Dorf; Feuer sprüht in der Schmiede.
Gewaltig bäumt sich ein schwarzes Pferd; die hyazinthenen
Locken der Magd
5 Haschen nach der Inbrunst seiner purpurnen Nüstern.
Leise erstarrt am Saum des Waldes der Schrei der Hirschkuh
Und die gelben Blumen des Herbstes
Neigen sich sprachlos über das blaue Antlitz des Teichs.
In roter Flamme verbrannte ein Baum; aufflattern mit
dunklen Gesichtern die Fledermäuse.

An den Knaben Elis

Elis, wenn die Amsel im schwarzen Wald ruft,
Dieses ist dein Untergang.
Deine Lippen trinken die Kühle des blauen Felsenquells.

5 Laß, wenn deine Stirne leise blutet
Uralte Legenden
Und dunkle Deutung des Vogelflugs.

Du aber gehst mit weichen Schritten in die Nacht,
Die voll purpurner Trauben hängt,
10 Und du regst die Arme schöner im Blau.

Ein Dornenbusch tönt,
Wo deine mondenen Augen sind.
O, wie lange bist, Elis, du verstorben.

Dein Leib ist eine Hyazinthe,
15 In die ein Mönch die wächsernen Finger taucht.
Eine schwarze Höhle ist unser Schweigen,

Daraus bisweilen ein sanftes Tier tritt
Und langsam die schweren Lider senkt.
Auf deine Schläfen tropft schwarzer Tau,

20 Das letzte Gold verfallener Sterne.

Elis

3. Fassung

1

Vollkommen ist die Stille dieses goldenen Tags.
Unter alten Eichen
5 Erscheinst du, Elis, ein Ruhender mit runden Augen.

Ihre Bläue spiegelt den Schlummer der Liebenden.
An deinem Mund
Verstummten ihre rosigen Seufzer.

Am Abend zog der Fischer die schweren Netze ein.
10 Ein guter Hirt
Führt seine Herde am Waldsaum hin.
O! wie gerecht sind, Elis, alle deine Tage.

Leise sinkt
An kahlen Mauern des Ölbaums blaue Stille,
15 Erstirbt eines Greisen dunkler Gesang.

Ein goldener Kahn
Schaukelt, Elis, dein Herz am einsamen Himmel.

2

Ein sanftes Glockenspiel tönt in Elis' Brust
20 Am Abend,
Da sein Haupt ins schwarze Kissen sinkt.

Ein blaues Wild
Blutet leise im Dornengestrüpp.

Ein brauner Baum steht abgeschieden da;
25 Seine blauen Früchte fielen von ihm.

Zeichen und Sterne
Versinken leise im Abendweiher.

Hinter dem Hügel ist es Winter geworden.

Blaue Tauben
30 Trinken nachts den eisigen Schweiß,
Der von Elis' kristallener Stirne rinnt.

Immer tönt
An schwarzen Mauern Gottes einsamer Wind.

Hohenburg

2. Fassung

Es ist niemand im Haus. Herbst in Zimmern;
Mondeshelle Sonate
Und das Erwachen am Saum des dämmernden Walds.

5 Immer denkst du das weiße Antlitz des Menschen
Ferne dem Getümmel der Zeit;
Über ein Träumendes neigt sich gerne grünes Gezweig,

Kreuz und Abend;
Umfängt den Tönenden mit purpurnen Armen sein Stern,
10 Der zu unbewohnten Fenstern hinaufsteigt.

Also zittert im Dunkel der Fremdling,
Da er leise die Lider über ein Menschliches aufhebt,
Das ferne ist; die Silberstimme des Windes im Hausflur.

Sebastian im Traum

Für Adolf Loos

Mutter trug das Kindlein im weißen Mond,
Im Schatten des Nußbaums, uralten Hollunders,
5 Trunken vom Safte des Mohns, der Klage der Drossel;
Und stille
Neigte in Mitleid sich über jene ein bärtiges Antlitz

Leise im Dunkel des Fensters; und altes Hausgerät
Der Väter
10 Lag im Verfall; Liebe und herbstliche Träumerei.

Also dunkel der Tag des Jahrs, traurige Kindheit,
Da der Knabe leise zu kühlen Wassern, silbernen Fischen hinabstieg,
Ruh und Antlitz;
Da er steinern sich vor rasende Rappen warf,
15 In grauer Nacht sein Stern über ihn kam;

Oder wenn er an der frierenden Hand der Mutter
Abends über Sankt Peters herbstlichen Friedhof ging,
Ein zarter Leichnam stille im Dunkel der Kammer lag
Und jener die kalten Lider über ihn aufhob.

20 Er aber war ein kleiner Vogel im kahlen Geäst,
Die Glocke lang im Abendnovember,
Des Vaters Stille, da er im Schlaf die dämmernde Wendeltreppe hinabstieg.

2

Frieden der Seele. Einsamer Winterabend,
25 Die dunklen Gestalten der Hirten am alten Weiher;
Kindlein in der Hütte von Stroh; o wie leise
Sank in schwarzem Fieber das Antlitz hin.
Heilige Nacht.

Oder wenn er an der harten Hand des Vaters
30 Stille den finstern Kalvarienberg hinanstieg
Und in dämmernden Felsennischen
Die blaue Gestalt des Menschen durch seine Legende ging,
Aus der Wunde unter dem Herzen purpurn das Blut rann.
O wie leise stand in dunkler Seele das Kreuz auf.

35 Liebe; da in schwarzen Winkeln der Schnee schmolz,
Ein blaues Lüftchen sich heiter im alten Hollunder fing,
In dem Schattengewölbe des Nußbaums;
Und dem Knaben leise sein rosiger Engel erschien.

Freude; da in kühlen Zimmern eine Abendsonate erklang,
40 Im braunen Holzgebälk
Ein blauer Falter aus der silbernen Puppe kroch.

O die Nähe des Todes. In steinerner Mauer
Neigte sich ein gelbes Haupt, schweigend das Kind,
Da in jenem März der Mond verfiel.

45 3

Rosige Osterglocke im Grabgewölbe der Nacht
Und die Silberstimmen der Sterne,
Daß in Schauern ein dunkler Wahnsinn von der Stirne des
Schläfers sank.

O wie stille ein Gang den blauen Fluß hinab
50 Vergessenes sinnend, da im grünen Geäst
Die Drossel ein Fremdes in den Untergang rief.

Oder wenn er an der knöchernen Hand des Greisen
Abends vor die verfallene Mauer der Stadt ging
Und jener in schwarzem Mantel ein rosiges Kindlein trug,
55 Im Schatten des Nußbaums der Geist des Bösen erschien.

Tasten über die grünen Stufen des Sommers. O wie leise
Verfiel der Garten in der braunen Stille des Herbstes,
Duft und Schwermut des alten Hollunders,
Da in Sebastians Schatten die Silberstimme des Engels
erstarb.

Am Moor

3. Fassung

Wanderer im schwarzen Wind; leise flüstert das dürre
In der Stille des Moors. Am grauen Himmel Rohr
Ein Zug von wilden Vögeln folgt;
5 Quere über finsteren Wassern.

Aufruhr. In verfallener Hütte
Aufflattert mit schwarzen Flügeln die Fäulnis;
Verkrüppelte Birken seufzen im Wind.

Abend in verlassener Schenke. Den Heimweg umwittert
10 Die sanfte Schwermut grasender Herden,
Erscheinung der Nacht: Kröten tauchen aus silbernen
Wassern.

Im Frühling

Leise sank von dunklen Schritten der Schnee,
Im Schatten des Baums
Heben die rosigen Lider Liebende.

5 Immer folgt den dunklen Rufen der Schiffer
Stern und Nacht;
Und die Ruder schlagen leise im Takt.

Balde an verfallener Mauer blühen
Die Veilchen,
10 Ergrünt so stille die Schläfe des Einsamen.

Abend in Lans

2. Fassung

Wanderschaft durch dämmernden Sommer
An Bündeln vergilbten Korns vorbei. Unter getünchten
Bogen,
Wo die Schwalbe aus und ein flog, tranken wir feurigen
Wein.

5 Schön: o Schwermut und purpurnes Lachen.
Abend und die dunklen Düfte des Grüns
Kühlen mit Schauern die glühende Stirne uns.

Silberne Wasser rinnen über die Stufen des Walds,
Die Nacht und sprachlos ein vergessenes Leben.
10 Freund; die belaubten Stege ins Dorf.

Am Mönchsberg

2. Fassung

Wo im Schatten herbstlicher Ulmen der verfallene Pfad
hinabsinkt,
Ferne den Hütten von Laub, schlafenden Hirten,
Immer folgt dem Wandrer die dunkle Gestalt der Kühle
5 Über knöchernen Steg, die hyazinthene Stimme des
Knaben,
Leise sagend die vergessene Legende des Walds,
Sanfter ein Krankes nun die wilde Klage des Bruders.

Also rührt ein spärliches Grün das Knie des Fremdlings,
Das versteinerte Haupt;
10 Näher rauscht der blaue Quell die Klage der Frauen.

Kaspar Hauser Lied

Für Bessie Loos

Er wahrlich liebte die Sonne, die purpurn den Hügel
hinabstieg,
Die Wege des Walds, den singenden Schwarzvogel
5 Und die Freude des Grüns.

Ernsthaft war sein Wohnen im Schatten des Baums
Und rein sein Antlitz.
Gott sprach eine sanfte Flamme zu seinem Herzen:
O Mensch!

10 Stille fand sein Schritt die Stadt am Abend;
Die dunkle Klage seines Munds:
Ich will ein Reiter werden.

Ihm aber folgte Busch und Tier,
Haus und Dämmergarten weißer Menschen
15 Und sein Mörder suchte nach ihm.

Frühling und Sommer und schön der Herbst
Des Gerechten, sein leiser Schritt
An den dunklen Zimmern Träumender hin.
Nachts blieb er mit seinem Stern allein;

20 Sah, daß Schnee fiel in kahles Gezweig
Und im dämmernden Hausflur den Schatten des Mörders.

Silbern sank des Ungebornen Haupt hin.

Nachts

Die Bläue meiner Augen ist erloschen in dieser Nacht,
Das rote Gold meines Herzens. O! wie stille brannte
Dein blauer Mantel umfing den Sinkenden; ⌊das Licht.
5 Dein roter Mund besiegelte des Freundes Umnachtung.

Verwandlung des Bösen

2. Fassung

Herbst: schwarzes Schreiten am Waldsaum; Minute stummer Zerstörung; auflauscht die Stirne des Aussätzigen unter dem kahlen Baum. Langvergangener Abend, der
5 nun über die Stufen von Moos sinkt; November. Eine Glocke läutet und der Hirt führt eine Herde von schwarzen und roten Pferden ins Dorf. Unter dem Haselgebüsch weidet der grüne Jäger ein Wild aus. Seine Hände rauchen von Blut und der Schatten des Tiers seufzt im Laub über
10 den Augen des Mannes, braun und schweigsam; der Wald. Krähen, die sich zerstreuen; drei. Ihr Flug gleicht einer Sonate, voll verblichener Akkorde und männlicher Schwermut; leise löst sich eine goldene Wolke auf. Bei der Mühle zünden Knaben ein Feuer an. Flamme ist des
15 Bleichsten Bruder und jener lacht vergraben in sein purpurnes Haar; oder es ist ein Ort des Mordes, an dem ein steiniger Weg vorbeiführt. Die Berberitzen sind verschwunden, jahrlang träumt es in bleierner Luft unter den Föhren; Angst, grünes Dunkel, das Gurgeln eines Ertrin-
20 kenden: aus dem Sternenweiher zieht der Fischer einen großen, schwarzen Fisch, Antlitz voll Grausamkeit und Irrsinn. Die Stimmen des Rohrs, hadernder Männer im Rücken schaukelt jener auf rotem Kahn über frierende Herbstwasser, lebend in dunklen Sagen seines Geschlechts
25 und die Augen steinern über Nächte und jungfräuliche Schrecken aufgetan. Böse.

Was zwingt dich still zu stehen auf der verfallenen Stiege, im Haus deiner Väter? Bleierne Schwärze. Was hebst du mit silberner Hand an die Augen; und die Lider sinken wie trunken von Mohn? Aber durch die Mauer von Stein siehst du den Sternenhimmel, die Milchstraße, den Saturn; rot. Rasend an die Mauer von Stein klopft der kahle Baum. Du auf verfallenen Stufen: Baum, Stern, Stein! Du, ein blaues Tier, das leise zittert; du, der bleiche Priester, der es hinschlachtet am schwarzen Altar. O dein Lächeln im Dunkel, traurig und böse, daß ein Kind im Schlaf erbleicht. Eine rote Flamme sprang aus deiner Hand und ein Nachtfalter verbrannte daran. O die Flöte des Lichts; o die Flöte des Tods. Was zwang dich still zu stehen auf verfallener Stiege, im Haus deiner Väter? Drunten ans Tor klopft ein Engel mit kristallnem Finger.

O die Hölle des Schlafs; dunkle Gasse, braunes Gärtchen. Leise läutet im blauen Abend der Toten Gestalt. Grüne Blümchen umgaukeln sie und ihr Antlitz hat sie verlassen. Oder es neigt sich verblichen über die kalte Stirne des Mörders im Dunkel des Hausflurs; Anbetung, purpurne Flamme der Wollust; hinsterbend stürzte über schwarze Stufen der Schläfer ins Dunkel.

Jemand verließ dich am Kreuzweg und du schaust lange zurück. Silberner Schritt im Schatten verkrüppelter Apfelbäumchen. Purpurn leuchtet die Frucht im schwarzen Geäst und im Gras häutet sich die Schlange. O! das Dunkel; der Schweiß, der auf die eisige Stirne tritt und die traurigen Träume im Wein, in der Dorfschenke unter schwarzverrauchtem Gebälk. Du, noch Wildnis, die rosige Inseln zaubert aus dem braunen Tabaksgewölk und aus dem Innern den wilden Schrei eines Greifen holt, wenn er um schwarze Klippen jagt in Meer, Sturm und Eis. Du, ein grünes Metall und innen ein feuriges Gesicht, das hingehen will und singen vom Beinerhügel finstere Zeiten und den flammenden Sturz des Engels. O! Verzweiflung, die mit stummem Schrei ins Knie bricht.

Ein Toter besucht dich. Aus dem Herzen rinnt das selbstvergossene Blut und in schwarzer Braue nistet unsäglicher Augenblick; dunkle Begegnung. Du – ein purpurner Mond, da jener im grünen Schatten des Ölbaums erscheint. Dem folgt unvergängliche Nacht.

DER HERBST DES EINSAMEN

Im Park

Wieder wandelnd im alten Park,
O! Stille gelb und roter Blumen.
Ihr auch trauert, ihr sanften Götter,
5 Und das herbstliche Gold der Ulme.
Reglos ragt am bläulichen Weiher
Das Rohr, verstummt am Abend die Drossel.
O! dann neige auch du die Stirne
Vor der Ahnen verfallenem Marmor.

Ein Winterabend

2. Fassung

Wenn der Schnee ans Fenster fällt,
Lang die Abendglocke läutet,
Vielen ist der Tisch bereitet
5 Und das Haus ist wohlbestellt.

Mancher auf der Wanderschaft
Kommt ans Tor auf dunklen Pfaden.
Golden blüht der Baum der Gnaden
Aus der Erde kühlem Saft.

10 Wanderer tritt still herein;
Schmerz versteinerte die Schwelle.
Da erglänzt in reiner Helle
Auf dem Tische Brot und Wein.

Die Verfluchten

1

Es dämmert. Zum Brunnen gehn die alten Fraun.
Im Dunkel der Kastanien lacht ein Rot.
5 Aus einem Laden rinnt ein Duft von Brot
Und Sonnenblumen sinken übern Zaun.

Am Fluß die Schenke tönt noch lau und leis.
Guitarre summt; ein Klimperklang von Geld.
Ein Heiligenschein auf jene Kleine fällt,
10 Die vor der Glastür wartet sanft und weiß.

O! blauer Glanz, den sie in Scheiben weckt,
Umrahmt von Dornen, schwarz und starrverzückt.
Ein krummer Schreiber lächelt wie verrückt
Ins Wasser, das ein wilder Aufruhr schreckt.

15 2

Am Abend säumt die Pest ihr blau Gewand
Und leise schließt die Tür ein finstrer Gast.
Durchs Fenster sinkt des Ahorns schwarze Last;
Ein Knabe legt die Stirn in ihre Hand.

20 Oft sinken ihre Lider bös und schwer.
Des Kindes Hände rinnen durch ihr Haar
Und seine Tränen stürzen heiß und klar
In ihre Augenhöhlen schwarz und leer.

Ein Nest von scharlachfarbnen Schlangen bäumt
25 Sich träg in ihrem aufgewühlten Schoß.
Die Arme lassen ein Erstorbenes los,
Das eines Teppichs Traurigkeit umsäumt.

3

Ins braune Gärtchen tönt ein Glockenspiel.
30 Im Dunkel der Kastanien schwebt ein Blau,
Der süße Mantel einer fremden Frau.
Resedenduft; und glühendes Gefühl

Des Bösen. Die feuchte Stirn beugt kalt und bleich
Sich über Unrat, drin die Ratte wühlt,
35 Vom Scharlachglanz der Sterne lau umspült;
Im Garten fallen Äpfel dumpf und weich.

Die Nacht ist schwarz. Gespenstisch bläht der Föhn
Des wandelnden Knaben weißes Schlafgewand
Und leise greift in seinen Mund die Hand
40 Der Toten. Sonja lächelt sanft und schön.

Sonja

Abend kehrt in alten Garten;
Sonjas Leben, blaue Stille.
Wilder Vögel Wanderfahrten;
5 Kahler Baum in Herbst und Stille.

Sonnenblume, sanftgeneigte
Über Sonjas weißes Leben.
Wunde, rote, niegezeigte
Läßt in dunklen Zimmern leben,

10 Wo die blauen Glocken läuten;
Sonjas Schritt und sanfte Stille.
Sterbend Tier grüßt im Entgleiten,
Kahler Baum in Herbst und Stille.

Sonne alter Tage leuchtet
15 Über Sonjas weiße Brauen,
Schnee, der ihre Wangen feuchtet,
Und die Wildnis ihrer Brauen.

Entlang

Geschnitten sind Korn und Traube,
Der Weiler in Herbst und Ruh.
Hammer und Amboß klingt immerzu,
5 Lachen in purpurner Laube.

Astern von dunklen Zäunen
Bring dem weißen Kind.
Sag wie lang wir gestorben sind;
Sonne will schwarz erscheinen.

10 Rotes Fischlein im Weiher;
Stirn, die sich fürchtig belauscht;
Abendwind leise ans Fenster rauscht,
Blaues Orgelgeleier.

Stern und heimlich Gefunkel
15 Läßt noch einmal aufschaun.
Erscheinung der Mutter in Schmerz und Graun;
Schwarze Reseden im Dunkel.

Herbstseele

2. Fassung

Jägerruf und Blutgebell;
Hinter Kreuz und braunem Hügel
Blindet sacht der Weiherspiegel,
5 Schreit der Habicht hart und hell.

Über Stoppelfeld und Pfad
Banget schon ein schwarzes Schweigen;
Reiner Himmel in den Zweigen;
Nur der Bach rinnt still und stad.

10 Bald entgleitet Fisch und Wild.
Blaue Seele, dunkles Wandern
Schied uns bald von Lieben, Andern.
Abend wechselt Sinn und Bild.

Rechten Lebens Brot und Wein,
15 Gott in deine milden Hände
Legt der Mensch das dunkle Ende,
Alle Schuld und rote Pein.

Afra

2. Fassung

Ein Kind mit braunem Haar. Gebet und Amen
Verdunkeln still die abendliche Kühle
Und Afras Lächeln rot in gelbem Rahmen
5 Von Sonnenblumen, Angst und grauer Schwüle.

Gehüllt in blauen Mantel sah vor Zeiten
Der Mönch sie fromm gemalt an Kirchenfenstern;
Das will in Schmerzen freundlich noch geleiten,
Wenn ihre Sterne durch sein Blut gespenstern.

10 Herbstuntergang; und des Hollunders Schweigen.
Die Stirne rührt des Wassers blaue Regung,
Ein härnes Tuch gelegt auf eine Bahre.

Verfaulte Früchte fallen von den Zweigen;
Unsäglich ist der Vögel Flug, Begegnung
15 Mit Sterbenden; dem folgen dunkle Jahre.

Der Herbst des Einsamen

Der dunkle Herbst kehrt ein voll Frucht und Fülle,
Vergilbter Glanz von schönen Sommertagen.
Ein reines Blau tritt aus verfallener Hülle;
5 Der Flug der Vögel tönt von alten Sagen.
Gekeltert ist der Wein, die milde Stille
Erfüllt von leiser Antwort dunkler Fragen.

Und hier und dort ein Kreuz auf ödem Hügel;
Im roten Wald verliert sich eine Herde.
10 Die Wolke wandert übern Weiherspiegel;
Es ruht des Landmanns ruhige Geberde.
Sehr leise rührt des Abends blauer Flügel
Ein Dach von dürrem Stroh, die schwarze Erde.

Bald nisten Sterne in des Müden Brauen;
15 In kühle Stuben kehrt ein still Bescheiden
Und Engel treten leise aus den blauen
Augen der Liebenden, die sanfter leiden.
Es rauscht das Rohr; anfällt ein knöchern Grauen,
Wenn schwarz der Tau tropft von den kahlen Weiden.

SIEBENGESANG DES TODES

Ruh und Schweigen

Hirten begruben die Sonne im kahlen Wald.
Ein Fischer zog
In härenem Netz den Mond aus frierendem Weiher.

5 In blauem Kristall
Wohnt der bleiche Mensch, die Wang' an seine Sterne
gelehnt;
Oder er neigt das Haupt in purpurnem Schlaf.

Doch immer rührt der schwarze Flug der Vögel
Den Schauenden, das Heilige blauer Blumen,
10 Denkt die nahe Stille Vergessenes, erloschene Engel.

Wieder nachtet die Stirne in mondenem Gestein;
Ein strahlender Jüngling
Erscheint die Schwester in Herbst und schwarzer
Verwesung.

Anif

Erinnerung: Möven, gleitend über den dunklen Himmel
Männlicher Schwermut.
Stille wohnst du im Schatten der herbstlichen Esche,
5 Versunken in des Hügels gerechtes Maß;

Immer gehst du den grünen Fluß hinab,
Wenn es Abend geworden,
Tönende Liebe; friedlich begegnet das dunkle Wild,

Ein rosiger Mensch. Trunken von bläulicher Witterung
10 Rührt die Stirne das sterbende Laub
Und denkt das ernste Antlitz der Mutter;
O, wie alles ins Dunkel hinsinkt;

Die gestrengen Zimmer und das alte Gerät
Der Väter.
15 Dieses erschüttert die Brust des Fremdlings.
O, ihr Zeichen und Sterne.

Groß ist die Schuld des Geborenen. Weh, ihr goldenen Schauer
Des Todes,
Da die Seele kühlere Blüten träumt.

20 Immer schreit im kahlen Gezweig der nächtliche Vogel
Über des Mondenen Schritt,
Tönt ein eisiger Wind an den Mauern des Dorfs.

Geburt

Gebirge: Schwärze, Schweigen und Schnee.
Rot vom Wald niedersteigt die Jagd;
O, die moosigen Blicke des Wilds.

5 Stille der Mutter; unter schwarzen Tannen
Öffnen sich die schlafenden Hände,
Wenn verfallen der kalte Mond erscheint.

O, die Geburt des Menschen. Nächtlich rauscht
Blaues Wasser im Felsengrund;
10 Seufzend erblickt sein Bild der gefallene Engel,

Erwacht ein Bleiches in dumpfer Stube.
Zwei Monde
Erglänzen die Augen der steinernen Greisin.

Weh, der Gebärenden Schrei. Mit schwarzem Flügel
15 Rührt die Knabenschläfe die Nacht,
Schnee, der leise aus purpurner Wolke sinkt.

Untergang

5. Fassung

An Karl Borromaeus Heinrich

Über den weißen Weiher
Sind die wilden Vögel fortgezogen.
5 Am Abend weht von unseren Sternen ein eisiger Wind.

Über unsere Gräber
Beugt sich die zerbrochene Stirne der Nacht.
Unter Eichen schaukeln wir auf einem silbernen Kahn.

Immer klingen die weißen Mauern der Stadt.
10 Unter Dornenbogen
O mein Bruder klimmen wir blinde Zeiger gen
Mitternacht.

An einen Frühverstorbenen

O, der schwarze Engel, der leise aus dem Innern des
Baums trat,
Da wir sanfte Gespielen am Abend waren,
Am Rand des bläulichen Brunnens.
5 Ruhig war unser Schritt, die runden Augen in der braunen
Kühle des Herbstes,
O, die purpurne Süße der Sterne.

Jener aber ging die steinernen Stufen des Mönchsbergs
hinab,
Ein blaues Lächeln im Antlitz und seltsam verpuppt
In seine stillere Kindheit und starb;
10 Und im Garten blieb das silberne Antlitz des Freundes
zurück,
Lauschend im Laub oder im alten Gestein.

Seele sang den Tod, die grüne Verwesung des Fleisches
Und es war das Rauschen des Walds,
Die inbrünstige Klage des Wildes.
15 Immer klangen von dämmernden Türmen die blauen
Glocken des Abends.

Stunde kam, da jener die Schatten in purpurner Sonne sah,
Die Schatten der Fäulnis in kahlem Geäst;
Abend, da an dämmernder Mauer die Amsel sang,
Der Geist des Frühverstorbenen stille im Zimmer erschien.

20 O, das Blut, das aus der Kehle des Tönenden rinnt,
Blaue Blume; o die feurige Träne
Geweint in die Nacht.

Goldene Wolke und Zeit. In einsamer Kammer
Lädst du öfter den Toten zu Gast,
25 Wandelst in trautem Gespräch unter Ulmen den grünen
Fluß hinab.

Geistliche Dämmerung

2. Fassung

Stille begegnet am Saum des Waldes
Ein dunkles Wild;
Am Hügel endet leise der Abendwind,
5 Verstummt die Klage der Amsel,
Und die sanften Flöten des Herbstes
Schweigen im Rohr.

Auf schwarzer Wolke
Befährst du trunken von Mohn
10 Den nächtigen Weiher,

Den Sternenhimmel.
Immer tönt der Schwester mondene Stimme
Durch die geistliche Nacht.

Abendländisches Lied

O der Seele nächtlicher Flügelschlag:
Hirten gingen wir einst an dämmernden Wäldern hin
Und es folgte das rote Wild, die grüne Blume und der lallende Quell
5 Demutsvoll. O, der uralte Ton des Heimchens,
Blut blühend am Opferstein
Und der Schrei des einsamen Vogels über der grünen Stille des Teichs.

O, ihr Kreuzzüge und glühenden Martern
Des Fleisches, Fallen purpurner Früchte
10 Im Abendgarten, wo vor Zeiten die frommen Jünger gegangen,
Kriegsleute nun, erwachend aus Wunden und Sternenträumen.
O, das sanfte Zyanenbündel der Nacht.

O, ihr Zeiten der Stille und goldener Herbste,
Da wir friedliche Mönche die purpurne Traube gekeltert;
15 Und rings erglänzten Hügel und Wald.
O, ihr Jagden und Schlösser; Ruh des Abends,
Da in seiner Kammer der Mensch Gerechtes sann,
In stummem Gebet um Gottes lebendiges Haupt rang.

O, die bittere Stunde des Untergangs,
20 Da wir ein steinernes Antlitz in schwarzen Wassern beschaun.
Aber strahlend heben die silbernen Lider die Liebenden:
Ein Geschlecht. Weihrauch strömt von rosigen Kissen
Und der süße Gesang der Auferstandenen.

Verklärung

Wenn es Abend wird,
Verläßt dich leise ein blaues Antlitz.
Ein kleiner Vogel singt im Tamarindenbaum.

5 Ein sanfter Mönch
Faltet die erstorbenen Hände.
Ein weißer Engel sucht Marien heim.

Ein nächtiger Kranz
Von Veilchen, Korn und purpurnen Trauben
10 Ist das Jahr des Schauenden.

Zu deinen Füßen
Öffnen sich die Gräber der Toten,
Wenn du die Stirne in die silbernen Hände legst.

Stille wohnt
15 An deinem Mund der herbstliche Mond,
Trunken von Mohnsaft dunkler Gesang;

Blaue Blume,
Die leise tönt in vergilbtem Gestein.

Föhn

Blinde Klage im Wind, mondene Wintertage,
Kindheit, leise verhallen die Schritte an schwarzer Hecke,
Langes Abendgeläut.
5 Leise kommt die weiße Nacht gezogen,

Verwandelt in purpurne Träume Schmerz und Plage
Des steinigen Lebens,
Daß nimmer der dornige Stachel ablasse vom verwesenden Leib.

Tief im Schlummer aufseufzt die bange Seele,

10 Tief der Wind in zerbrochenen Bäumen,
Und es schwankt die Klagegestalt
Der Mutter durch den einsamen Wald

Dieser schweigenden Trauer; Nächte,
Erfüllt von Tränen, feurigen Engeln.
15 Silbern zerschellt an kahler Mauer ein kindlich Gerippe.

Der Wanderer

2. Fassung

Immer lehnt am Hügel die weiße Nacht,
Wo in Silbertönen die Pappel ragt,
Stern' und Steine sind.

5 Schlafend wölbt sich über den Gießbach der Steg,
Folgt dem Knaben ein erstorbenes Antlitz,
Sichelmond in rosiger Schlucht

Ferne preisenden Hirten. In altem Gestein
Schaut aus kristallenen Augen die Kröte,
10 Erwacht der blühende Wind, die Vogelstimme des
Und die Schritte ergrünen leise im Wald. ⌊Totengleichen

Dieses erinnert an Baum und Tier. Langsame Stufen
Und der Mond, ⌊von Moos;
Der glänzend in traurigen Wassern versinkt.

15 Jener kehrt wieder und wandelt an grünem Gestade,
Schaukelt auf schwarzem Gondelschiffchen durch die
verfallene Stadt.

Karl Kraus

Weißer Hohepriester der Wahrheit,
Kristallne Stimme, in der Gottes eisiger Odem wohnt,
Zürnender Magier,
5 Dem unter flammendem Mantel der blaue Panzer des
Kriegers klirrt.

An die Verstummten

O, der Wahnsinn der großen Stadt, da am Abend
An schwarzer Mauer verkrüppelte Bäume starren,
Aus silberner Maske der Geist des Bösen schaut;
5 Licht mit magnetischer Geißel die steinerne Nacht verdrängt.
O, das versunkene Läuten der Abendglocken.

Hure, die in eisigen Schauern ein totes Kindlein gebärt.
Rasend peitscht Gottes Zorn die Stirne des Besessenen,
Purpurne Seuche, Hunger, der grüne Augen zerbricht.
10 O, das gräßliche Lachen des Golds.

Aber stille blutet in dunkler Höhle stummere Menschheit,
Fügt aus harten Metallen das erlösende Haupt.

Passion

3. Fassung

Wenn Orpheus silbern die Laute rührt,
Beklagend ein Totes im Abendgarten,
Wer bist du Ruhendes unter hohen Bäumen?
5 Es rauscht die Klage das herbstliche Rohr,
Der blaue Teich,
Hinsterbend unter grünenden Bäumen
Und folgend dem Schatten der Schwester;
Dunkle Liebe
10 Eines wilden Geschlechts,
Dem auf goldenen Rädern der Tag davonrauscht.
Stille Nacht.

Unter finsteren Tannen
Mischten zwei Wölfe ihr Blut
15 In steinerner Umarmung; ein Goldnes
Verlor sich die Wolke über dem Steg,
Geduld und Schweigen der Kindheit.
Wieder begegnet der zarte Leichnam
Am Tritonsteich
20 Schlummernd in seinem hyazinthenen Haar.
Daß endlich zerbräche das kühle Haupt!

Denn immer folgt, ein blaues Wild,
Ein Äugendes unter dämmernden Bäumen,
Dieser dunkleren Pfaden
25 Wachend und bewegt von nächtigem Wohllaut,
Sanftem Wahnsinn;
Oder es tönte dunkler Verzückung
Voll das Saitenspiel
Zu den kühlen Füßen der Büßerin
30 In der steinernen Stadt.

Siebengesang des Todes

Bläulich dämmert der Frühling; unter saugenden Bäumen
Wandert ein Dunkles in Abend und Untergang,
Lauschend der sanften Klage der Amsel.
5 Schweigend erscheint die Nacht, ein blutendes Wild,
Das langsam hinsinkt am Hügel.

In feuchter Luft schwankt blühendes Apfelgezweig,
Löst silbern sich Verschlungenes,
Hinsterbend aus nächtigen Augen; fallende Sterne;
10 Sanfter Gesang der Kindheit.

Erscheinender stieg der Schläfer den schwarzen Wald hinab,
Und es rauschte ein blauer Quell im Grund,
Daß jener leise die bleichen Lider aufhob
Über sein schneeiges Antlitz;

15 Und es jagte der Mond ein rotes Tier
Aus seiner Höhle;
Und es starb in Seufzern die dunkle Klage der Frauen.

Strahlender hob die Hände zu seinem Stern
Der weiße Fremdling;
20 Schweigend verläßt ein Totes das verfallene Haus.

O des Menschen verweste Gestalt: gefügt aus kalten Metallen,
Nacht und Schrecken versunkener Wälder
Und der sengenden Wildnis des Tiers;
Windesstille der Seele.

25 Auf schwärzlichem Kahn fuhr jener schimmernde Ströme hinab,
Purpurner Sterne voll, und es sank
Friedlich das ergrünte Gezweig auf ihn,
Mohn aus silberner Wolke.

Winternacht

Es ist Schnee gefallen. Nach Mitternacht verläßt du betrunken von purpurnem Wein den dunklen Bezirk der Menschen, die rote Flamme ihres Herdes. O die Finsternis!

5 Schwarzer Frost. Die Erde ist hart, nach Bitterem schmeckt die Luft. Deine Sterne schließen sich zu bösen Zeichen.

Mit versteinerten Schritten stampfst du am Bahndamm hin, mit runden Augen, wie ein Soldat, der eine schwarze 10 Schanze stürmt. Avanti!

Bitterer Schnee und Mond!

Ein roter Wolf, den ein Engel würgt. Deine Beine klirren schreitend wie blaues Eis und ein Lächeln voll Trauer und Hochmut hat dein Antlitz versteinert und die 15 Stirne erbleicht vor der Wollust des Frostes;

oder sie neigt sich schweigend über den Schlaf eines Wächters, der in seiner hölzernen Hütte hinsank.

Frost und Rauch. Ein weißes Sternenhemd verbrennt die tragenden Schultern und Gottes Geier zerfleischen dein 20 metallenes Herz.

O der steinerne Hügel. Stille schmilzt und vergessen der kühle Leib im silbernen Schnee hin.

Schwarz ist der Schlaf. Das Ohr folgt lange den Pfaden der Sterne im Eis.

25 Beim Erwachen klangen die Glocken im Dorf. Aus dem östlichen Tor trat silbern der rosige Tag.

GESANG DES ABGESCHIEDENEN

In Venedig

Stille in nächtigem Zimmer.
Silbern flackert der Leuchter
Vor dem singenden Odem
5 Des Einsamen;
Zaubrisches Rosengewölk.

Schwärzlicher Fliegenschwarm
Verdunkelt den steinernen Raum
Und es starrt von der Qual
10 Des goldenen Tags das Haupt
Des Heimatlosen.

Reglos nachtet das Meer.
Stern und schwärzliche Fahrt
Entschwand am Kanal.
15 Kind, dein kränkliches Lächeln
Folgte mir leise im Schlaf.

Vorhölle

An herbstlichen Mauern, es suchen Schatten dort
Am Hügel das tönende Gold
Weidende Abendwolken
5 In der Ruh verdorrter Platanen.
Dunklere Tränen odmet diese Zeit,
Verdammnis, da des Träumers Herz
Überfließt von purpurner Abendröte,
Der Schwermut der rauchenden Stadt;
10 Dem Schreitenden nachweht goldene Kühle
Dem Fremdling, vom Friedhof,
Als folgte im Schatten ein zarter Leichnam

Leise läutet der steinerne Bau;
Der Garten der Waisen, das dunkle Spital,
15 Ein rotes Schiff am Kanal.

Träumend steigen und sinken im Dunkel
Verwesende Menschen
Und aus schwärzlichen Toren
Treten Engel mit kalten Stirnen hervor;
20 Bläue, die Todesklagen der Mütter.
Es rollt durch ihr langes Haar,
Ein feuriges Rad, der runde Tag
Der Erde Qual ohne Ende.

In kühlen Zimmern ohne Sinn
25 Modert Gerät, mit knöchernen Händen
Tastet im Blau nach Märchen
Unheilige Kindheit,
Benagt die fette Ratte Tür und Truh,
Ein Herz
30 Erstarrt in schneeiger Stille.
Nachhallen die purpurnen Flüche
Des Hungers in faulendem Dunkel,
Die schwarzen Schwerter der Lüge,
Als schlüge zusammen ein ehernes Tor.

Die Sonne

Täglich kommt die gelbe Sonne über den Hügel.
Schön ist der Wald, das dunkle Tier,
Der Mensch; Jäger oder Hirt.

5 Rötlich steigt im grünen Weiher der Fisch.
Unter dem runden Himmel
Fährt der Fischer leise im blauen Kahn.

Langsam reift die Traube, das Korn.
Wenn sich stille der Tag neigt,
10 Ist ein Gutes und Böses bereitet.

Wenn es Nacht wird,
Hebt der Wanderer leise die schweren Lider;
Sonne aus finsterer Schlucht bricht.

Gesang einer gefangenen Amsel

Für Ludwig von Ficker

Dunkler Odem im grünen Gezweig.
Blaue Blümchen umschweben das Antlitz
5 Des Einsamen, den goldnen Schritt
Ersterbend unter dem Ölbaum.
Aufflattert mit trunknem Flügel die Nacht.
So leise blutet Demut,
Tau, der langsam tropft vom blühenden Dorn.
10 Strahlender Arme Erbarmen
Umfängt ein brechendes Herz.

Sommer

Am Abend schweigt die Klage
Des Kuckucks im Wald.
Tiefer neigt sich das Korn,
5 Der rote Mohn.

Schwarzes Gewitter droht
Über dem Hügel.
Das alte Lied der Grille
Erstirbt im Feld.

10 Nimmer regt sich das Laub
Der Kastanie.
Auf der Wendeltreppe
Rauscht dein Kleid.

Stille leuchtet die Kerze
15 Im dunklen Zimmer;
Eine silberne Hand
Löschte sie aus;

Windstille, sternlose Nacht.

Sommersneige

Der grüne Sommer ist so leise
Geworden, dein kristallenes Antlitz.
Am Abendweiher starben die Blumen,
5 Ein erschrockener Amselruf.

Vergebliche Hoffnung des Lebens. Schon rüstet
Zur Reise sich die Schwalbe im Haus
Und die Sonne versinkt am Hügel;
Schon winkt zur Sternenreise die Nacht.

10 Stille der Dörfer; es tönen rings
Die verlassenen Wälder. Herz,
Neige dich nun liebender
Über die ruhige Schläferin.

Der grüne Sommer ist so leise
15 Geworden und es läutet der Schritt
Des Fremdlings durch die silberne Nacht.
Gedächte ein blaues Wild seines Pfads,

Des Wohllauts seiner geistlichen Jahre!

Jahr

Dunkle Stille der Kindheit. Unter grünenden Eschen
Weidet die Sanftmut bläulichen Blickes; goldene Ruh.
Ein Dunkles entzückt der Duft der Veilchen; schwankende Ähren
5 Im Abend, Samen und die goldenen Schatten der Schwermut.
Balken behaut der Zimmermann; im dämmernden Grund
Mahlt die Mühle; im Hasellaub wölbt sich ein purpurner Mund,
Männliches rot über schweigende Wasser geneigt.
Leise ist der Herbst, der Geist des Waldes; goldene Wolke
10 Folgt dem Einsamen, der schwarze Schatten des Enkels.
Neige in steinernem Zimmer; unter alten Zypressen
Sind der Tränen nächtige Bilder zum Quell versamme
Goldenes Auge des Anbeginns, dunkle Geduld des E

Abendland

4. Fassung

Else Lasker-Schüler in Verehrung

1

Mond, als träte ein Totes
5 Aus blauer Höhle,
Und es fallen der Blüten
Viele über den Felsenpfad.
Silbern weint ein Krankes
Am Abendweiher,
10 Auf schwarzem Kahn
Hinüberstarben Liebende.

Oder es läuten die Schritte
Elis' durch den Hain
Den hyazinthenen
15 Wieder verhallend unter Eichen.
O des Knaben Gestalt
Geformt aus kristallenen Tränen,
Nächtigen Schatten.
Zackige Blitze erhellen die Schläfe
20 Die immerkühle,
Wenn am grünenden Hügel
Frühlingsgewitter ertönt.

2

So leise sind die grünen Wälder
25 Unsrer Heimat,
Die kristallne Woge
Hinsterbend an verfallner Mauer
Und wir haben im Schlaf geweint;
Wandern mit zögernden Schritten
30 An der dornigen Hecke hin
Singende im Abendsommer,
In heiliger Ruh
Des fern verstrahlenden Weinbergs;
Schatten nun im kühlen Schoß
Der Nacht, trauernde Adler.
So leise schließt ein mondener Strahl
Die purpurnen Male der Schwermut.

3

Ihr großen Städte
40 Steinern aufgebaut
In der Ebene!
So sprachlos folgt
Der Heimatlose
Mit dunkler Stirne dem Wind,
45 Kahlen Bäumen am Hügel.
Ihr weithin dämmernden Ströme!
Gewaltig ängstet
Schaurige Abendröte
Im Sturmgewölk.
50 Ihr sterbenden Völker!
Bleiche Woge
Zerschellend am Strande der Nacht,
Fallende Sterne.

Frühling der Seele

Aufschrei im Schlaf; durch schwarze Gassen stürzt der Wind,
Das Blau des Frühlings winkt durch brechendes Geäst,
Purpurner Nachttau und es erlöschen rings die Sterne.
5 Grünlich dämmert der Fluß, silbern die alten Alleen
Und die Türme der Stadt. O sanfte Trunkenheit
Im gleitenden Kahn und die dunklen Rufe der Amsel
In kindlichen Gärten. Schon lichtet sich der rosige Flor.

Feierlich rauschen die Wasser. O die feuchten Schatten der Au,
10 Das schreitende Tier; Grünendes, Blütengezweig
Rührt die kristallene Stirne; schimmernder Schaukelkahn.
Leise tönt die Sonne im Rosengewölk am Hügel.
Groß ist die Stille des Tannenwalds, die ernsten Schatten am Fluß.

Reinheit! Reinheit! Wo sind die furchtbaren Pfade Todes,
15 Des grauen steinernen Schweigens, die Felsen der
Und die friedlosen Schatten? Strahlender Sonnena

Schwester, da ich dich fand an einsamer Lichtung
Des Waldes und Mittag war und groß das Schweigen des Tiers;
Weiße unter wilder Eiche, und es blühte silbern der Dorn.
20 Gewaltiges Sterben und die singende Flamme im Herzen.

Dunkler umfließen die Wasser die schönen Spiele der Fische.
Stunde der Trauer, schweigender Anblick der Sonne;
Es ist die Seele ein Fremdes auf Erden. Geistlich dämmert
Bläue über dem verhauenen Wald und es läutet
25 Lange eine dunkle Glocke im Dorf; friedlich Geleit.
Stille blüht die Myrthe über den weißen Lidern des Toten.

Leise tönen die Wasser im sinkenden Nachmittag
Und es grünet dunkler die Wildnis am Ufer, Freude im rosigen Wind;
Der sanfte Gesang des Bruders am Abendhügel.

Im Dunkel

2. Fassung

Es schweigt die Seele den blauen Frühling.
Unter feuchtem Abendgezweig
Sank in Schauern die Stirne den Liebenden.
5 O das grünende Kreuz. In dunklem Gespräch
Erkannten sich Mann und Weib.
An kahler Mauer
Wandelt mit seinen Gestirnen der Einsame.

Über die mondbeglänzten Wege des Walds
10 Sank die Wildnis
Vergessener Jagden; Blick der Bläue
Aus verfallenen Felsen bricht.

Gesang des Abgeschiedenen

An Karl Borromaeus Heinrich

Voll Harmonien ist der Flug der Vögel. Es haben die
grünen Wälder
Am Abend sich zu stilleren Hütten versammelt;
5 Die kristallenen Weiden des Rehs.
Dunkles besänftigt das Plätschern des Bachs, die feuchten
Schatten

Und die Blumen des Sommers, die schön im Winde läuten.
Schon dämmert die Stirne dem sinnenden Menschen.

Und es leuchtet ein Lämpchen, das Gute, in seinem Herzen
10 Und der Frieden des Mahls; denn geheiligt ist Brot und
Wein
Von Gottes Händen, und es schaut aus nächtigen Augen
Stille dich der Bruder an, daß er ruhe von dorniger
Wanderschaft.
O das Wohnen in der beseelten Bläue der Nacht.

Liebend auch umfängt das Schweigen im Zimmer
die Schatten der Alten,
15 Die purpurnen Martern, Klage eines großen Geschlechts,
Das fromm nun hingeht im einsamen Enkel.

Denn strahlender immer erwacht aus schwarzen Minuten
des Wahnsinns
Der Duldende an versteinerter Schwelle
Und es umfängt ihn gewaltig die kühle Bläue und die
leuchtende Neige des Herbstes,

20 Das stille Haus und die Sagen des Waldes,
Maß und Gesetz und die mondenen Pfade der Abgeschiedenen.

TRAUM UND UMNACHTUNG

Am Abend ward zum Greis der Vater; in dunklen Zimmern versteinerte das Antlitz der Mutter und auf dem Knaben lastete der Fluch des entarteten Geschlechts. Manchmal erinnerte er sich seiner Kindheit, erfüllt von Krankheit, Schrecken und Finsternis, verschwiegener Spiele im Sternengarten, oder daß er die Ratten fütterte im dämmernden Hof. Aus blauem Spiegel trat die schmale Gestalt der Schwester und er stürzte wie tot ins Dunkel. Nachts brach sein Mund gleich einer roten Frucht auf und die Sterne erglänzten über seiner sprachlosen Trauer. Seine Träume erfüllten das alte Haus der Väter. Am Abend ging er gerne über den verfallenen Friedhof, oder er besah in dämmernder Totenkammer die Leichen, die grünen Flecken der Verwesung auf ihren schönen Händen. An der Pforte des Klosters bat er um ein Stück Brot; der Schatten eines Rappen sprang aus dem Dunkel und erschreckte ihn. Wenn er in seinem kühlen Bette lag, überkamen ihn unsägliche Tränen. Aber es war niemand, der die Hand auf seine Stirne gelegt hätte. Wenn der Herbst kam, ging er, ein Hellseher, in brauner Au. O, die Stunden wilder Verzückung, die Abende am grünen Fluß, die Jagden. O, die Seele, die leise das Lied des vergilbten Rohrs sang; feurige Frömmigkeit. Stille sah er und lang in die Sternenaugen der Kröte, befühlte mit erschauernden Händen die Kühle des alten Steins und besprach die ehrwürdige Sage des blauen Quells. O, die silbernen Fische und die Früchte, die von verkrüppelten Bäumen fielen. Die Akkorde seiner Schritte erfüllten ihn mit Stolz und Menschenverachtung. Am Heimweg traf er ein unbewohntes Schloß. Verfallene Götter standen im Garten, hintrauernd am Abend. Ihm aber schien: hier lebte ich vergessene Jahre. Ein Orgelchoral erfüllte ihn mit Gottes Schauern. Aber in dunkler Höhle verbrachte er seine Tage, log und stahl und verbarg [illegible]ich, ein flammender Wolf, vor dem weißen Antlitz der [illegible]utter. O, die Stunde, da er mit steinernem Munde im [illegible]nengarten hinsank, der Schatten des Mörders über ihn [illegible] Mit purpurner Stirne ging er ins Moor und Gottes

Zorn züchtigte seine metallenen Schultern; o, die Birken
40 im Sturm, das dunkle Getier, das seine umnachteten Pfade
mied. Haß verbrannte sein Herz, Wollust, da er im grünenden Sommergarten dem schweigenden Kind Gewalt tat,
in dem strahlenden sein umnachtetes Antlitz erkannte.
Weh, des Abends am Fenster, da aus purpurnen Blumen,
45 ein gräulich Gerippe, der Tod trat. O, ihr Türme und
Glocken; und die Schatten der Nacht fielen steinern auf ihn.

Niemand liebte ihn. Sein Haupt verbrannte Lüge und
Unzucht in dämmernden Zimmern. Das blaue Rauschen
eines Frauengewandes ließ ihn zur Säule erstarren und in
50 der Tür stand die nächtige Gestalt seiner Mutter. Zu seinen
Häupten erhob sich der Schatten des Bösen. O, ihr Nächte
und Sterne. Am Abend ging er mit dem Krüppel am Berge
hin; auf eisigem Gipfel lag der rosige Glanz der Abendröte und sein Herz läutete leise in der Dämmerung. Schwer
55 sanken die stürmischen Tannen über sie und der rote Jäger
trat aus dem Wald. Da es Nacht ward, zerbrach kristallen
sein Herz und die Finsternis schlug seine Stirne. Unter
kahlen Eichbäumen erwürgte er mit eisigen Händen eine
wilde Katze. Klagend zur Rechten erschien die weiße Ge-
60 stalt eines Engels, und es wuchs im Dunkel der Schatten
des Krüppels. Er aber hob einen Stein und warf ihn nach
jenem, daß er heulend floh, und seufzend verging im
Schatten des Baums das sanfte Antlitz des Engels. Lange
lag er auf steinigem Acker und sah staunend das goldene
65 Zelt der Sterne. Von Fledermäusen gejagt, stürzte er fort
ins Dunkel. Atemlos trat er ins verfallene Haus. Im Hof
trank er, ein wildes Tier, von den blauen Wassern des
Brunnens, bis ihn fror. Fiebernd saß er auf der eisigen
Stiege, rasend gen Gott, daß er stürbe. O, das graue Ant-
70 litz des Schreckens, da er die runden Augen über einer
Taube zerschnittener Kehle aufhob. Huschend über fremde
Stiegen begegnete er einem Judenmädchen und er griff
nach ihrem schwarzen Haar und er nahm ihren Mund.
Feindliches folgte ihm durch finstere Gassen und sein Oh
75 zerriß ein eisernes Klirren. An herbstlichen Mauern folg
er, ein Mesnerknabe, stille dem schweigenden Priest
unter verdorrten Bäumen atmete er trunken den Schar
jenes ehrwürdigen Gewands. O, die verfallene Scheib

Sonne. Süße Martern verzehrten sein Fleisch. In einem verödeten Durchhaus erschien ihm starrend von Unrat seine blutende Gestalt. Tiefer liebte er die erhabenen Werke des Steins; den Turm, der mit höllischen Fratzen nächtlich den blauen Sternenhimmel stürmt; das kühle Grab, darin des Menschen feuriges Herz bewahrt ist. Weh, der unsäglichen Schuld, die jenes kundtut. Aber da er Glühendes sinnend den herbstlichen Fluß hinabing unter kahlen Bäumen hin, erschien in härenem Mantel ihm, ein flammender Dämon, die Schwester. Beim Erwachen erloschen zu ihren Häuptern die Sterne.

O des verfluchten Geschlechts. Wenn in befleckten Zimmern jegliches Schicksal vollendet ist, tritt mit modernden Schritten der Tod in das Haus. O, daß draußen Frühling wäre und im blühenden Baum ein lieblicher Vogel sänge. Aber gräulich verdorrt das spärliche Grün an den Fenstern der Nächtlichen und es sinnen die blutenden Herzen noch Böses. O, die dämmernden Frühlingswege des Sinnenden. Gerechter erfreut ihn die blühende Hecke, die junge Saat des Landmanns und der singende Vogel, Gottes sanftes Geschöpf; die Abendglocke und die schöne Gemeine der Menschen. Daß er seines Schicksals vergäße und des dornigen Stachels. Frei ergrünt der Bach, wo silbern wandelt sein Fuß, und ein sagender Baum rauscht über dem umnachteten Haupt ihm. Also hebt er mit schmächtiger Hand die Schlange, und in feurigen Tränen schmolz ihm das Herz hin. Erhaben ist das Schweigen des Walds, ergrüntes Dunkel und das moosige Getier, aufflatternd, wenn es Nacht wird. O der Schauer, da jegliches seine Schuld weiß, dornige Pfade geht. Also fand er im Dornenbusch die weiße Gestalt des Kindes, blutend nach dem Mantel seines Bräutigams. Er aber stand vergraben in sein stählernes Haar stumm und leidend vor ihr. O die strahlenden Engel, die der purpurne Nachtwind zerstreute. Nachtlang wohnte er in kristallener Höhle und der Aussatz wuchs silbern auf seiner Stirne. Ein Schatten ging er den Saumpfad hinab unter herbstlichen Sternen. Schnee fiel, und blaue Finsternis erfüllte das Haus. Eines Blinden klang die harte Stimme des Vaters und beschwor das Grauen. Weh der gebeugten Erscheinung der Frauen. Unter erstarrten Händen ver-

fielen Frucht und Gerät dem entsetzten Geschlecht. Ein
120 Wolf zerriß das Erstgeborene und die Schwestern flohen
in dunkle Gärten zu knöchernen Greisen. Ein umnachteter
Seher sang jener an verfallenen Mauern und seine Stimme
verschlang Gottes Wind. O die Wollust des Todes. O ihr
Kinder eines dunklen Geschlechts. Silbern schimmern die
125 bösen Blumen des Bluts an jenes Schläfe, der kalte Mond
in seinen zerbrochenen Augen. O, der Nächtlichen; o, der
Verfluchten.

Tief ist der Schlummer in dunklen Giften, erfüllt von
Sternen und dem weißen Antlitz der Mutter, dem steiner-
130 nen. Bitter ist der Tod, die Kost der Schuldbeladenen; in
dem braunen Geäst des Stamms zerfielen grinsend die
irdenen Gesichter. Aber leise sang jener im grünen Schatten des Hollunders, da er aus bösen Träumen erwachte;
süßer Gespiele nahte ihm ein rosiger Engel, daß er, ein
135 sanftes Wild, zur Nacht hinschlummerte; und er sah das
Sternenantlitz der Reinheit. Golden sanken die Sonnenblumen über den Zaun des Gartens, da es Sommer ward.
O, der Fleiß der Bienen und das grüne Laub des Nußbaums; die vorüberziehenden Gewitter. Silbern blühte der
140 Mohn auch, trug in grüner Kapsel unsere nächtigen Ster-
nenträume. O, wie stille war das Haus, als der Vater ins
Dunkel hinging. Purpurn reifte die Frucht am Baum und
der Gärtner rührte die harten Hände; o die härenen
Zeichen in strahlender Sonne. Aber stille trat am Abend
145 der Schatten des Toten in den trauernden Kreis der Seinen
und es klang kristallen sein Schritt über die grünende
Wiese vorm Wald. Schweigende versammelten sich jene
am Tisch; Sterbende brachen sie mit wächsernen Händen
das Brot, das blutende. Weh der steinernen Augen der
150 Schwester, da beim Mahle ihr Wahnsinn auf die nächtige
Stirne des Bruders trat, der Mutter unter leidenden Händen
das Brot zu Stein ward. O der Verwesten, da sie m
silbernen Zungen die Hölle schwiegen. Also erloschen
Lampen im kühlen Gemach und aus purpurnen M
155 sahen schweigend sich die leidenden Menschen a
Nacht lang rauschte ein Regen und erquickte die
dorniger Wildnis folgte der Dunkle den vergilbt
im Korn, dem Lied der Lerche und der sanfte

grünen Gezweigs, daß er Frieden fände. O, ihr Dörfer und
160 moosigen Stufen, glühender Anblick. Aber beinern schwanken die Schritte über schlafende Schlangen am Waldsaum und das Ohr folgt immer dem rasenden Schrei des Geiers. Steinige Öde fand er am Abend, Geleite eines Toten in das dunkle Haus des Vaters. Purpurne Wolke umwölkte sein
165 Haupt, daß er schweigend über sein eigenes Blut und Bildnis herfiel, ein mondenes Antlitz; steinern ins Leere hinsank, da in zerbrochenem Spiegel, ein sterbender Jüngling, die Schwester erschien; die Nacht das verfluchte Geschlecht verschlang.

Veröffentlichungen im ›Brenner‹ 1914/15

In Hellbrunn

Wieder folgend der blauen Klage des Abends
Am Hügel hin, am Frühlingsweiher –
Als schwebten darüber die Schatten lange Verstorbener,
5 Die Schatten der Kirchenfürsten, edler Frauen –
Schon blühen ihre Blumen, die ernsten Veilchen
Im Abendgrund, rauscht des blauen Quells
Kristallne Woge. So geistlich ergrünen
Die Eichen über den vergessenen Pfaden der Toten,
10 Die goldene Wolke über dem Weiher.

Das Herz

Das wilde Herz ward weiß am Wald;
O dunkle Angst
Des Todes, so das Gold
5 In grauer Wolke starb.
Novemberabend.
Am kahlen Tor am Schlachthaus stand
Der armen Frauen Schar;
In jeden Korb
10 Fiel faules Fleisch und Eingeweid;
Verfluchte Kost!

Des Abends blaue Taube
Brachte nicht Versöhnung.
Dunkler Trompetenruf
15 Durchfuhr der Ulmen
Nasses Goldlaub,
Eine zerfetzte Fahne
Vom Blute rauchend,
Daß in wilder Schwermut
20 Hinlauscht ein Mann.
O! ihr ehernen Zeiten
Begraben dort im Abendrot.

Aus dunklem Hausflur trat
Die goldne Gestalt
25 Der Jünglingin

Umgeben von bleichen Monden,
Herbstlicher Hofstaat,
Zerknickten schwarze Tannen
Im Nachtsturm,
30 Die steile Festung.
O Herz
Hinüberschimmernd in schneeige Kühle.

Der Schlaf

2. Fassung

Verflucht ihr dunklen Gifte,
Weißer Schlaf!
Dieser höchst seltsame Garten
5 Dämmernder Bäume
Erfüllt von Schlangen, Nachtfaltern,
Spinnen, Fledermäusen.
Fremdling! Dein verlorner Schatten
Im Abendrot,
10 Ein finsterer Korsar
Im salzigen Meer der Trübsal.
Aufflattern weiße Vögel am Nachtsaum
Über stürzenden Städten
Von Stahl.

Das Gewitter

Ihr wilden Gebirge, der Adler
Erhabene Trauer.
Goldnes Gewölk
5 Raucht über steinerner Öde.
Geduldige Stille odmen die Föhren,
Die schwarzen Lämmer am Abgrund,
Wo plötzlich die Bläue
Seltsam verstummt,
Das sanfte Summen der Hummeln.
O grüne Blume –
O Schweigen.

Traumhaft erschüttern des Wildbachs
Dunkle Geister das Herz,
15 Finsternis,
Die über die Schluchten hereinbricht!
Weiße Stimmen
Irrend durch schaurige Vorhöfe,
Zerrißne Terrassen,
20 Der Väter gewaltiger Groll, die Klage
Der Mütter,
Des Knaben goldener Kriegsschrei
Und Ungebornes
Seufzend aus blinden Augen.

25 O Schmerz, du flammendes Anschaun
Der großen Seele!
Schon zuckt im schwarzen Gewühl
Der Rosse und Wagen
Ein rosenschauriger Blitz
30 In die tönende Fichte.
Magnetische Kühle
Umschwebt dies stolze Haupt,
Glühende Schwermut
Eines zürnenden Gottes.

35 Angst, du giftige Schlange,
Schwarze, stirb im Gestein!
Da stürzen der Tränen
Wilde Ströme herab,
Sturm-Erbarmen,
40 Hallen in drohenden Donnern
Die schneeigen Gipfel rings.
Feuer
Läutert zerrissene Nacht.

Der Abend

Mit toten Heldengestalten
Erfüllst du Mond
Die schweigenden Wälder,
5 Sichelmond –
Mit der sanften Umarmung
Der Liebenden,
Den Schatten berühmter Zeiten
Die modernden Felsen rings;
10 So bläulich erstrahlt es
Gegen die Stadt hin,
Wo kalt und böse
Ein verwesend Geschlecht wohnt,
Der weißen Enkel
15 Dunkle Zukunft bereitet.
Ihr mondverschlungnen Schatten
Aufseufzend im leeren Kristall
Des Bergsees.

Die Nacht

Dich sing ich wilde Zerklüftung,
Im Nachtsturm
Aufgetürmtes Gebirge;
5 Ihr grauen Türme
Überfließend von höllischen Fratzen,
Feurigem Getier,
Rauhen Farnen, Fichten,
Kristallnen Blumen.
10 Unendliche Qual,
Daß du Gott erjagtest
Sanfter Geist,
Aufseufzend im Wassersturz,
In wogenden Föhren.

Golden lodern die Feuer
Der Völker rings.
Über schwärzliche Klippen

Stürzt todestrunken
Die erglühende Windsbraut,
20 Die blaue Woge
Des Gletschers
Und es dröhnt
Gewaltig die Glocke im Tal:
Flammen, Flüche
25 Und die dunklen
Spiele der Wollust,
Stürmt den Himmel
Ein versteinertes Haupt.

Die Schwermut

Gewaltig bist du dunkler Mund
Im Innern, aus Herbstgewölk
Geformte Gestalt,
5 Goldner Abendstille;
Ein grünlich dämmernder Bergstrom
In zerbrochner Föhren
Schattenbezirk;
Ein Dorf,
10 Das fromm in braunen Bildern abstirbt.

Da springen die schwarzen Pferde
Auf nebliger Weide.
Ihr Soldaten!
Vom Hügel, wo sterbend die Sonne rollt
15 Stürzt das lachende Blut –
Unter Eichen
Sprachlos! O grollende Schwermut
Des Heers; ein strahlender Helm
Sank klirrend von purpurner Stirne.

20 Herbstesnacht so kühle kommt,
Erglänzt mit Sternen
Über zerbrochenem Männergebein
Die stille Mönchin.

Die Heimkehr

2. Fassung

Die Kühle dunkler Jahre,
Schmerz und Hoffnung
Bewahrt zyklopisch Gestein,
5 Menschenleeres Gebirge,
Des Herbstes goldner Odem,
Abendwolke –
Reinheit!

Anschaut aus blauen Augen
10 Kristallne Kindheit;
Unter dunklen Fichten
Liebe, Hoffnung,
Daß von feurigen Lidern
Tau ins starre Gras tropft –
15 Unaufhaltsam!

O! dort der goldene Steg
Zerbrechend im Schnee
Des Abgrunds!
Blaue Kühle
20 Odmet das nächtige Tal,
Glaube, Hoffnung!
Gegrüßt du einsamer Friedhof!

Klage

Jüngling aus kristallnem Munde
Sank dein goldner Blick ins Tal;
Waldes Woge rot und fahl
5 In der schwarzen Abendstunde.
Abend schlägt so tiefe Wunde!

Angst! des Todes Traumbeschwerde,
Abgestorben Grab und gar
Schaut aus Baum und Wild das Jahr;
Kahles Feld und Ackererde.
Ruft der Hirt die bange Herde.

Schwester, deine blauen Brauen
Winken leise in der Nacht.
Orgel seufzt und Hölle lacht
15 Und es faßt das Herz ein Grauen;
Möchte Stern und Engel schauen.

Mutter muß ums Kindlein zagen;
Rot ertönt im Schacht das Erz,
Wollust, Tränen, steinern Schmerz,
20 Der Titanen dunkle Sagen.
Schwermut! einsam Adler klagen.

Nachtergebung

5. Fassung

Mönchin! schließ mich in dein Dunkel,
Ihr Gebirge kühl und blau!
Niederblutet dunkler Tau;
5 Kreuz ragt steil im Sterngefunkel.

Purpurn brachen Mund und Lüge
In verfallner Kammer kühl;
Scheint noch Lachen, golden Spiel,
Einer Glocke letzte Züge.

10 Mondeswolke! Schwärzlich fallen
Wilde Früchte nachts vom Baum
Und zum Grabe wird der Raum
Und zum Traum dies Erdenwallen.

Im Osten

Den wilden Orgeln des Wintersturms
Gleicht des Volkes finstrer Zorn,
Die purpurne Woge der Schlacht,
5 Entlaubter Sterne.

Mit zerbrochnen Brauen, silbernen Armen
Winkt sterbenden Soldaten die Nacht.

Im Schatten der herbstlichen Esche
Seufzen die Geister der Erschlagenen.

10 Dornige Wildnis umgürtet die Stadt.
Von blutenden Stufen jagt der Mond
Die erschrockenen Frauen.
Wilde Wölfe brachen durchs Tor.

Klage

Schlaf und Tod, die düstern Adler
Umrauschen nachtlang dieses Haupt:
Des Menschen goldnes Bildnis
5 Verschlänge die eisige Woge
Der Ewigkeit. An schaurigen Riffen
Zerschellt der purpurne Leib
Und es klagt die dunkle Stimme
Über dem Meer.
10 Schwester stürmischer Schwermut
Sieh ein ängstlicher Kahn versinkt
Unter Sternen,
Dem schweigenden Antlitz der Nacht.

Grodek

2. Fassung

Am Abend tönen die herbstlichen Wälder
Von tödlichen Waffen, die goldnen Ebenen
Und blauen Seen, darüber die Sonne
5 Düstrer hinrollt; umfängt die Nacht
Sterbende Krieger, die wilde Klage
Ihrer zerbrochenen Münder.
Doch stille sammelt im Weidengrund
Rotes Gewölk, darin ein zürnender Gott wohnt
10 Das vergoßne Blut sich, mondne Kühle;
Alle Straßen münden in schwarze Verwesung.
Unter goldnem Gezweig der Nacht und Sternen

Es schwankt der Schwester Schatten durch den schweigenden Hain,
Zu grüßen die Geister der Helden, die blutenden Häupter;
15 Und leise tönen im Rohr die dunkeln Flöten des Herbstes.
O stolzere Trauer! ihr ehernen Altäre
Die heiße Flamme des Geistes nährt heute ein gewaltiger Schmerz,
Die ungebornen Enkel.

Offenbarung und Untergang

Seltsam sind die nächtigen Pfade des Menschen. Da ich nachtwandelnd an steinernen Zimmern hinging und es brannte in jedem ein stilles Lämpchen, ein kupferner Leuch-
5 ter, und da ich frierend aufs Lager hinsank, stand zu Häupten wieder der schwarze Schatten der Fremdlingin und schweigend verbarg ich das Antlitz in den langsamen Händen. Auch war am Fenster blau die Hyazinthe aufgeblüht und es trat auf die purpurne Lippe des Odmenden
10 das alte Gebet, sanken von den Lidern kristallne Tränen geweint um die bittere Welt. In dieser Stunde war ich im Tod meines Vaters der weiße Sohn. In blauen Schauern kam vom Hügel der Nachtwind, die dunkle Klage der Mutter, hinsterbend wieder und ich sah die schwarze
15 Hölle in meinem Herzen; Minute schimmernder Stille. Leise trat aus kalkiger Mauer ein unsägliches Antlitz – ein sterbender Jüngling – die Schönheit eines heimkehrenden Geschlechts. Mondesweiß umfing die Kühle des Steins die wachende Schläfe, verklangen die Schritte
20 der Schatten auf verfallenen Stufen, ein rosiger Reigen im Gärtchen.

Schweigend saß ich in verlassener Schenke unter verrauchtem Holzgebälk und einsam beim Wein; ein strahlender Leichnam über ein Dunkles geneigt und es lag ein totes
25 Lamm zu meinen Füßen. Aus verwesender Bläue trat die bleiche Gestalt der Schwester und also sprach ihr blutender Mund: Stich schwarzer Dorn. Ach noch tönen von wilden Gewittern die silbernen Arme mir. Fließe Blut von den mondenen Füßen, blühend auf nächtigen Pfaden, darüber

30 schreiend die Ratte huscht. Aufflackert ihr Sterne in meinen gewölbten Brauen; und es läutet leise das Herz in der Nacht. Einbrach ein roter Schatten mit flammendem Schwert in das Haus, floh mit schneeiger Stirne. O bitterer Tod.

35 Und es sprach eine dunkle Stimme aus mir: Meinem Rappen brach ich im nächtigen Wald das Genick, da aus seinen purpurnen Augen der Wahnsinn sprang; die Schatten der Ulmen fielen auf mich, das blaue Lachen des Quells und die schwarze Kühle der Nacht, da ich ein wilder Jäger 40 aufjagte ein schneeiges Wild; in steinerner Hölle mein Antlitz erstarb.

Und schimmernd fiel ein Tropfen Blutes in des Einsamen Wein; und da ich davon trank, schmeckte er bitterer als Mohn; und eine schwärzliche Wolke umhüllte mein 45 Haupt, die kristallenen Tränen verdammter Engel; und leise rann aus silberner Wunde der Schwester das Blut und fiel ein feuriger Regen auf mich.

Am Saum des Waldes will ich ein Schweigendes gehn, dem aus sprachlosen Händen die härene Sonne sank; ein 50 Fremdling am Abendhügel, der weinend aufhebt die Lider über die steinerne Stadt; ein Wild, das stille steht im Frieden des alten Hollunders; o ruhlos lauscht das dämmernde Haupt, oder es folgen die zögernden Schritte der blauen Wolke am Hügel, ernsten Gestirnen auch. Zur Seite ge-55 leitet stille die grüne Saat, begleitet auf moosigen Waldespfaden scheu das Reh. Es haben die Hütten der Dörfler sich stumm verschlossen und es ängstigt in schwarzer Windesstille die blaue Klage des Wildbachs.

Aber da ich den Felsenpfad hinabstieg, ergriff mich der 60 Wahnsinn und ich schrie laut in der Nacht; und da ich mit silbernen Fingern mich über die schweigenden Wasser bog, sah ich daß mich mein Antlitz verlassen. Und die weiße Stimme sprach zu mir: Töte dich! Seufzend erhob sich eines Knaben Schatten in mir und sah mich strahlend 65 aus kristallnen Augen an, daß ich weinend unter den Bäumen hinsank, dem gewaltigen Sternengewölbe.

Friedlose Wanderschaft durch wildes Gestein ferne den Abendweilern, heimkehrenden Herden; ferne weidet die

sinkende Sonne auf kristallner Wiese und es erschüttert
70 ihr wilder Gesang, der einsame Schrei des Vogels, ersterbend
bend in blauer Ruh. Aber leise kommst du in der Nacht,
da ich wachend am Hügel lag, oder rasend im Frühlingsgewitter; und schwärzer immer umwölkt die Schwermut
das abgeschiedene Haupt, erschrecken schaurige Blitze die
75 nächtige Seele, zerreißen deine Hände die atemlose Brust
mir.

Da ich in den dämmernden Garten ging, und es war die
schwarze Gestalt des Bösen von mir gewichen, umfing
mich die hyazinthene Stille der Nacht; und ich fuhr
80 auf gebogenem Kahn über den ruhenden Weiher und
süßer Frieden rührte die versteinerte Stirne mir. Sprachlos
lag ich unter den alten Weiden und es war der blaue Himmel hoch über mir und voll von Sternen; und da ich an-
schauend hinstarb, starben Angst und der Schmerzen
85 tiefster in mir; und es hob sich der blaue Schatten des
Knaben strahlend im Dunkel, sanfter Gesang; hob sich
auf mondenen Flügeln über die grünenden Wipfel, kristallene Klippen das weiße Antlitz der Schwester.

Mit silbernen Sohlen stieg ich die dornigen Stufen hinab
90 und ich trat ins kalkgetünchte Gemach. Stille brannte ein
Leuchter darin und ich verbarg in purpurnen Linnen
schweigend das Haupt; und es warf die Erde einen kindlichen Leichnam aus, ein mondenes Gebilde, das langsam
aus meinem Schatten trat, mit zerbrochenen Armen stei-
95 nerne Stürze hinabsank, flockiger Schnee.

Sonstige Veröffentlichungen zu Lebzeiten

GEDICHTE

Das Morgenlied

Nun schreite herab, titanischer Bursche,
Und wecke die vielgeliebte Schlummernde dir!
Schreite herab, und umgürte
5 Mit zartlichten Blüten das träumende Haupt.
Entzünde den bangenden Himmel mit lodernder Fackel,
Daß die erblassenden Sterne tanzend ertönen
Und die fliegenden Schleier der Nacht
Aufflammend vergehen,
10 Daß die zyklopischen Wolken zerstieben,
In denen der Winter, der Erde entfliehend,
Noch heulend droht mit eisigen Schauern,
Und die himmlischen Fernen sich auftun in leuchtender Reinheit.
Und steigst dann, Herrlicher du, mit fliegenden Locken
15 Zur Erde herab, empfängt sie mit seligem Schweigen
Den brünstigen Freier, und in tiefen Schauern erbebend
Von deiner so wilden, sturmrasenden Umarmung,
Öffnet sie dir ihren heiligen Schoß.
Und es erfaßt die Trunkene süßeste Ahnung,
20 Wenn Blütenglühender du das keimende Leben
Ihr weckest, des hohe Vergangenheit
Höherer Zukunft sich zudrängt,
Das dir gleich ist, wie du dir selber gleichst,
Und deinem Willen ergeben, stets Bewegter,
25 Daß an ihr ein ewig Rätselvolles
In hoher Schönheit sich wieder künftig erneuert.

Traumwandler

Wo bist du, die mir zur Seite ging,
Wo bist du, Himmelsangesicht?
Ein rauher Wind höhnt mir ins Ohr: du Narr!
5 Ein Traum! Ein Traum! Du Tor!
Und doch, und doch! Wie war es einst,
Bevor ich in Nacht und Verlassenheit schritt?

Weißt du es noch, du Narr, du Tor!
Meiner Seele Echo, der rauhe Wind:
10 O Narr! O Tor!
Stand sie mit bittenden Händen nicht,
Ein trauriges Lächeln um den Mund,
Und rief in Nacht und Verlassenheit!
Was rief sie nur! Weißt du es nicht?
15 Wie Liebe klang's. Kein Echo trug
Zu ihr zurück, zu ihr dies Wort.
War's Liebe? Weh, daß ich's vergaß!
Nur Nacht um mich und Verlassenheit,
Und meiner Seele Echo – der Wind!
20 Der höhnt und höhnt: O Narr! O Tor!

Die drei Teiche von Hellbrunn

›Die drei Teiche in Hellbrunn‹ *1. Fassung*

Der erste

Um die Blumen taumelt das Fliegengeschmeiß
Um die bleichen Blumen auf dumpfer Flut,
5 Geh fort! Geh fort! Es brennt die Luft!
In der Tiefe glüht der Verwesung Glut!
Die Weide weint, das Schweigen starrt,
Auf den Wassern braut ein schwüler Dunst.
Geh fort! Geh fort! Dies ist der Ort
10 Für schwarzer Kröten ekle Brunst.

Der zweite

Bilder von Wolken, Blumen und Menschen –
Singe, singe, freudige Welt!
Lächelnde Unschuld spiegelt dich wider –
15 Himmlisch wird alles, was ihr gefällt:
Dunkles wandelt sie freundlich in Helle,
Fernes wird nah. O Freudiger du!
Sonne, Wolken, Blumen und Menschen
Atmen selige Gottesruh.

20 Der dritte

Die Wasser schimmern grünlich-blau
Und ruhig atmen die Zypressen,
Es tönt der Abend glockentief –
Da wächst die Tiefe unermessen.
25 Der Mond steigt auf, es blaut die Nacht,
Erblüht im Widerschein der Fluten –
Ein rätselvolles Sphinxgesicht,
Daran mein Herz sich will verbluten.

Die drei Teiche in Hellbrunn

2. Fassung

Hinwandelnd an den schwarzen Mauern
Des Abends, silbern tönt die Leier
Des Orpheus fort im dunklen Weiher
5 Der Frühling aber tropft in Schauern
Aus dem Gezweig in wilden Schauern
Des Nachtwinds silbern tönt die Leier
Des Orpheus fort im dunklen Weiher
Hinsterbend an ergrünten Mauern.

10 Ferne leuchten Schloß und Hügel.
Stimmen von Frauen, die längst verstarben
Weben zärtlich und dunkelfarben
Über dem weißen nymphischen Spiegel.
Klagen ihr vergänglich Geschicke
15 Und der Tag zerfließt im Grünen
Flüstern im Rohr und schweben zurücke –
Eine Drossel scherzt mit ihnen.

Die Wasser schimmern grünlichblau
Und ruhig atmen die Zypressen
20 Und ihre Schwermut unermessen
Fließt über in das Abendblau.
Tritonen tauchen aus der Flut,
Verfall durchrieselt das Gemäuer
Der Mond hüllt sich in grüne Schleier
25 Und wandelt langsam auf der Flut.

St.-Peters-Friedhof

Ringsum ist Felseneinsamkeit.
Des Todes bleiche Blumen schauern
Auf Gräbern, die im Dunkel trauern –
5 Doch diese Trauer hat kein Leid.

Der Himmel lächelt still herab
In diesen traumverschlossenen Garten,
Wo stille Pilger seiner warten.
Es wacht das Kreuz auf jedem Grab.

10 Die Kirche ragt wie ein Gebet
Vor einem Bilde ewiger Gnaden,
Manch Licht brennt unter den Arkaden,
Das stumm für arme Seelen fleht –

Indes die Bäume blüh'n zur Nacht,
15 Daß sich des Todes Antlitz hülle
In ihrer Schönheit schimmernde Fülle,
Die Tote tiefer träumen macht.

Ein Frühlingsabend

Ein Strauch voll Larven; Abendföhn im März;
Ein toller Hund läuft durch ein ödes Feld
Durchs braune Dorf des Priesters Glocke schellt;
5 Ein kahler Baum krümmt sich in schwarzem Schmerz.

Im Schatten alter Dächer blutet Mais;
O Süße, die der Spatzen Hunger stillt.
Durch das vergilbte Rohr bricht scheu ein Wild.
O Einsamstehn vor Wassern still und weiß.

10 Unsäglich ragt des Nußbaums Traumgestalt.
Den Freund erfreut der Knaben bäurisch Spiel.
Verfallene Hütten, abgelebt' Gefühl;
Die Wolken wandern tief und schwarz geballt.

In einem alten Garten

Resedaduft entschwebt im braunen Grün,
Geflimmer schauert auf den schönen Weiher,
Die Weiden stehn gehüllt in weiße Schleier
5 Darinnen Falter irre Kreise ziehn.

Verlassen sonnt sich die Terrasse dort,
Goldfische glitzern tief im Wasserspiegel,
Bisweilen schwimmen Wolken übern Hügel,
Und langsam gehn die Fremden wieder fort.

10 Die Lauben scheinen hell, da junge Frau'n
Am frühen Morgen hier vorbeigegangen,
Ihr Lachen blieb an kleinen Blättern hangen,
In goldenen Dünsten tanzt ein trunkener Faun.

⟨Abendlicher Reigen⟩ *1. Fassung*

Asternfelder, braun und blau
Kinder spielen dort an Grüften
In den hell beschwingten Lüften
Hängen Möven silbergrau.

5 Seltsam Leben lebt im Wein.
Lauter spielet auf ihr Geigen
Welche Wollust! Rasend Reigen
Fröstelnd kommt die Nacht herein.

Lachst so laut du braune Gret
10 Wirr das Meer träumt ⟨im⟩ Gemüte
Während eine just verblühte
Rose vor mir niederweht.

Abendlicher Reigen

2. Fassung

Asternfelder braun und blau,
Kinder spielen dort an Grüften,
In den abendlichen Lüften,
5 Hingehaucht in klaren Lüften
Hängen Möven silbergrau.
Hörnerschall hallt in der Au.

In der alten Schenke schrein
Toller auf verstimmte Geigen,
10 An den Fenstern rauscht ein Reigen,
Rauscht ein bunter Ringelreigen,
Rasend und berauscht von Wein.
Fröstelnd kommt die Nacht herein.

Lachen flattert auf, verweht,
15 Spöttisch klimpert eine Laute,
Leise eine stille Raute,
Eine schwermutvolle Raute
An der Schwelle niedergeht.
Klingklang! Eine Sichel mäht.

20 Traumhaft webt der Kerzen Schein,
Malt dies junge Fleisch verfallen,
Klingklang! Hörs im Nebel hallen,
Nach dem Takt der Geigen hallen,
Und vorbei tanzt nackt Gebein.
25 Lange schaut der Mond herein.

⟨Nachtseele⟩ *1. Fassung*

Stille wieder empfängt der modernde Wald
Den lallenden Quell,
Klage, die kristallen im Dunkel forttönt.

Schweigsam stieg von schwarzen Wäldern ein blaues Wild
5 Die Seele nieder,
Da es Nacht war; über moosige Stufen ein schneeiger
Quell.

Blut und Waffengetümmel vergessener Zeiten
Rauscht das Wasser im Föhrengrund.
Der Mond scheint immer in verfallene Zimmer,

10 Trunken von dunklen Frösten silberne Larve
Über den Schlaf des Jägers geneigt,
Haupt, das seine Sagen verlassen.

O dann öffnet jener die langsamen Hände,
Daß er das Licht empfange,
15 Seufzend in gewaltiger Finsternis⟨.⟩

Nachtseele

2. Fassung

Schweigsam stieg von schwarzen Wäldern ein blaues Wild
Die Seele nieder.
Da es Nacht war; über moosige Stufen ein schneeiger Quell.

5 Blut und Waffengetümmel vergangener Zeiten
Rauscht im Föhrengrund,
Der Mond scheint immer in verfallene Zimmer;

Trunken von dunklen Giften, silberne Larve
Über schlummernde Hirten geneigt,
10 Haupt, das schweigend seine Sagen verlassen.

O, dann öffnet jenes langsam die kalten Hände
Unter steinernen Bogen
Leise steigt ein goldener Sommer ans erblindete Fenster

Und es läuten im Grün die Schritte der Tänzerin
15 Die Nacht lang,
Öfter ruft in purpurner Schwermut das Käuzchen den Trunkenen.

Nachtseele

3. Fassung

Schweigsam stieg vom schwarzen Wald ein blaues Wild
Die Seele nieder,
Da es Nacht war, über moosige Stufen ein schneeiger
Quell.

5 Blut und Waffengetümmel vergangner Zeiten
Rauscht im Föhrengrund.
Der Mond scheint leise in verfallene Zimmer,

Trunken von dunklen Giften, silberne Larve
Über den Schlummer der Hirten geneigt;
10 Haupt, das schweigend seine Sagen verlassen.

O, dann öffnet jener die langsamen Hände
Verwesend in purpurnem Schlaf
Und silbern erblühen die Blumen des Winters

Am Waldsaum, erstrahlen die finstern Wege
15 In die steinerne Stadt;
Öfter ruft aus schwarzer Schwermut das Käuzchen den
Trunknen.

PROSA

Traumland

Eine Episode

Manchmal muß ich wieder jener stillen Tage gedenken, die mir sind wie ein wundersames, glücklich verbrachtes Leben, das ich fraglos genießen konnte, gleich einem Geschenk aus gütigen, unbekannten Händen. Und jene kleine Stadt im Talesgrund ersteht da wieder in meiner Erinnerung mit ihrer breiten Hauptstraße, durch die sich eine lange Allee prachtvoller Lindenbäume hinzieht, mit ihren winkeligen Seitengassen, die erfüllt sind von heimlich schaffendem Leben kleiner Kaufleute und Handwerker – und mit dem alten Stadtbrunnen mitten auf dem Platze, der im Sonnenschein so verträumt plätschert, und wo am Abend zum Rauschen des Wassers Liebesgeflüster klingt. Die Stadt aber scheint von vergangenem Leben zu träumen.

Und sanft geschwungene Hügel, über die sich feierliche, schweigsame Tannenwälder ausdehnen, schließen das Tal von der Außenwelt ab. Die Kuppen schmiegen sich weich an den fernen, lichten Himmel, und in dieser Berührung von Himmel und Erde scheint einem der Weltraum ein Teil der Heimat zu sein. Menschengestalten kommen mir auf einmal in den Sinn, und vor mir lebt wieder das Leben ihrer Vergangenheit auf, mit all' seinen kleinen Leiden und Freuden, die diese Menschen ohne Scheu einander anvertrauen durften.

Acht Wochen habe ich in dieser Entlegenheit verlebt; diese acht Wochen sind mir wie ein losgelöster, eigener Teil meines Lebens – ein Leben für sich – voll eines unsäglichen, jungen Glückes, voll einer starken Sehnsucht nach fernen, schönen Dingen. Hier empfing meine Knabenseele zum erstenmale den Eindruck eines großen Erlebens.

Ich sehe mich wieder als Schulbube in dem kleinen Haus mit einem kleinen Garten davor, das, etwas abgelegen von der Stadt, von Bäumen und Gesträuch beinahe ganz versteckt liegt. Dort bewohnte ich eine kleine Dachstube, die mit wunderlichen alten, verblaßten Bildern ausgeschmückt war, und manchen Abend habe ich hier verträumt in der Stille, und die Stille hat meine himmelhohen, närrisch-glücklichen Knabenträume liebevoll in sich aufgenommen und bewahrt und hat sie mir später noch oft genug wiedergebracht – in einsamen Dämmerstunden. Oft auch ging ich am Abend zu meinem alten Onkel hinunter, der beinahe den ganzen Tag bei seiner kranken Tochter Maria verbrachte. Dann saßen wir drei stundenlang schweigend beisammen. Der laue Abendwind wehte zum Fenster herein und trug allerlei verworrenes Geräusch an unser Ohr, das einem unbestimmte Traumbilder vorgaukelte. Und die Luft war voll von dem starken, berauschenden Duft der Rosen, die am Gartenzaune blühten. Langsam schlich die Nacht ins Zimmer und dann stand ich auf, sagte »Gute Nacht« und begab mich in meine Stube hinauf, um dort noch eine Stunde am Fenster in die Nacht hinaus zu träumen.

Anfangs fühlte ich in der Nähe der kleinen Kranken etwas wie eine angstvolle Beklemmung, die sich später in eine heilige, ehrfurchtsvolle Scheu vor diesem stummen, seltsam ergreifenden Leiden wandelte. Wenn ich sie sah, stieg in mir ein dunkles Gefühl auf, daß sie sterben werde müssen. Und dann fürchtete ich sie anzusehen.

Wenn ich tagsüber in den Wäldern herumstreifte, mich in der Einsamkeit und Stille so froh fühlte, wenn ich mich müde dann ins Moos streckte, und stundenlang in den lichten, flimmernden Himmel blickte, in den man so weit hineinsehen konnte, wenn ein seltsam tiefes Glücksgefühl mich dann berauschte, da kam mir plötzlich der Gedanke an die kranke Maria – und ich stand auf und irrte, von unerklärlichen Gedanken überwältigt, ziellos umher und fühlte in Kopf und Herz einen dumpfen Druck, daß ich weinen hätte mögen.

Und wenn ich am Abend manchmal durch die staubige Hauptstraße ging, die erfüllt war vom Dufte der blühenden Linden, und im Schatten der Bäume flüsternde Paare stehen sah; wenn ich sah, wie beim leise plätschernden Brunnen im Mondenschein zwei Menschen enge aneinander geschmiegt langsam dahinwandelten, als wären sie ein

Wesen, und mich da ein ahnungsvoller heißer Schauer überlief, da kam die kranke Maria mir in den Sinn; dann überfiel mich eine leise Sehnsucht nach irgend etwas Unerklärlichem, und plötzlich sah ich mich mit ihr Arm in Arm die Straße hinab im Schatten der duftenden Linden lustwandeln. Und in Marias großen, dunklen Augen leuchtete ein seltsamer Schimmer, und der Mond ließ ihr schmales Gesichtchen noch blasser und durchsichtiger erscheinen. Dann flüchtete ich mich in meine Dachstube hinauf, lehnte mich ans Fenster, sah in den tiefdunklen Himmel hinauf, in dem die Sterne zu erlöschen schienen und hing stundenlang wirren, sinnverwirrenden Träumen nach, bis der Schlaf mich übermannte.

Und doch – und doch habe ich mit der kranken Maria keine zehn Worte gewechselt. Sie sprach nie. Nur stundenlang an ihrer Seite bin ich gesessen und habe in ihr krankes, leidendes Gesicht geblickt und immer wieder gefühlt, daß sie sterben müsse.

Im Garten habe ich im Gras gelegen und habe den Duft von tausend Blumen eingeatmet; mein Auge berauschte sich an den leuchtenden Farben der Blüten, über die das Sonnenlicht hinflutete, und auf die Stille in den Lüften habe ich gehorcht, die nur bisweilen unterbrochen wurde durch den Lockruf eines Vogels. Ich vernahm das Gären der fruchtbaren, schwülen Erde, dieses geheimnisvolle Geräusch des ewigschaffenden Lebens. Damals fühlte ich dunkel die Größe und Schönheit des Lebens. Damals auch war mir, als gehörte das Leben mir. Da aber fiel mein Blick auf das Erkerfenster des Hauses. Dort sah ich die kranke Maria sitzen – still und unbeweglich, mit geschlossenen Augen. Und all' mein Sinnen wurde wieder angezogen von dem Leiden dieses einen Wesens, verblieb dort – ward zu einer schmerzlichen, nur scheu eingestandenen Sehnsucht, die mich rätselhaft und verwirrend dünkte. Und scheu, still verließ ich den Garten, als hätte ich kein Recht, in diesem Tempel zu verweilen.

Sooft ich da am Zaun vorüberkam, brach ich wie in Gedanken eine von den großen, leuchtendroten, duftschweren Rosen. Leise wollte ich dann am Fenster vorüberhuschen, als ich den zitternden, zarten Schatten von Marias Gestalt sich vom Kiesweg abheben sah. Und mein

Schatten berührte den ihrigen wie in einer Umarmung. Da nun trat ich, wie von einem flüchtigen Gedanken erfaßt, zum Fenster und legte die Rose, die ich eben erst gebrochen, in Marias Schoß. Dann schlich ich lautlos davon, als fürchtete ich, ertappt zu werden.

Wie oft hat dieser kleine, mich so bedeutsam dünkende Vorgang sich wiederholt! Ich weiß es nicht. Mir ist es, als hätte ich der kranken Maria tausend Rosen in den Schoß gelegt, als hätten unsere Schatten sich unzählige Male umarmt. Nie hat Maria dieser Episode Erwähnung getan; aber gefühlt habe ich aus dem Schimmer ihrer großen leuchtenden Augen, daß sie darüber glücklich war.

Vielleicht waren diese Stunden, da wir zwei beisammen saßen und schweigend ein großes, ruhiges, tiefes Glück genossen, so schön, daß ich mir keine schöneren zu wünschen brauchte. Mein alter Onkel ließ uns still gewähren. Eines Tages aber, da ich mit ihm im Garten saß, inmitten all' der leuchtenden Blumen, über die verträumt große gelbe Schmetterlinge schwebten, sagte er zu mir mit einer leisen, gedankenvollen Stimme: »Deine Seele geht nach dem Leiden, mein Junge.« Und dabei legte er seine Hand auf mein Haupt und schien noch etwas sagen zu wollen. Aber er schwieg. Vielleicht wußte er auch nicht, was er dadurch in mir geweckt hatte und was seither mächtig in mir auflebte.

Eines Tages, da ich wiederum zum Fenster trat, an dem Maria wie gewöhnlich saß, sah ich, daß ihr Gesicht im Tode erbleicht und erstarrt war. Sonnenstrahlen huschten über ihre lichte, zarte Gestalt hin; ihr gelöstes Goldhaar flatterte im Wind, mir war, als hätte sie keine Krankheit dahingerafft, als wäre sie gestorben ohne sichtbare Ursache – ein Rätsel. Die letzte Rose habe ich ihr in die Hand gelegt, sie hat sie ins Grab genommen.

Bald nach dem Tode Marias reiste ich ab in die Großstadt. Aber die Erinnerung an jene stillen Tage voll Sonnenschein sind in mir lebendig geblieben, lebendiger vielleicht als die geräuschvolle Gegenwart. Die kleine Stadt im Talesgrund werde ich nie mehr wiedersehen – ja, ich trage Scheu, sie wieder aufzusuchen. Ich glaube, ich könnte es nicht, wenn mich auch manchmal eine starke Sehnsucht nach jenen ewig jungen Dingen der Vergan-

160 genheit überfällt. Denn ich weiß, ich würde nur vergeblich nach dem suchen, was spurlos dahingegangen ist; ich würde dort das nicht mehr finden, was nur in meiner Erinnernug noch lebendig ist – wie das Heute – und das wäre mir wohl nur eine unnütze Qual.

Aus goldenem Kelch

Barrabas

Eine Phantasie

Es geschah aber zur selbigen Stunde, da sie des Menschen
5 Sohn hinausführten gen Golgatha, das da ist die Stätte, wo sie Räuber und Mörder hinrichten.

Es geschah zur selbigen hohen und glühenden Stunde, da er sein Werk vollendete.

Es geschah, daß zur selbigen Stunde eine große Menge
10 Volks lärmend Jerusalems Straßen durchzog – und inmitten des Volkes schritt Barrabas, der Mörder, und trug sein Haupt trotzig hoch.

Und um ihn waren aufgeputzte Dirnen mit rotgemalten Lippen und geschminkten Gesichtern und haschten nach
15 ihm. Und um ihn waren Männer, deren Augen trunken blickten von Wein und Lastern. In aller Reden aber lauerte die Sünde ihres Fleisches, und die Unzucht ihrer Geberden war der Ausdruck ihrer Gedanken.

Viele, die dem trunkenen Zuge begegneten, schlossen
20 sich ihm an und riefen: »Es lebe Barrabas!« Und alle schrieen: »Barrabas lebe!« Jemand hatte auch »Hosiannah!« gerufen. Den aber schlugen sie – denn erst vor wenigen Tagen hatten sie Einem »Hosiannah!« zugerufen, der da in die Stadt gezogen kam als ein König, und hatten
25 frische Palmenzweige auf seinen Weg gestreut. Heute aber streuten sie rote Rosen und jauchzten: »Barrabas!«

Und da sie an einem Palaste vorbeikamen, hörten sie drinnen Saitenspiel und Gelächter und den Lärm eines großen Gelages. Und aus dem Haus trat ein junger Mensch
30 in reichem Festgewand. Und sein Haar glänzte von wohlriechenden Ölen und sein Körper duftete von den kost-

barsten Essenzen Arabiens. Sein Auge leuchtete von den Freuden des Gelages und das Lächeln seines Mundes war geil von den Küssen seiner Geliebten.

35 Als der Jüngling Barrabam erkannte, trat er vor und sprach also:

»Tritt ein in mein Haus, o Barrabas, und auf meinen weichsten Kissen sollst du ruhen; tritt ein, o Barrabas, und meine Dienerinnen sollen deinen Leib mit den kost-
40 barsten Narden salben. Dir zu Füßen soll ein Mädchen auf der Laute seine süßesten Weisen spielen und aus meinem kostbarsten Becher will ich dir meinen glühendsten Wein darreichen. Und in den Wein will ich die herrlichste meiner Perlen werfen. O Barrabas, sei mein Gast
45 für heute – und meinem Gast gehört für diesen Tag meine Geliebte, die schöner ist als die Morgenröte im Frühling. Tritt ein, Barrabas, und kränze dein Haupt mit Rosen, freu' dich dieses Tages, da jener stirbt, dem sie Dornen aufs Haupt gesetzt.«

50 Und da der Jüngling so gesprochen, jauchzte ihm das Volk zu und Barrabas stieg die Marmorstufen empor, gleich einem Sieger. Und der Jüngling nahm die Rosen, die sein Haupt bekränzten, und legte sie um die Schläfen des Mörders Barrabas.

55 Dann trat er mit ihm in das Haus, derweil das Volk auf den Straßen jauchzte.

Auf weichen Kissen ruhte Barrabas; Dienerinnen salbten seinen Leib mit den köstlichsten Narden und zu seinen Füßen tönte das liebliche Saitenspiel eines Mädchens und
60 auf seinem Schoß saß des Jünglings Geliebte, die schöner war denn die Morgenröte im Frühling. Und Lachen tönte – und an unerhörten Freuden berauschten sich die Gäste, die sie alle waren des Einzigen Feinde und Verächter – Pharisäer und Knechte der Priester.

65 Zu Einer Stunde gebot der Jüngling Schweigen, und aller Lärm verstummte.

Da nun füllte der Jüngling seinen goldenen Becher mit dem köstlichsten Wein, und in dem Gefäß ward der Wein wie glühendes Blut. Eine Perle warf er hinein und reichte
70 den Becher Barrabas dar. Der Jüngling aber griff nach einem Becher von Kristall und trank Barrabas zu:

»Der Nazarener ist tot! Es lebe Barrabas!«

Und alle im Saale jauchzten:
»Der Nazarener ist tot! Es lebe Barrabas!«
75 Und das Volk in den Straßen schrie:
»Der Nazarener ist tot! Es lebe Barrabas!«
Plötzlich aber erlosch die Sonne, die Erde erbebte in ihren Grundfesten und ein ungeheures Grauen ging durch die Welt. Und die Kreatur erzitterte.
80 Zur selbigen Stunde ward das Werk der Erlösung vollbracht!

Aus goldenem Kelch

Maria Magdalena
Ein Dialog

Vor den Toren der Stadt Jerusalem. Es wird Abend.

5 AGATHON: Es ist Zeit, in die Stadt zurückzukehren. Die Sonne ist untergegangen und über der Stadt dämmert es schon. Es ist sehr still geworden. – Doch was antwortest du nicht, Marcellus; was blickst du so abwesend in die Ferne?

10 MARCELLUS: Ich habe daran gedacht, daß dort in der Ferne das Meer die Ufer dieses Landes bespült; daran habe ich gedacht, daß jenseits des Meeres das ewige, göttergleiche Rom sich zu den Gestirnen erhebt, wo kein Tag eines Festes entbehrt. Und ich bin hier in 15 fremder Erde. An alles das habe ich gedacht. Doch ich vergaß. Es ist wohl Zeit, daß du in die Stadt zurückkehrst. Es dämmert. Und zur Zeit der Dämmerung harrt ein Mädchen vor den Toren der Stadt Agathons. Laß sie nicht warten, Agathon, laß sie nicht warten, deine 20 Geliebte. Ich sage dir, die Frauen dieses Landes sind sehr sonderbar; ich weiß, sie sind voller Rätsel. Laß sie nicht warten, deine Geliebte; denn man weiß nie, was geschehen kann. In einem Augenblick kann Furchtbares geschehen. Man sollte den Augenblick nie ver-25 säumen.

AGATHON: Warum sprichst du so zu mir?

MARCELLUS: Ich meine, wenn sie schön ist, deine Geliebte,

sollst du sie nicht warten lassen. Ich sage dir, ein schönes Weib ist etwas ewig Unerklärliches. Die Schönheit des Weibes ist ein Rätsel. Man durchschaut sie nicht. Man weiß nie, was ein schönes Weib sein kann, was sie zu tun gezwungen ist. Das ist es, Agathon! Ach du – ich kannte eine. Ich kannte eine, ich sah Dinge geschehen, die ich nie ergründen werde. Kein Mensch würde sie ergründen können. Wir schauen nie den Grund der Geschehnisse.

AGATHON: Was sahst du geschehen? Ich bitte dich, erzähle mir mehr davon!

MARCELLUS: So gehen wir. Vielleicht ist eine Stunde gekommen, da ich es sagen werde können, ohne vor meinen eigenen Worten und Gedanken erschaudern zu müssen. (Sie gehen langsam den Weg nach Jerusalem zurück. Es ist Stille um sie.)

MARCELLUS: Es ging vor sich in einer glühenden Sommernacht, da in der Luft das Fieber lauert und Mond die Sinne verwirrt. Da sah ich sie. Es war in einer kleinen Schenke. Sie tanzte dort, tanzte mit nackten Füßen auf einem kostbaren Teppich. Niemals sah ich ein Weib schöner tanzen, nie berauschter; der Rhythmus ihres Körpers ließ mich seltsam dunkle Traumbilder schauen, daß heiße Fieberschauer meinen Körper durchbebten. Mir war, als spiele dieses Weib im Tanz mit unsichtbaren, köstlichen, heimlichen Dingen, als umarmte sie göttergleiche Wesen, die niemand sah, als küßte sie rote Lippen, die sich verlangend den ihren neigten; ihre Bewegungen waren die höchster Lust; es schien, als würde sie von Liebkosungen überschüttet. Sie schien Dinge zu sehen, die wir nicht sahen und spielte mit ihnen im Tanze, genoß sie in unerhörten Verzückungen ihres Körpers. Vielleicht hob sie ihren Mund zu köstlichen, süßen Früchten und schlürfte feurigen Wein, wenn sie ihren Kopf zurückwarf und ihr Blick verlangend nach oben gerichtet war. Nein! Ich habe das nicht begriffen, und doch war alles seltsam lebendig – es war da. Und sank dann hüllenlos, nur von ihren Haaren überflutet, zu unseren Füßen nieder. Es war, als hätte sich die Nacht in ihrem Haar zu einem schwarzen Knäuel zusammengeballt und entrückte sie uns. Sie aber gab sich hin, gab ihren herrlichen Leib hin, gab ihn einem jeden, der ihn haben wollte, hin. Ich sah sie Bettler und Gemeine, sah sie Fürsten und Könige lieben. Sie war die herrlichste Hetäre. Ihr Leib war ein köstliches Gefäß der Freude, wie es die Welt nicht schöner sah. Ihr Leben gehörte der Freude allein. Ich sah sie bei Gelagen tanzen und ihr Leib wurde von Rosen überschüttet. Sie aber stand inmitten leuchtender Rosen wie eine eben aufgeblühte, einzig schöne Blume. Und ich sah sie die Statue des Dionysos mit Blumen kränzen, sah sie den kalten Marmor umarmen, wie sie ihre Geliebten umarmte, sie erstickte mit ihren brennenden, fiebernden Küssen. – – Und da kam einer, der ging vorbei, wortlos, ohne Geberde, und war gekleidet in ein härenes Gewand, und Staub war auf seinen Füßen. Der ging vorbei und sah sie an – und war vorüber. Sie aber blickte nach Ihm, erstarrte in ihrer Bewegung – und ging, ging, und folgte jenem seltsamen Propheten, der sie vielleicht mit den Augen gerufen hatte, folgte Seinem Ruf und sank zu Seinen Füßen nieder. Erniedrigte sich vor Ihm – und sah zu Ihm auf wie zu einem Gott; diente Ihm, wie Ihm die Männer dienten, die um Ihn waren.

AGATHON: Du bist noch nicht zu Ende. Ich fühle, du willst noch etwas sagen.

MARCELLUS: Mehr weiß ich nicht. Nein! Aber eines Tages erfuhr ich, daß sie jenen sonderlichen Propheten ans Kreuz schlagen wollten. Ich erfuhr es von unserem Statthalter Pilatus. Und da wollte ich hinausgehen nach Golgatha, wollte Jenen sehen, wollte Ihn sterben sehen. Vielleicht wäre mir ein rätselhaftes Geschehnis offenbar geworden. In Seine Augen wollte ich blicken; Seine Augen würden vielleicht zu mir gesprochen haben. Ich glaube, sie hätten gesprochen.

AGATHON: Und du gingst nicht!

MARCELLUS: Ich war auf dem Wege dahin. Aber ich kehrte um. Denn ich fühlte, ich würde jene draußen treffen, auf den Knien vor dem Kreuz, zu Ihm beten, auf das Fliehen Seines Lebens lauschend. In Verzückung. Und da kehrte ich wieder um. Und in mir ist es dunkel geblieben.

AGATHON: Doch jener Seltsame? – Nein, wir wollen nicht davon sprechen!

110 MARCELLUS: Laß uns darüber schweigen, Agathon! Wir können nichts anderes tun. – Sieh nur, Agathon, wie es in den Wolken seltsam dunkel glüht. Man könnte meinen, daß hinter den Wolken ein Ozean von Flammen loderte. Ein göttliches Feuer! Und der Himmel ist wie
115 eine blaue Glocke. Es ist, als ob man sie tönen hörte, in tiefen, feierlichen Tönen. Man könnte sogar vermuten, daß dort oben in den unerreichbaren Höhen etwas vorgeht, wovon man nie etwas wissen wird. Aber ahnen kann man es manchmal, wenn auf die Erde die große
120 Stille herabgestiegen ist. Und doch! Alles das ist sehr verwirrend. Die Götter lieben es, uns Menschen unlösbare Rätsel aufzugeben. Die Erde aber rettet uns nicht vor der Arglist der Götter; denn auch sie ist voll des Sinnbetörenden. Mich verwirren die Dinge und die
125 Menschen. Gewiß! Die Dinge sind sehr schweigsam! Und die Menschenseele gibt ihre Rätsel nicht preis. Wenn man fragt, so schweigt sie.

AGATHON: Wir wollen leben und nicht fragen. Das Leben ist voll des Schönen.

130 MARCELLUS: Wir werden vieles nie wissen. Ja! Und deshalb wäre es wünschenswert, das zu vergessen, was wir wissen. Genug davon! Wir sind bald am Ziel. Sieh nur, wie verlassen die Straßen sind. Man sieht keinen Menschen mehr. (Ein Wind erhebt sich.) Es ist dies eine
135 Stimme, die uns sagt, daß wir zu den Gestirnen aufblicken sollen. Und schweigen.

AGATHON: Marcellus, sieh, wie hoch das Getreide auf den Äckern steht. Jeder Halm beugt sich zur Erde – früchteschwer. Es werden herrliche Erntetage sein.

140 MARCELLUS: Ja! Festtage! Festtage, mein Agathon!

AGATHON: Ich gehe mit Rahel durch die Felder, durch die früchteschweren, gesegneten Äcker! O du herrliches Leben!

MARCELLUS: Du hast recht! Freue dich deiner Jugend.
145 Jugend allein ist Schönheit! Mir geziemt es, im Dunkel zu wandern. Doch hier trennen sich unsere Wege. Deiner harrt die Geliebte, meiner – das Schweigen der Nacht! Leb' wohl, Agathon! Es wird eine herrlich schöne Nacht sein. Man kann lange im Freien bleiben.

150 AGATHON: Und kann zu den Gestirnen emporblicken – zur

großen Gelassenheit. Ich will fröhlich meiner Wege gehen und die Schönheit preisen. So ehrt man sich und die Götter.

MARCELLUS: Tu, wie du sagst, und du tust recht! Leb' 155 wohl, Agathon!

AGATHON (nachdenklich): Nur eines will ich dich noch fragen. Du sollst nichts dabei denken, daß ich dich darnach frage. Wie hieß doch jener seltsame Prophet? Sag'!

MARCELLUS: Was nützt es dir, das zu wissen! Ich vergaß 160 seinen Namen. Doch nein! Ich erinnere mich. Ich erinnere mich. Er hieß Jesus und war aus Nazareth!

AGATHON: Ich danke dir! Leb' wohl! Die Götter mögen dir wohlgesinnt sein, Marcellus! (Er geht.)

MARCELLUS (in Gedanken verloren): Jesus! – Jesus! Und 165 war aus Nazareth. (Er geht langsam und gedankenvoll seiner Wege. Es ist Nacht geworden und am Himmel leuchten unzählige Sterne.)

Verlassenheit

1

Nichts unterbricht mehr das Schweigen der Verlassenheit. Über den dunklen, uralten Gipfeln der Bäume ziehn die 5 Wolken hin und spiegeln sich in den grünlich-blauen Wassern des Teiches, der abgründlich scheint. Und unbeweglich, wie in trauervolle Ergebenheit versunken, ruht die Oberfläche – tagein, tagaus.

Inmitten des schweigsamen Teiches ragt das Schloß zu 10 den Wolken empor mit spitzen, zerschlissenen Türmen und Dächern. Unkraut wuchert über die schwarzen, geborstenen Mauern, und an den runden, blinden Fenstern prallt das Sonnenlicht ab. In den düsteren, dunklen Höfen fliegen Tauben umher und suchen sich in den Ritzen des 15 Gemäuers ein Versteck.

Sie scheinen immer etwas zu befürchten, denn sie fliegen scheu und hastend an den Fenstern hin. Drunten im Hof plätschert die Fontäne leise und fein. Aus bronzener Brunnenschale trinken dann und wann die dürstenden Tauben.

20 Durch die schmalen, verstaubten Gänge des Schlosses

streift manchmal ein dumpfer Fieberhauch, daß die Fledermäuse erschreckt aufflattern. Sonst stört nichts die tiefe Ruhe.

Die Gemächer aber sind schwarz verstaubt! Hoch und kahl und frostig und voll erstorbener Gegenstände. Durch die blinden Fenster kommt bisweilen ein kleiner, winziger Schein, den das Dunkel wieder aufsaugt. Hier ist die Vergangenheit gestorben.

Hier ist sie eines Tages erstarrt in einer einzigen, verzerrten Rose. An ihrer Wesenlosigkeit geht die Zeit achtlos vorüber.

Und alles durchdringt das Schweigen der Verlassenheit.

2

Niemand vermag mehr in den Park einzudringen. Die Äste der Bäume halten sich tausendfach umschlungen, der ganze Park ist nur mehr ein einziges, gigantisches Lebewesen.

Und ewige Nacht lastet unter dem riesigen Blätterdach. Und tiefes Schweigen! Und die Luft ist durchtränkt von Vermoderungsdünsten!

Manchmal aber erwacht der Park aus schweren Träumen. Dann strömt er ein Erinnern aus an kühle Sternennächte, an tief verborgene heimliche Stellen, da er fiebernde Küsse und Umarmungen belauschte, an Sommernächte, voll glühender Pracht und Herrlichkeit, da der Mond wirre Bilder auf den schwarzen Grund zauberte, an Menschen, die zierlich galant, voll rhythmischer Bewegungen unter seinem Blätterdache dahinwandelten, die sich süße, verrückte Worte zuraunten, mit feinem verheißenden Lächeln.

Und dann versinkt der Park wieder in seinen Todesschlaf.

Auf den Wassern wiegen sich die Schatten von Blutbuchen und Tannen und aus der Tiefe des Teiches kommt ein dumpfes, trauriges Murmeln.

Schwäne ziehen durch die glänzenden Fluten, langsam, unbeweglich, starr ihre schlanken Hälse emporrichtend. Sie ziehen dahin! Rund um das erstorbene Schloß! Tagein, tagaus!

60 Bleiche Lilien stehn am Rande des Teiches mitten unter grellfarbigen Gräsern. Und ihre Schatten im Wasser sind bleicher als sie selbst.

Und wenn die einen dahinsterben, kommen andere aus der Tiefe. Und sie sind wie kleine, tote Frauenhände.

65 Große Fische umschwimmen neugierig, mit starren, glasigen Augen die bleichen Blumen, und tauchen dann wieder in die Tiefe – lautlos!

Und alles durchdringt das Schweigen der Verlassenheit.

3

70 Und droben in einem rissigen Turmgemach sitzt der Graf. Tagein, tagaus.

Er sieht den Wolken nach, die über den Gipfeln der Bäume hinziehen, leuchtend und rein. Er sieht es gern, wenn die Sonne in den Wolken glüht, am Abend, da sie

75 untersinkt. Er horcht auf die Geräusche in den Höhen: auf den Schrei eines Vogels, der am Turm vorbeifliegt oder auf das tönende Brausen des Windes, wenn er das Schloß umfegt.

Er sieht wie der Park schläft, dumpf und schwer, und

80 sieht die Schwäne durch die glitzernden Fluten ziehn – die das Schloß umschwimmen. Tagein! Tagaus!

Und die Wasser schimmern grünlich-blau. In den Wassern aber spiegeln sich die Wolken, die über das Schloß hinziehen; und ihre Schatten in den Fluten leuchten strah-

85 lend und rein, wie sie selbst. Die Wasserlilien winken ihm zu, wie kleine, tote Frauenhände, und wiegen sich nach den leisen Tönen des Windes, traurig träumerisch.

Auf alles, was ihn da sterbend umgibt, blickt der arme Graf, wie ein kleines, irres Kind, über dem ein Verhängnis

90 steht, und das nicht mehr Kraft hat, zu leben, das dahinschwindet, gleich einem Vormittagsschatten.

Er horcht nur mehr auf die kleine, traurige Melodie seiner Seele: Vergangenheit!

Wenn es Abend wird, zündet er seine alte, verrußte

95 Lampe an und liest in mächtigen, vergilbten Büchern von der Vergangenheit Größe und Herrlichkeit.

Er liest mit fieberndem, tönendem Herzen, bis die Gegenwart, der er nicht angehört, versinkt. Und die Schatten

der Vergangenheit steigen herauf – riesengroß. Und er
100 lebt das Leben, das herrlich schöne Leben seiner Väter.

In Nächten, da der Sturm um den Turm jagt, daß die Mauern in ihren Grundfesten dröhnen und die Vögel angstvoll vor seinem Fenster kreischen, überkommt den Grafen eine namenlose Traurigkeit.

105 Auf seiner jahrhundertalten, müden Seele lastet das Verhängnis.

Und er drückt das Gesicht an das Fenster und sieht in die Nacht hinaus. Und da erscheint ihm alles riesengroß traumhaft, gespensterlich! Und schrecklich. Durch das
110 Schloß hört er den Sturm rasen, als wollte er alles Tote hinausfegen und in Lüfte zerstreuen.

Doch wenn das verworrene Trugbild der Nacht dahinsinkt wie ein heraufbeschworener Schatten – durchdringt alles wieder das Schweigen der Verlassenheit.

REZENSIONEN

Oberregisseur Friedheim

Es ist ein schwieriges Unternehmen, die fruchtbare, reiche Tätigkeit eines Mannes zu überblicken, der jahrelang in der Öffentlichkeit gewirkt und deshalb auch von der Allgemeinheit seine Beurteilung erfahren hat; es ist schwer, aus solch einem Wirken das Wesentlichste hervorzuheben, es dadurch zu charakterisieren, und all' das Gewollte, das nur durch die Ungunst der Verhältnisse ungetan bleiben mußte, in Einklang mit dem Geschehenen zu bringen – wie Saat und Ernte.

Drei Jahre steht Herr Friedheim als künstlerischer Leiter dem Stadttheater vor – drei Jahre rastloser, ernster Arbeit kann er überblicken und sich sagen: Ich habe mein Bestes gegeben, ich habe nach bestem künstlerischen Wissen und Gewissen getan. Und so ist es nur billig, daß die Öffentlichkeit der Tätigkeit dieses Mannes jederzeit die Anerkennung zuteil werden ließ, die er ganz verdiente, deshalb auch will ich mich mit der Vorführung des Wesentlichsten genügen.

Die Saison 1903, die besonders reich an Novitäten war, brachte uns die mustergiltigen Inszenesetzungen von Halbes ›Strom‹, Werkmanns ›Kreuzwegstürmer‹, Gustav Streichers ›Stephan Fadinger‹, Schönherrs ›Sonnwendtag‹, Beyerleins ›Zapfenstreich‹. Diese Inszenierungen, die zum Teile ungeheure Anforderungen stellten, ließen Herrn Friedheim als tüchtigen, unermüdlichen Regisseur erkennen. Daß Herr Friedheim als Schauspieler dem Regisseur in keiner Weise nachsteht, davon legten Zeugnis ab Leistungen, die er z. B. im Pfarrer v. Kirchfeld als Wurzelsepp, als Wachtmeister im Zapfenstreich, als Striese, als Stauffacher, als Pater in Renaissance bot. Von den Neuerscheinungen des nächsten Jahres sind besonders zu nennen ›Traumulus‹, der zum Benefize Friedheims in Szene gesetzt wurde, ferner der ›Schleier der Maja‹ und Seebachs ›Die Unsichtbaren‹. In jedem dieser Werke hatte Herr Friedheim die Hauptgestalt zu verkörpern, seine glänzenden

Leistungen als Direktor Niemeyer, als Sokrates und Baumeister werden noch in aller Erinnerung sein. Sein Spiel als Franz Moor trug ihm ein Anerkennungsschreiben des
40 Herrn Bürgermeister Berger ein. Nicht unerwähnt seien die Verdienste gelassen, die Friedheim sich um die Aufführung von Wallensteins Lager und des Demetriusfragmentes erwarb. Eine reiche Auslese von Gutem und Bestem gab das heurige Spieljahr. Salzburg war die erste
45 Provinzbühne, die nach Wien Schönherrs ›Familie‹ brachte. Für seine glänzende Regieführung wurde Herrn Friedheim der persönliche Dank des Dichters zuteil. Ferner ist die Aufführung der ›Brüder von St. Bernhard‹ zu nennen, des ›Privatdozenten‹ (Prutz), ›Klein Dorrits‹,
50 und des Tendenzstückes ›Stein unter Steinen‹. Eine Tat, auf die Herr Friedheim mit berechtigtem Stolz zurückblicken kann, war die wunderbare Inszenierung der ›Salome‹.

Ununterbrochen, tatenfreudig hat Herr Friedheim bis
55 an das Ende sein verantwortungsvolles Amt ausgefüllt, trotz der sich besonders in letzter Zeit häufenden Schwierigkeiten, die ihm von gewisser Seite in den Weg gelegt wurden. Am Samstag nimmt Herr Friedheim in ›Narziß‹ von Salzburg Abschied. An das Publikum zu appellieren,
60 ist wohl in diesem Falle nicht nötig, denn es wird Herrn Oberregisseur Friedheim in Erinnerung an das, was er unserm Theater gewesen, einen Ehrenabend veranstalten – ein kleiner Dank für große Mühe! In der Geschichte unseres Theaters aber wird Herr Friedheim einen Ehren-
65 platz einnehmen, wie wenige – in der Geschichte, wie in der Erinnerung derer, die ihn in diesen Jahren seiner Tätigkeit hochschätzen lernten.

Gustav Streicher

Dieser Schriftsteller ist aus der österreichischen Provinzliteraturbewegung, einer Folge- und Begleiterscheinung des Naturalismus, hervorgegangen, die ihr Programm mit
5 dem Schlagwort »Heimatkunst« formulierte und die, obwohl über sie genug geschrieben wurde, doch nicht jene

Würdigung erfuhr, die ihr wohl hätte zukommen sollen. Mit dem plötzlichen Verebben des Naturalismus, der wie ein Sturm kam und ging, verlor selbstverständlich die Heimatskunst den Boden, in dem sie so tief Wurzel geschlagen hatte, und die ganze Bewegung, die, getragen von der jugendlich überquellenden Kraft eines guten und tapferen Willens, daran war, sich ihre eigensten Bahnen zu brechen, sah sich nun der nährenden und treibenden Kräfte beraubt. Und heute, da ungeahnte Möglichkeiten zu einer zukunftsträchtigen Kunst und dornicht-gefahrvolle Wege sich dem suchenden Blick offenbaren, ist der Sturm und Drang letzter Jahrzehnte eine Erinnerung, die eine erste Blässe deckt.

Unter den Vertretern ehemaliger Heimatskunst ist Gustav Streicher eine der markantesten Persönlichkeiten, und sein künstlerischer Werdegang ist ebenso interessant als lehrreich. Er fing mit dem Naturalismus an – sein Erstlingswerk ›Am Nikolotag‹ ist von jener schweren, düsteren, heldenmütig-fanatischen Bodenständigkeit, die den konsequentesten Naturalisten eigen ist –, suchte in seinem folgenden Werk ›Stephan Fadinger‹ den Weg zur historischen Tragödie großen Stils, immer noch auf Grund und mit den dichterischen Mitteln des Naturalismus, und fand sich endlich bei Ibsen, in seinem bisher nur wenig bekannten Drama ›Liebesopfer‹, das ein psychologisches Problem subtilster Art mit den Mitteln moderner Seelenanalyse zu lösen versucht; nach etlichen Jahren scheinbarer Untätigkeit (eine Komödie, die das Problem der modernen Frau umfassend gestalten will, blieb Fragment) zeigt Gustav Streicher sich in einer neuen Phase seiner Entwicklung, als Neuromantiker.

Die Entwicklung dieses Schriftstellers könnte verwunderlich und seltsam erscheinen, wenn sie nicht aus den zu Anfang geschilderten Verhältnissen ihre natürliche Erklärung fände. Und erklärlich ist es, wenn ein Dichter, dessen Eigenart eine so ausgesprochen dramatische ist, dessen Talent für eine geradlinige Entwicklung vorgeschaffen erscheinen mußte, solch tiefe Krisen durchzumachen hatte. Sein Drama ›Monna Violanta‹, das Streicher Freitag abends im Mirabellsaale las, ist von der Art jener Seelentragödien, wie die Neuromantiker sie lieben. Die einen in kühle Ekstase versetzen, die einen träumen machen, deren Handlung man nicht erzählen sollte, weil soviel dabei verloren geht. Man denkt und träumt dieser seltsamen Violanta nach, die wie ein kühler Schatten durch einen Traum schreitet, fühlt den Ekel, der ihren Leib schüttelt, gedenkt sie des toten Gatten, der mit senilen Perversionen ihren blütenjungen Leib begeifert hat; man glaubt das Gespenst des Toten zu sehen, wenn Violanta ihn an ihrer Seite schreiten sieht, mit scheußlichen, lasterhaften Geberden widerliche Berührung mit seinem Weibe suchend, hört das Weib aufschreien und zusammenbrechen unter der furchtbaren Gewalt der toten Macht, und weiß: die muß des Lebens roheste Gewalten herbeirufen, um den Toten los zu werden, muß Dirne werden, um nicht in hysterischen Krämpfen zu vergehen. Es ist seltsam, wie diese Verse das Problem durchdringen, wie oft der Klang des Wortes einen unaussprechlichen Gedanken ausdrückt und die flüchtige Stimmung festhält. In diesen Versen ist etwas von der süßen, frauenhaften Überredungskunst, die uns verführt, dem Melos des Wortes zu lauschen und nicht zu achten des Wortes Inhalt und Gewicht; der Mollklang dieser Sprache stimmt die Sinne nachdenklich und erfüllt das Blut mit träumerischer Müdigkeit. Erst in der letzten Szene, da der Kondottiere auftritt, schmettert ein voller, eherner Ton in Dur über die Szene, und in fliegender Steigerung löst sich das Drama in einem dionysischen Gesang der Lebensfreudigkeit.

Daß der vortragende Dichter nicht völlig vermochte, die ganze Stimmungsgewalt seines Werkes zur Geltung zu bringen, daß manches von den glitzernden Schönheiten seines Dialogs verloren ging, das soll liebenswürdig entschuldigt werden. Das Publikum ist ihm gerne in seine Welt gefolgt und hat's ihm mit Dankbarkeit gelohnt, daß er für eine Stunde sie in die Tiefe eines seltsamen Daseins schauen ließ.

⟨Jakobus und die Frauen⟩

Jakobus und die Frauen. Roman von Franz Karl Ginzkey. (L. Staackmanns Verlag, Leipzig.) In diesem Buch ist Stimmung, leider nur Stimmung. In Stimmung ertrinkt die an und für sich schwächliche Handlung, die Psychologie ist unklar und plätschert auf lieblicher Oberfläche, die Charakteristik der Personen ist dürftig, schemenhaft, verworren. Und für all diese kapitalen Mängel sollen einige hübsche Stimmungsbilder und Lyrismen entschädigen. Nein! Diesem Buch fehlt alles zum Roman, darüber täuscht einen nicht die gesuchte Feierlichkeit eines Stils, der seit Jakob Wassermanns ›Renate Fuchs‹ so fleißig gehandhabt wird, und mit dem die verschrobensten, langweiligsten, seichtesten Dinge pomphaft aufgebauscht werden. Mauvaise music! Und wenn ich überdenke, daß der gallische Roman den Gipfelpunkt eines beispiellosen Formenkultus darstellt, und die russischen Epopöen der Urquell der gewaltigsten Geistesrevolution geworden sind, so gilt mir der Großteil unserer mitteleuropäischen Romanproduktion nicht mehr, als – bedrucktes Papier.

Nachlaß

SAMMLUNG 1909

Drei Träume

I

Mich däucht, ich träumte von Blätterfall,
Von weiten Wäldern und dunklen Seen,
5 Von trauriger Worte Widerhall –
Doch konnt' ich ihren Sinn nicht verstehn.

Mich däucht, ich träumte von Sternenfall,
Von blasser Augen weinendem Flehn,
Von eines Lächelns Widerhall –
10 Doch konnt' ich seinen Sinn nicht verstehn.

Wie Blätterfall, wie Sternenfall,
So sah ich mich ewig kommen und gehn,
Eines Traumes unsterblicher Widerhall –
Doch konnt' ich seinen Sinn nicht verstehn.

15 ### II

In meiner Seele dunklem Spiegel
Sind Bilder niegeseh'ner Meere,
Verlass'ner, tragisch phantastischer Länder,
Zerfließend ins Blaue, Ungefähre.

20 Meine Seele gebar blut-purpurne Himmel
Durchglüht von gigantischen, prasselnden Sonnen,
Und seltsam belebte, schimmernde Gärten,
Die dampften von schwülen, tödlichen Wonnen.

Und meiner Seele dunkler Bronnen
25 Schuf Bilder ungeheurer Nächte,
Bewegt von namenlosen Gesängen
Und Atemwehen ewiger Mächte.

Meine Seele schauert erinnerungsdunkel,
Als ob sie in allem sich wiederfände –
30 In unergründlichen Meeren und Nächten,
Und tiefen Gesängen, ohn' Anfang und Ende.

III

Ich sah viel Städte als Flammenraub
Und Greuel auf Greuel häufen die Zeiten,
35 Und sah viel Völker verwesen zu Staub,
Und alles in Vergessenheit gleiten.

Ich sah die Götter stürzen zur Nacht,
Die heiligsten Harfen ohnmächtig zerschellen,
Und aus Verwesung neu entfacht,
40 Ein neues Leben zum Tage schwellen.

Zum Tage schwellen und wieder vergehn,
Die ewig gleiche Tragödia,
Die also wir spielen sonder Verstehn,

Und deren wahnsinnsnächtige Qual
45 Der Schönheit sanfte Gloria
Umkränzt als lächelndes Dornenall.

Von den stillen Tagen

So geisterhaft sind diese späten Tage
Gleichwie der Blick von Kranken, hergesendet
Ins Licht. Doch ihrer Augen stumme Klage
5 Beschattet Nacht, der sie schon zugewendet.

Sie lächeln wohl und denken ihrer Feste,
Wie man nach Liedern bebt, die halb vergessen,
Und Worte sucht für eine traurige Geste,
Die schon verblaßt in Schweigen ungemessen.

10 So spielt um kranke Blumen noch die Sonne
Und läßt von einer todeskühlen Wonne
Sie schauern in den dünnen, klaren Lüften.

Die roten Wälder flüstern und verdämmern,
Und todesnächtiger hallt der Spechte Hämmern
15 Gleichwie ein Widerhall aus dumpfen Grüften.

Dämmerung

Zerwühlt, verzerrt bist du von jedem Schmerz
Und bebst vom Mißton aller Melodien,
Zersprungne Harfe du – ein armes Herz,
5 Aus dem der Schwermut kranke Blumen blühn.

Wer hat den Feind, den Mörder dir bestellt,
Der deiner Seele letzten Funken stahl,
Wie er entgöttert diese karge Welt
Zur Hure, häßlich, krank, verwesungsfahl!

10 Von Schatten schwingt sich noch ein wilder Tanz,
Zu kraus zerrißnem, seelenlosem Klang,
Ein Reigen um der Schönheit Dornenkranz,

Der welk den Sieger, den verlornen, krönt
– Ein schlechter Preis, um den Verzweiflung rang,
15 Und der die lichte Gottheit nicht versöhnt.

Herbst

›Verfall‹ *Sammlung 1909*

Am Abend, wenn die Glocken Frieden läuten,
Folg' ich der Vögel wundervollen Flügen,
Die lang geschart, gleich frommen Pilgerzügen
5 Entschwinden in den herbstlich klaren Weiten.

Hinwandelnd durch den nachtverschloßnen Garten,
Träum' ich nach ihren helleren Geschicken,
Und fühl' der Stunden Weiser kaum mehr rücken –
So folg' ich über Wolken ihren Fahrten.

10 Da macht ein Hauch mich von Verfall erzittern.
Ein Vogel klagt in den entlaubten Zweigen
Es schwankt der rote Wein an rostigen Gittern,

Indess' wie blasser Kinder Todesreigen,
Um dunkle Brunnenränder, die verwittern
15 Im Wind sich fröstelnd fahle Astern neigen.

Das Grauen

Ich sah mich durch verlass'ne Zimmer gehn.
– Die Sterne tanzten irr auf blauem Grunde,
Und auf den Feldern heulten laut die Hunde,
5 Und in den Wipfeln wühlte wild der Föhn.

Doch plötzlich: Stille! Dumpfe Fieberglut
Läßt giftige Blumen blühn aus meinem Munde,
Aus dem Geäst fällt wie aus einer Wunde
Blaß schimmernd Tau, und fällt, und fällt wie Blut.

10 Aus eines Spiegels trügerischer Leere
Hebt langsam sich, und wie ins Ungefähre
Aus Graun und Finsternis ein Antlitz: Kain!

Sehr leise rauscht die samtene Portiere,
Durchs Fenster schaut der Mond gleichwie ins Leere,
15 Da bin mit meinem Mörder ich allein.

Andacht

Das Unverlorne meiner jungen Jahre
Ist stille Andacht an ein Glockenläuten,
An aller Kirchen dämmernde Altare
5 Und ihrer blauen Kuppeln Himmelweiten.

An einer Orgel abendliche Weise,
An weiter Plätze dunkelndes Verhallen,
Und an ein Brunnenplätschern, sanft und leise
Und süß, wie unverstandnes Kinderlallen.

10 Ich seh' mich träumend still die Hände falten
Und längst vergessene Gebete flüstern,
Und frühe Schwermut meinen Blick umdüstern.

Da schimmert aus verworrenen Gestalten
Ein Frauenbild, umflort von finstrer Trauer,
15 Und gießt in mich den Kelch verruchter Schauer.

Sabbath

Ein Hauch von fiebernd giftigen Gewächsen
Macht träumen mich in mondnen Dämmerungen,
Und leise fühl' ich mich umrankt, umschlungen,
5 Und seh' gleich einem Sabbath toller Hexen

Blutfarbne Blüten in der Spiegel Hellen
Aus meinem Herzen keltern Flammenbrünste,
Und ihre Lippen kundig aller Künste
An meiner trunknen Kehle wütend schwellen.

10 Pestfarbne Blumen tropischer Gestade,
Die reichen meinen Lippen ihre Schalen,
Die trüben Geiferbronnen ekler Qualen.

Und eine schlingt – o rasende Mänade –
Mein Fleisch, ermattet von den schwülen Dünsten,
15 Und schmerzverzückt von fürchterlichen Brünsten.

Gesang zur Nacht

I

Vom Schatten eines Hauchs geboren
Wir wandeln in Verlassenheit
5 Und sind im Ewigen verloren,
Gleich Opfern unwissend, wozu sie geweiht.

Gleich Bettlern ist uns nichts zu eigen,
Uns Toren am verschloßnen Tor.
Wie Blinde lauschen wir ins Schweigen,
10 In dem sich unser Flüstern verlor.

Wir sind die Wandrer ohne Ziele,
Die Wolken, die der Wind verweht,
Die Blumen, zitternd in Todeskühle,
Die warten, bis man sie niedermäht.

15 II

Daß sich die letzte Qual an mir erfülle,
Ich wehr' euch nicht, ihr feindlich dunklen Mächte.
Ihr seid die Straße hin zur großen Stille,
Darauf wir schreiten in die kühlsten Nächte.

20 Es macht mich euer Atem lauter brennen,
Geduld! Der Stern verglüht, die Träume gleiten
In jene Reiche, die sich uns nicht nennen,
Und die wir traumlos dürfen nur beschreiten.

III

25 Du dunkle Nacht, du dunkles Herz,
Wer spiegelt eure heiligsten Gründe,
Und eurer Bosheit letzte Schlünde?
Die Maske starrt vor unserm Schmerz –

Vor unserm Schmerz, vor unsrer Lust
30 Der leeren Maske steinern Lachen,
Daran die irdnen Dinge brachen,
Und das uns selber nicht bewußt.

Und steht vor uns ein fremder Feind,
Der höhnt, worum wir sterbend ringen,
35 Daß trüber unsre Lieder klingen
Und dunkel bleibt, was in uns weint.

IV

Du bist der Wein, der trunken macht,
Nun blut ich hin in süßen Tänzen
40 Und muß mein Leid mit Blumen kränzen!
So will's dein tiefster Sinn, o Nacht!

Ich bin die Harfe in deinem Schoß,
Nun ringt um meine letzten Schmerzen
Dein dunkles Lied in meinem Herzen
45 Und macht mich ewig, wesenlos.

V

Tiefe Ruh – o tiefe Ruh!
Keine fromme Glocke läutet,
Süße Schmerzensmutter du –
50 Deinen Frieden todgeweitet.

Schließ mit deinen kühlen, guten
Händen alle Wunden zu –
Daß nach innen sie verbluten –
Süße Schmerzensmutter – du!

55 VI

O laß mein Schweigen sein dein Lied!
Was soll des Armen Flüstern dir,
Der aus des Lebens Gärten schied?
Laß namenlos dich sein in mir –

60 Die traumlos in mir aufgebaut,
Wie eine Glocke ohne Ton,
Wie meiner Schmerzen süße Braut
Und meiner Schlafe trunkner Mohn.

VII

65 Blumen hörte ich sterben im Grund
Und der Bronnen trunkne Klage
Und ein Lied aus Glockenmund,
Nacht, und eine geflüsterte Frage;
Und ein Herz – o todeswund,
70 Jenseits seiner armen Tage.

VIII

Das Dunkel löschte mich schweigend aus,
Ich ward ein toter Schatten im Tag –
Da trat ich aus der Freude Haus
75 In die Nacht hinaus.

Nun wohnt ein Schweigen im Herzen mir,
Das fühlt nicht nach den öden Tag –
Und lächelt wie Dornen auf zu dir,
Nacht – für und für!

80 IX

O Nacht, du stummes Tor vor meinem Leid,
Verbluten sieh dies dunkle Wundenmal
Und ganz geneigt den Taumelkelch der Qual!
O Nacht, ich bin bereit!

85 O Nacht, du Garten der Vergessenheit
Um meiner Armut weltverschloss'nen Glanz,
Das Weinlaub welkt, es welkt der Dornenkranz.
O komm, du hohe Zeit!

X

90 Es hat mein Dämon einst gelacht,
Da war ich ein Licht in schimmernden Gärten,
Und hatte Spiel und Tanz zu Gefährten
Und der Liebe Wein, der trunken macht.

Es hat mein Dämon einst geweint.
95 Da war ich ein Licht in schmerzlichen Gärten
Und hatte die Demut zum Gefährten,
Deren Glanz der Armut Haus bescheint.

Doch nun mein Dämon nicht weint noch lacht,
Bin ich ein Schatten verlorener Gärten
100 Und habe zum todesdunklen Gefährten
Das Schweigen der leeren Mitternacht.

XI

Mein armes Lächeln, das um dich rang,
Mein schluchzendes Lied im Dunkel verklang.
105 Nun will mein Weg zu Ende gehn.

Laß treten mich in deinen Dom
Wie einst, ein Tor, einfältig, fromm,
Und stumm anbetend vor dir stehn.

XII

110 Du bist in tiefer Mitternacht
Ein totes Gestade an schweigendem Meer,
Ein totes Gestade: Nimmermehr!
Du bist in tiefer Mitternacht.

Du bist in tiefer Mitternacht
115 Der Himmel, in dem du als Stern geglüht,
Ein Himmel, aus dem kein Gott mehr blüht.
Du bist in tiefer Mitternacht.

Du bist in tiefer Mitternacht
Ein Unempfangner in süßem Schoß,
120 Und nie gewesen, wesenlos!
Du bist in tiefer Mitternacht.

Das tiefe Lied

Aus tiefer Nacht ward ich befreit.
Meine Seele staunt in Unsterblichkeit,
Meine Seele lauscht über Raum und Zeit
5 Der Melodie der Ewigkeit!
Nicht Tag und Lust, nicht Nacht und Leid
Ist Melodie der Ewigkeit,
Und seit ich erlauscht die Ewigkeit,
Fühl nimmermehr ich Lust und Leid!

Ballade

Ein Narre schrieb drei Zeichen in Sand,
Eine bleiche Magd da vor ihm stand.
Laut sang, o sang das Meer.

5 Sie hielt einen Becher in der Hand,
Der schimmerte bis auf zum Rand,
Wie Blut so rot und schwer.

Kein Wort ward gesprochen – die Sonne schwand,
Da nahm der Narre aus ihrer Hand
10 Den Becher und trank ihn leer.

Da löschte sein Licht in ihrer Hand,
Der Wind verwehte drei Zeichen im Sand –
Laut sang, o sang das Meer.

Ballade

Es klagt ein Herz: Du findest sie nicht,
Ihre Heimat ist wohl weit von hier,
Und seltsam ist ihr Angesicht!
5 Es weint die Nacht an einer Tür!

Im Marmorsaal brennt Licht an Licht,
O dumpf, o dumpf! Es stirbt wer hier!
Es flüstert wo: O kommst du nicht?
Es weint die Nacht an einer Tür!

10 Ein Schluchzen noch: O säh' er das Licht!
Da ward es dunkel dort und hier –
Ein Schluchzen: Bruder, o betest du nicht?
Es weint die Nacht an einer Tür.

Ballade

Ein schwüler Garten stand die Nacht.
Wir verschwiegen uns, was uns grauend erfaßt.
Davon sind unsre Herzen erwacht
5 Und erlagen unter des Schweigens Last.

Es blühte kein Stern in jener Nacht
Und niemand war, der für uns bat.
Ein Dämon nur hat im Dunkel gelacht.
Seid alle verflucht! Da ward die Tat.

Melusine

An meinen Fenstern weint die Nacht –
Die Nacht ist stumm, es weint wohl der Wind,
Der Wind, wie ein verlornes Kind –
5 Was ist's, das ihn so weinen macht?
O arme Melusine!

Wie Feuer ihr Haar im Sturme weht,
Wie Feuer an Wolken vorüber und klagt –
Da spricht für dich, du arme Magd,
10 Mein Herz ein stilles Nachtgebet!
O arme Melusine!

Verfall

Es weht ein Wind! Hinlöschend singen
Die grünen Lichter – groß und satt
Erfüllt der Mond den hohen Saal,
5 Den keine Feste mehr durchklingen.

Die Ahnenbilder lächeln leise
Und fern – ihr letzter Schatten fiel,
Der Raum ist von Verwesung schwül,
Den Raben stumm umziehn im Kreise.

10 Verlorner Sinn vergangner Zeiten
Blickt aus den steinernen Masken her,
Die schmerzverzerrt und daseinsleer
Hintrauern in Verlassenheiten.

Versunkner Gärten kranke Düfte
15 Umkosen leise den Verfall –
Wie schluchzender Worte Widerhall
Hinzitternd über off'ne Grüfte.

Gedicht

Ein frommes Lied kam zu mir her:
Du einfach Herz, du heilig Blut,
O nimm von mir so böse Glut!
5 Da ward's erhört und klagt nicht mehr!

Mein Herz ist jeder Sünde schwer
Und zehrt sich auf in böser Glut,
Und ruft nicht an das heilige Blut,
Und ist so stumm und tränenleer.

Nachtlied

Über nächtlich dunkle Fluten
Sing' ich meine traurigen Lieder,
Lieder, die wie Wunden bluten.
5 Doch kein Herz trägt sie mir wieder
Durch das Dunkel her.

Nur die nächtlich dunklen Fluten
Rauschen, schluchzen meine Lieder,
Lieder, die von Wunden bluten,
10 Tragen an mein Herz sie wieder
Durch das Dunkel her.

An einem Fenster

Über den Dächern das Himmelsblau,
Und Wolken, die vorüberziehn,
Vorm Fenster ein Baum im Frühlingstau,

5 Und ein Vogel, der trunken himmelan schnellt,
Von Blüten ein verlorener Duft –
Es fühlt ein Herz: Das ist die Welt!

Die Stille wächst und der Mittag glüht!
Mein Gott, wie ist die Welt so reich!
10 Ich träume und träum' und das Leben flieht,

Das Leben da draußen – irgendwo
Mir fern durch ein Meer von Einsamkeit!
Es fühlt's ein Herz und wird nicht froh!

Farbiger Herbst

›Musik im Mirabell‹ *1. Fassung, Sammlung 1909*

Der Brunnen singt, die Wolken stehn
Im klaren Blau, die weißen, zarten;
Bedächtig, stille Menschen gehn
5 Da drunten im abendblauen Garten.

Der Ahnen Marmor ist ergraut
Ein Vogelflug streift in die Weiten
Ein Faun mit toten Augen schaut
Nach Schatten, die ins Dunkel gleiten.

10 Das Laub fällt rot vom alten Baum
Und kreist herein durchs offne Fenster,
In dunklen Feuern glüht der Raum,
Darin die Schatten, wie Gespenster.

Opaliger Dunst webt über das Gras,
15 Eine Wolke von welken, gebleichten Düften,
Im Brunnen leuchtet wie grünes Glas
Die Mondessichel in frierenden Lüften.

Die drei Teiche in Hellbrunn

1. Fassung, Sammlung 1909

Der erste

Um die Blumen taumelt das Fliegengeschmeiß,
Um die bleichen Blumen auf dumpfer Flut,
5 Geh fort! Geh fort! Es brennt die Luft!
In der Tiefe glüht der Verwesung Glut!
Die Weide weint, das Schweigen starrt,
Auf den Wassern braut ein schwüler Dunst.
Geh fort! Geh fort! Es ist der Ort
10 Für schwarzer Kröten ekle Brunst.

Der zweite

Bilder von Wolken, Blumen und Menschen –
Singe, singe, freudige Welt!
Lächelnde Unschuld spiegelt dich wider –
15 Himmlisch wird alles, was ihr gefällt!
Dunkles wandelt sie freundlich in Helle,
Fernes wird nah! O Freudiger du!
Sonne, Wolken, Blumen und Menschen
Atmen in dir Gottesruh.

20
Der dritte

Die Wasser schimmern grünlich-blau
Und ruhig atmen die Zypressen,
Es tönt der Abend glockentief –
Da wächst die Tiefe unermessen.
25 Der Mond steigt auf, es blaut die Nacht,
Erblüht im Widerschein der Fluten –
Ein rätselvolles Sphinxgesicht,
Daran mein Herz sich will verbluten.

Auf den Tod einer alten Frau

Oft lausche ich voll Grauen an der Tür
Und tret' ich ein, deucht mich, daß jemand floh,
Und ihre Augen sehn vorbei an mir
5 Verträumt, als sähen sie mich anderswo.

So sitzt sie ganz in sich gebeugt und lauscht
Und scheint den Dingen fern, die um sie sind,
Doch bebt sie, wenn Geräusch ans Fenster rauscht,
Und weint dann still, gleichwie ein banges Kind.

10 Und kost mit müder Hand ihr weißes Haar
Und fragt mit fahlem Blick: Muß ich schon gehn?
Und fiebert irr: Das Lichtlein am Altar
Erlosch! Wo gehst du hin? Was ist geschehn?

Zigeuner

Die Sehnsucht glüht in ihrem nächtigen Blick
Nach jener Heimat, die sie niemals finden.
So treibt sie ein unseliges Geschick,
5 Das nur Melancholie mag ganz ergründen.

Die Wolken wandeln ihren Wegen vor,
Ein Vogelzug mag manchmal sie geleiten,
Bis er am Abend ihre Spur verlor,
Und manchmal trägt der Wind ein Aveläuten

10 In ihres Lagers Sterneneinsamkeit,
Daß sehnsuchtsvoller ihre Lieder schwellen
Und schluchzen von ererbtem Fluch und Leid,
Das keiner Hoffnung Sterne sanft erhellen.

Naturtheater

Nun tret' ich durch die schlanke Pforte!
Verworrner Schritt in den Alleen
Verweht und leiser Hauch der Worte
5 Von Menschen, die vorübergehn.

Ich steh' vor einer grünen Bühne!
Fang an, fang wieder an, du Spiel
Verlorner Tage, ohn' Schuld und Sühne,
Gespensterhaft nur, fremd und kühl!

10 Zur Melodie der frühen Tage
Seh' ich da oben mich wiedergehn,
Ein Kind, des leise, vergessene Klage
Ich weinen seh', fremd meinem Verstehn.

Du staunend Antlitz zum Abend gewendet,
15 War ich dies einst, das nun weinen mich macht,
Wie deine Gebärden noch ungeendet,
Die stumm und schaudernd deuten zur Nacht.

Ermatten

Verwesung traumgeschaffner Paradiese
Umweht dies trauervolle, müde Herz,
Das Ekel nur sich trank aus aller Süße,
5 Und das verblutet in gemeinem Schmerz.

Nun schlägt es nach dem Takt verklungner Tänze
Zu der Verzweiflung trüben Melodien,
Indes der alten Hoffnung Sternenkränze
An längst entgöttertem Altar verblühn.

10 Vom Rausch der Wohlgerüche und der Weine
Blieb dir ein überwach Gefühl der Scham –
Das Gestern in verzerrtem Widerscheine –
Und dich zermalmt des Alltags grauer Gram.

Ausklang

Vom Tage ging der letzte, blasse Schein,
Die frühen Leidenschaften sind verrauscht,
Verschüttet meiner Freuden heiliger Wein,
5 Nun weint mein Herz zur Nacht und lauscht

Nach seiner jungen Feste Widerhall,
Der in dem Dunkel sich verliert so sacht,
So schattengleich, wie welker Blätter Fall
Auf ein verlaßnes Grab in Herbstesnacht.

Einklang

Sehr helle Töne in den dünnen Lüften,
Sie singen dieses Tages fernes Trauern,
Der ganz erfüllt von ungeahnten Düften
5 Uns träumen macht nach niegefühlten Schauern.

Wie Andacht nach verlorenen Gefährten
Und leiser Nachhall nachtversunkner Wonnen,
Das Laub fällt in den längst verlaßnen Gärten,
Die sich in Paradiesesschweigen sonnen.

10 Im hellen Spiegel der geklärten Fluten
Sehn wir die tote Zeit sich fremd beleben
Und unsre Leidenschaften im Verbluten,
Zu ferner'n Himmeln unsre Seelen heben.

Wir gehen durch die Tode neugestaltet
15 Zu tiefern Foltern ein und tiefern Wonnen,
Darin die unbekannte Gottheit waltet –
Und uns vollenden ewig neue Sonnen.

Crucifixus

Er ist der Gott, vor dem die Armen knien,
Er ihrer Erdenqualen Schicksalsspiegel,
Ein bleicher Gott, geschändet, angespien,
5 Verendet auf der Mörderschande Hügel.

Sie knien vor seines Fleisches Folternot,
Daß ihre Demut sich mit ihm vermähle,
Und seines letzten Blickes Nacht und Tod
Ihr Herz im Eis der Todessehnsucht stähle –

10 Daß öffne – irdenen Gebrests Symbol –
Die Pforte zu der Armut Paradiesen
Sein todesnächtiges Dornenkapitol,
Das bleiche Engel und Verlorene grüßen.

Confiteor

Die bunten Bilder, die das Leben malt
Seh' ich umdüstert nur von Dämmerungen,
Wie kraus verzerrte Schatten, trüb und kalt,
5 Die kaum geboren schon der Tod bezwungen.

Und da von jedem Ding die Maske fiel,
Seh' ich nur Angst, Verzweiflung, Schmach und Seuchen,
Der Menschheit heldenloses Trauerspiel,
Ein schlechtes Stück, gespielt auf Gräbern, Leichen.

10 Mich ekelt dieses wüste Traumgesicht.
Doch will ein Machtgebot, daß ich verweile,
Ein Komödiant, der seine Rolle spricht,
Gezwungen, voll Verzweiflung – Langeweile!

Schweigen

Über den Wäldern schimmert bleich
Der Mond, der uns träumen macht,
Die Weide am dunklen Teich
5 Weint lautlos in die Nacht.

Ein Herz erlischt – und sacht
Die Nebel fluten und steigen –
Schweigen, Schweigen!

Vor Sonnenaufgang

Im Dunkel rufen viele Vogelstimmen,
Die Bäume rauschen und die Quellen laut,
In Wolken tönt ein rosenfarbnes Glimmen
5 Wie frühe Liebesnot. Die Nacht verblaut –

Die Dämmrung glättet sanft, mit scheuen Händen
Der Liebe Lager, fiebernd aufgewühlt,
Und läßt den Rausch erschlaffter Küsse enden
In Träumen, lächelnd und halb wach gefühlt.

Blutschuld

Es dräut die Nacht am Lager unsrer Küsse.
Es flüstert wo: Wer nimmt von euch die Schuld?
Noch bebend von verruchter Wollust Süße
5 Wir beten: Verzeih uns, Maria, in deiner Huld!

Aus Blumenschalen steigen gierige Düfte,
Umschmeicheln unsere Stirnen bleich von Schuld.
Ermattend unterm Hauch der schwülen Lüfte
Wir träumen: Verzeih uns, Maria, in deiner Huld!

10 Doch lauter rauscht der Brunnen der Sirenen
Und dunkler ragt die Sphinx vor unsrer Schuld,
Daß unsre Herzen sündiger wieder tönen,
Wir schluchzen: Verzeih uns, Maria, in deiner Huld!

Begegnung

Am Weg der Fremde – wir sehn uns an
Und unsre müden Augen fragen:
Was hast du mit deinem Leben getan?
5 Sei still! sei still! Laß alle Klagen!

Es wird schon kühler um uns her,
Die Wolken zerfließen in den Weiten.
Mich deucht, wir fragen nicht lange mehr,
Und niemand wird uns zur Nacht geleiten.

Vollendung

Mein Bruder, laß uns stiller gehn!
Die Straßen dunkeln sachte ein.
Von ferne schimmern wohl Fahnen und wehn,
5 Doch Bruder, laß uns einsam sein –

Und uns zum Himmel schauend ruhn,
Im Herzen sanft und ganz bereit,
Und selbstvergessen einstigem Tun.
Mein Bruder, sieh, die Welt ist weit!

10 Da draußen spielt mit Wolken der Wind,
Die kommen wie wir, von irgendwo.
Laß sein uns, wie die Blumen sind,
So arm, mein Bruder, so schön und froh!

Metamorphose

Ein ewiges Licht glüht düsterrot,
Ein Herz so rot, in Sündennot!
Gegrüßt seist du, o Maria!

5 Dein bleiches Bildnis ist erblüht
Und dein verhüllter Leib erglüht,
O Fraue du, Maria!

In süßen Qualen brennt dein Schoß,
Da lächelt dein Auge schmerzlich und groß,
10 O Mutter du, Maria!

Abendgang

Ich gehe in den Abend hinein,
Der Wind läuft mit und singt:
Verzauberter du von jedem Schein,
5 O fühle, was mit dir ringt!

Einer Toten Stimme, die ich geliebt,
Spricht: Arm ist der Toren Herz!
Vergiß, vergiß, was die Seele dir trübt!
Das Werdende sei dein Schmerz!

Der Heilige

Wenn in der Hölle selbstgeschaffener Leiden
Grausam-unzüchtige Bilder ihn bedrängen
– Kein Herz ward je von lasser Geilheit so
5 Berückt wie seins, und so von Gott gequält
Kein Herz – hebt er die abgezehrten Hände,
Die unerlösten, betend auf zum Himmel.
Doch formt nur qualvoll-ungestillte Lust
Sein brünstig-fieberndes Gebet, des Glut
10 Hinströmt durch mystische Unendlichkeiten.
Und nicht so trunken tönt das Evoe
Des Dionys, als wenn in tödlicher,
Wutgeifernder Ekstase Erfüllung sich
Erzwingt sein Qualschrei: Exaudi me, o Maria!

Einer Vorübergehenden

Ich hab' einst im Vorübergehn
Ein schmerzenreiches Antlitz gesehn,
Das schien mir tief und heimlich verwandt,
5 So gottgesandt –
Und ging vorüber und entschwand.

Ich hab' einst im Vorübergehn
Ein schmerzenreiches Antlitz gesehn,
Das hat mich gebannt,
10 Als hätte ich eine wiedererkannt,
Die träumend ich einst Geliebte genannt
In einem Dasein, das längst entschwand.

Die tote Kirche

Auf dunklen Bänken sitzen sie gedrängt
Und heben die erloschnen Blicke auf
Zum Kreuz. Die Lichter schimmern wie verhängt,
5 Und trüb und wie verhängt das Wundenhaupt.

Der Weihrauch steigt aus güldenem Gefäß
Zur Höhe auf, hinsterbender Gesang
Verhaucht, und ungewiß und süß verdämmert
Wie heimgesucht der Raum. Der Priester schreitet
10 Vor den Altar; doch übt mit müdem Geist er
Die frommen Bräuche – ein jämmerlicher Spieler,
Vor schlechten Betern mit erstarrten Herzen,
In seelenlosem Spiel mit Brot und Wein.
Die Glocke klingt! Die Lichter flackern trüber –
15 Und bleicher, wie verhängt das Wundenhaupt!
Die Orgel rauscht! In toten Herzen schauert
Erinnerung auf! Ein blutend Schmerzensantlitz
Hüllt sich in Dunkelheit und die Verzweiflung
Starrt ihm aus vielen Augen nach ins Leere.
20 Und eine, die wie aller Stimmen klang,
Schluchzt auf – indes das Grauen wuchs im Raum,
Das Todesgrauen wuchs: Erbarme dich unser –
Herr!

GEDICHTE
1909–1912

Melusine

Wovon bin ich nur aufgewacht?
Mein Kind, es fielen Blüten zur Nacht!

Wer flüstert so traurig, als wie im Traum?
5 Mein Kind, der Frühling geht durch den Raum.

O sieh! Sein Gesicht wie tränenbleich!
Mein Kind, er blühte wohl allzu reich.

Wie brennt mein Mund! Warum weine ich?
Mein Kind, ich küsse mein Leben in dich!

10 Wer faßt mich so hart, wer beugt sich zu mir?
Mein Kind, ich falte die Hände dir.

Wo geh' ich nur hin? Ich träumte so schön!
Mein Kind, wir wollen in Himmel gehn.

Wie gut, wie gut! Wer lächelt so leis' ⟨?⟩
15 Da wurden ihre Augen weiß –

Da löschten alle Lichter aus
Und tiefe Nacht durchwehte das Haus.

Die Nacht der Armen

Es dämmert!
Und dumpf o hämmert
Die Nacht an unsre Tür!
5 Es flüstert ein Kind: Wie zittert ihr
So sehr!
Doch tiefer neigen
Wir Armen uns und schweigen
Und schweigen, als wären wir nicht mehr!

Nachtlied

Triff mich Schmerz! Die Wunde glüht.
Dieser Qual hab' ich nicht acht!
Sieh aus meinen Wunden blüht
5 Rätselvoll ein Stern zur Nacht!
Triff mich Tod! Ich bin vollbracht.

De profundis

Die Totenkammer ist voll Nacht
Mein Vater schläft, ich halte Wacht.

Des Toten hartes Angesicht
5 Flimmert weiß im Kerzenlicht.

Die Blumen duften, die Fliege summt
Mein Herz lauscht fühllos und verstummt.

Der Wind pocht leise an die Tür.
Die öffnet sich mit hellem Geklirr.

10 Und draußen rauscht ein Ährenfeld,
Die Sonne knistert am Himmelszelt.

Von Früchten voll hängt Busch und Baum
Und Vögel und Falter schwirren im Raum.

Im Acker mähen die Bauersleut'
15 Im tiefen Schweigen der Mittagszeit.

Ich schlag' ein Kreuz auf den Toten hin
Und lautlos verliert sich mein Schritt im Grün.

Am Friedhof

Morsch Gestein ragt schwül erwärmt.
Gelbe Weihrauchdünste schweben.
Bienen summen wirr verschwärmt
5 Und die Blumengitter beben.

Langsam regt sich dort ein Zug
An den sonnenstillen Mauern,
Schwindet flimmernd, wie ein Trug –
Totenlieder tief verschauern.

10 Lange lauscht es nach im Grün,
Läßt die Büsche heller scheinen;
Braune Mückenschwärme sprühn
Über alten Totensteinen.

Sonniger Nachmittag

Ein Ast wiegt mich im tiefen Blau.
Im tollen, herbstlichen Blattgewirr
Flimmern Falter, berauscht und irr.
5 Axtschläge hallen in der Au.

In roten Beeren verbeißt sich mein Mund
Und Licht und Schatten schwanken im Laub.
Stundenlang fällt goldener Staub
Knisternd in den braunen Grund.

10 Die Drossel lacht aus den Büschen her
Und toll und laut schlägt über mir
Zusammen das herbstliche Blattgewirr –
Früchte lösen sich leuchtend und schwer.

Zeitalter

Ein Tiergesicht im braunen Grün
Glüht scheu mich an, die Büsche glimmen.
Sehr ferne singt mit Kinderstimmen
5 Ein alter Brunnen. Ich lausche hin.

Die wilden Dohlen spotten mein
Und rings die Birken sich verschleiern.
Ich stehe still vor Unkrautfeuern
Und leise malen sich Bilder darein,

10 Auf Goldgrund uralte Liebesmär.
Ihr Schweigen breiten die Wolken am Hügel.
Aus geisterhaftem Weiherspiegel
Winken Früchte, leuchtend und schwer.

Der Schatten

Da ich heut morgen im Garten saß –
Die Bäume standen in blauer Blüh,
Voll Drosselruf und Tirili –
5 Sah ich meinen Schatten im Gras,

Gewaltig verzerrt, ein wunderlich Tier,
Das lag wie ein böser Traum vor mir.

Und ich ging und zitterte sehr,
Indes ein Brunnen ins Blaue sang
10 Und purpurn eine Knospe sprang
Und das Tier ging nebenher.

Wunderlicher Frühling

Wohl um die tiefe Mittagszeit,
Lag ich auf einem alten Stein,
Vor mir in wunderlichem Kleid
5 Standen drei Engel im Sonnenschein.

O ahnungsvolles Frühlingsjahr!
Im Acker schmolz der letzte Schnee,
Und zitternd hing der Birke Haar
In den kalten, klaren See.

10 Vom Himmel wehte ein blaues Band,
Und schön floß eine Wolke herein,
Der lag ich träumend zugewandt –
Die Engel knieten im Sonnenschein.

Laut sang ein Vogel Wundermär,
15 Und konnt mit einmal ihn verstehn:
Eh' noch gestillt dein erst' Begehr,
Mußt sterben gehn, mußt sterben gehn!

Der Traum eines Nachmittags

Still! der Alte kommt gegangen;
Und sein Schritt verdämmert wieder.
Schatten schweben auf und nieder –
5 Birken, die ins Fenster hangen.

Und am alten Rebenhügel
Tollt aufs neu der faunische Reigen,
Und die schlanken Nymphen steigen
Leise aus dem Brunnenspiegel.

10 Hör! da droht ein fern Gewittern.
Weihrauch dampft aus dunklen Kressen,
Falter feiern stille Messen
Vor verfall'nen Blumengittern.

Sommersonate

Täubend duften faule Früchte.
Büsch' und Bäume sonnig klingen,
Schwärme schwarzer Fliegen singen
5 Auf der braunen Waldeslichte.

In des Tümpels tiefer Bläue
Flammt der Schein von Unkrautbränden.
Hör' aus gelben Blumenwänden
Schwirren jähe Liebesschreie.

10 Lang sich Schmetterlinge jagen;
Trunken tanzt auf schwülen Matten
Auf dem Thymian mein Schatten.
Hell verzückte Amseln schlagen.

Wolken starre Brüste zeigen,
15 Und bekränzt von Laub und Beeren
Siehst du unter dunklen Föhren
Grinsend ein Gerippe geigen.

Leuchtende Stunde

Fern am Hügel Flötenklang.
Faune lauern an den Sümpfen,
Wo versteckt in Rohr und Tang
5 Träge ruhn die schlanken Nymphen.

In des Weihers Spiegelglas
Goldne Falter sich verzücken,
Leise regt im samtnen Gras
Sich ein Tier mit zweien Rücken.

10 Schluchzend haucht im Birkenhain
Orpheus zartes Liebeslallen,
Sanft und scherzend stimmen ein
In sein Lied die Nachtigallen.

Phöbus eine Flamme glüht
15 Noch an Aphroditens Munde,
Und von Ambraduft durchsprüht –
Rötet dunkel sich die Stunde.

Kindheitserinnerung

Die Sonne scheint einsam am Nachmittag,
Und leise entschwebt der Ton der Immen.
Im Garten flüstern der Schwestern Stimmen –
5 Da lauscht der Knabe im Holzverschlag,

Noch fiebernd über Buch und Bild.
Müd welken die Linden im Blau versunken.
Ein Reiher hängt reglos im Äther ertrunken,
Am Zaun phantastisches Schattenwerk spielt.

10 Die Schwestern gehen still ins Haus,
Und ihre weißen Kleider schimmern
Bald ungewiß aus hellen Zimmern,
Und wirr erstirbt der Büsche Gebraus.

Der Knabe streichelt der Katze Haar,
15 Verzaubert von ihrer Augen Spiegel.
Ein Orgelklang hebt fern am Hügel
Sich auf zum Himmel wunderbar.

Ein Abend

Am Abend war der Himmel verhangen.
Und durch den Hain voll Schweigen und Trauer
Fuhr ein dunkelgoldener Schauer.
5 Ferne Abendgeläute verklangen.

Die Erde hat eisiges Wasser getrunken,
Am Waldrand lag ein Brand im Verglimmen,
Der Wind sang leise mit Engelstimmen
Und schaudernd bin ich ins Knie gesunken,

10 In's Haidekraut, in bittere Kressen.
Weit draußen schwammen in silbernen Lachen
Wolken, verlassene Liebeswachen.
Die Haide war einsam und unermessen.

Jahreszeit

Rubingeäder kroch ins Laub.
Dann war der Weiher still und weit.
Am Waldsaum lagen bunt verstreut
5 Bläulich Gefleck und brauner Staub.

Ein Fischer zog sein Netze ein.
Dann kam die Dämmrung übers Feld.
Doch schien ein Hof noch fahl erhellt
Und Mägde brachten Obst und Wein.

10 Ein Hirtenlied starb ferne nach.
Dann standen Hütten kahl und fremd.
Der Wald im grauen Totenhemd
Rief traurige Erinnerung wach.

Und über Nacht ward leis' die Zeit
15 Und wie in schwarzen Löchern flog
Im Wald ein Rabenheer und zog
Nach der Stadt sehr fernem Geläut.

Im Weinland

Die Sonne malt herbstlich Hof und Mauern,
Das Obst, zu Haufen rings geschichtet,
Davor armselige Kinder kauern.
5 Ein Windstoß alte Linden lichtet.

Durchs Tor ein goldener Schauer regnet
Und müde ruhn auf morschen Bänken
Die Frauen, deren Leib gesegnet.
Betrunkne Glas und Krüge schwenken.

10 Ein Strolch läßt seine Fidel klingen
Und geil im Tanz sich Kittel blähen.
Hart braune Leiber sich umschlingen.
Aus Fenstern leere Augen sehen.

Gestank steigt aus dem Brunnenspiegel.
15 Und schwarz, verfallen, abgeschieden
Verdämmern rings die Rebenhügel.
Ein Vogelzug streicht rasch gen Süden.

Das dunkle Tal

In Föhren zerflattert ein Krähenzug
Und grüne Abendnebel steigen
Und wie im Traum ein Klang von Geigen
5 Und Mägde laufen zum Tanz in Krug.

Man hört Betrunkener Lachen und Schrei,
Ein Schauer geht durch alte Eiben.
An leichenfahlen Fensterscheiben
Huschen die Schatten der Tänzer vorbei.

10 Es riecht nach Wein und Thymian
Und durch den Wald hallt einsam Rufen.
Das Bettelvolk lauscht auf den Stufen
Und hebt sinnlos zu beten an.

Ein Wild verblutet im Haselgesträuch.
15 Dumpf schwanken riesige Baumarkaden,
Von eisigen Wolken überladen.
Liebende ruhn umschlungen am Teich.

Sommerdämmerung

Im grünen Äther flimmert jäh ein Stern
Und im Spitale wittern sie den Morgen.
Die Drossel trällert irr im Busch verborgen
5 Und Klosterglocken gehn traumhaft und fern.

Ein Standbild ragt am Platz, einsam und schlank
Und in den Höfen dämmern rote Blumenpfühle⟨.⟩
Die Luft um Holzbalkone bebt von Schwüle
Und Fliegen taumeln leise um Gestank.

10 Der Silbervorhang dort vor'm Fenster hehlt
Verschlungene Glieder, Lippen, zarte Brüste.
Ein hart' Gehämmer hallt vom Turmgerüste
Und weiß verfällt der Mond am Himmelszelt.

Ein geisterhafter Traumakkord verschwebt
15 Und Mönche tauchen aus den Kirchentoren
Und schreiten im Unendlichen verloren.
Ein heller Gipfel sich am Himmel hebt.

Im Mondschein

Ein Heer von Ungeziefer, Mäusen, Ratten
Tollt auf der Diele, die im Mondschein schimmert.
Der Wind schreit wie im Traume auf und wimmert.
5 Am Fenster zittern kleiner Blätter Schatten.

Bisweilen zwitschern Vögel in den Zweigen
Und Spinnen kriechen an den kahlen Mauern.
Durch leere Gänge bleiche Flecken schauern.
Es wohnt im Haus ein wunderliches Schweigen.

10 Im Hofe scheinen Lichter hinzugleiten
Auf faulem Holz, verfallenem Gerümpel.
Dann gleißt ein Stern in einem schwarzen Tümpel.
Figuren stehn noch da aus alten Zeiten.

Man sieht Konturen noch von anderen Dingen
15 Und eine Schrift, verblaßt auf morschen Schildern,
Vielleicht die Farben auch von heiteren Bildern:
Engel, die vor Mariens Throne singen.

Märchen

Raketen sprühn im gelben Sonnenschein;
Im alten Park welch maskenhaft Gewimmel.
Landschaften spiegeln sich am grauen Himmel
5 Und manchmal hört den Faun man gräßlich schrein.

Sein goldnes Grinsen zeigt sich grell im Hain.
In Kressen tobt der Hummeln Schlachtgetümmel,
Ein Reiter trabt vorbei auf fahlem Schimmel.
Die Pappeln glühn in ungewissen Reihn.

10 Die Kleine, die im Weiher heut ertrank,
Ruht eine Heilige im kahlen Zimmer
Und öfter blendet sie ein Wolkenschimmer.

Die Alten gehn im Treibhaus stumpf und krank
Und gießen ihre Blumen, die verdorren.
15 Am Tore flüstern Stimmen traumverworren.

Ein Frühlingsabend

Komm' Abend, Freund, der mir die Stirn' umdüstert,
Auf Pfaden gleitend durch sanftgrüne Saat.
Auch winken Weiden feierlich und stad;
5 Geliebte Stimme in den Zweigen flüstert.

Der heitere Wind spült Holdes her von wannen,
Narzissenduft, der silbern dich berührt.
Im Haselstrauch die Amsel musiziert –
Ein Hirtenlied gibt Antwort aus den Tannen.

10 Wie lange ist das kleine Haus entschwunden,
Wo nun ein Birkenwäldchen niederquillt;
Der Weiher trägt ein einsam Sternenbild –
Und Schatten, die sich still ins Goldne runden!

Und also wundertätig ist die Zeit,
15 Daß man die Engel sucht in Menschenblicken,
Die sich in unschuldsvollem Spiel entzücken.
Ja! Also wundertätig ist die Zeit.

Klagelied

Die Freundin, die mit grünen Blumen gaukelnd
Spielt in mondenen Gärten –
O! was glüht hinter Taxushecken!
5 Goldener Mund, der meine Lippen rührt,
Und sie erklingen wie die Sterne
Über dem Bache Kidron.
Aber die Sternennebel sinken über der Ebene,
Tänze wild und unsagbar.
10 O! meine Freundin deine Lippen
Granatapfellippen
Reifen an meinem kristallenen Muschelmund.
Schwer ruht auf uns
Das goldene Schweigen der Ebene.
15 Zum Himmel dampft das Blut
Der von Herodes
Gemordeten Kinder.

Frühling der Seele

Blumen blau und weiß verstreut
Streben heiter auf im Grund.
Silbern webt die Abendstund',
5 Laue Öde, Einsamkeit.

Leben blüht nun voll Gefahr,
Süße Ruh um Kreuz und Grab.
Eine Glocke läutet ab.
Alles scheinet wunderbar.

10 Weide sanft im Äther schwebt,
Hier und dort ein flackernd Licht.
Frühling flüstert und verspricht
Und der feuchte Efeu bebt.

Saftig grünen Brot und Wein,
15 Orgel tönt voll Wunderkraft;
Und um Kreuz und Leidenschaft
Glänzt ein geisterhafter Schein.

O! Wie schön sind diese Tag'.
Kinder durch die Dämmerung gehn;
20 Blauer schon die Winde wehn.
Ferne spottet Drosselschlag.

Westliche Dämmerung

Ein Faungeschrei durch Funken tollt,
In Parken schäumen Lichtkaskaden,
Metallischer Brodem um Stahlarkaden
5 Der Stadt, die um die Sonne rollt.

Ein Gott jagt schimmernd im Tigergespann
Vorbei an Frauen und hellen Bazaren,
Erfüllt von fließenden Golden und Waren.
Und Sklavenvolk heult dann und wann.

10 Ein trunknes Schiff dreht am Kanal
Sich träg in grünen Sonnengarben.
Ein heiteres Konzert von Farben
Hebt leise an vorm Hospital.

Ein Quirinal zeigt finstere Pracht.
15 In Spiegeln bunte Mengen kreisen
Auf Brückenbögen und Geleisen.
Vor Banken bleich ein Dämon wacht.

Ein Träumender sieht schwangere Fraun
In schleimigem Glanz vorübergleiten,
20 Ein Sterbender hört Glocken läuten –
Ein goldner Hort glüht leis' im Graun.

Die Kirche

Gemalte Engel hüten die Altäre;
Und Ruh und Schatten; Strahl aus blauen Augen.
In Weihrauchdünsten schwimmen schmutzige Laugen.
5 Gestalten schwanken jammervoll ins Leere.

Im schwarzen Betstuhl gleichet der Madonne
Ein kleines Hürlein mit verblichnen Wangen.
An goldnen Strahlen Wachsfiguren hangen;
Weißbärtigen Gott umkreisen Mond und Sonne.

10 Ein Schein von weichen Säulen und Gerippen.
Am Chor der Knaben süße Stimmen starben.
Sehr leise regen sich versunkene Farben,
Ein strömend Rot von Magdalenens Lippen.

Ein schwangeres Weib geht irr in schweren Träumen
15 Durch diese Dämmerung voll Masken, Fahnen.
Ihr Schatten kreuzt der Heiligen stille Bahnen,
Der Engel Ruh in kalkgetünchten Räumen.

An Angela

1. Fassung

1

Ein einsam Schicksal in verlaßnen Zimmern
Ein sanfter Wahnsinn tastet an Tapeten.
5 An Fenstern fließen Pelagonienbeeten,
Narzissen auch und keuscher im Verkümmern
Als Alabaster, die im Garten schimmern.

In blauen Schleiern lächeln Indiens Morgen.

Ihr süßer Weihrauch scheucht des Fremdlings Sorgen,
10 Schlaflose Nacht am Weiher um Angelen.
In leerer Maske ruht sein Schmerz verborgen,
Gedanken, die sich schwarz ins Dunkel stehlen.

Die Drosseln lachen rings aus sanften Kehlen.

2

15 Die Früchte, die sich rot in Zweigen runden, –
Angelens Lippen, die ihr Süßes zeigen,
Wie Nymphen, die sich über Quellen neigen
In ruhevollem Anblick lange Stunden,
Des Nachmittags grüngoldne, lange Stunden.

20 Doch manchmal kehrt der Geist zu Kampf und Spiele<.>

In goldnen Wolken wogt ein Schlachtgewühle
Und Hyazinthnes treibt aus wirren Kressen.
Ein Dämon sinnt Gewitter in der Schwüle,
Im Grabesschatten trauriger Zypressen.

25 Da fällt der erste Blitz aus schwarzen Essen.

3

Der Juniweiden abendlich Geflüster;
Lang klingt ein Regen nach in Flötenklängen.
Wie regungslos im Grau die Vögel hängen!
30 Und hier Angelens Ruh im Zweiggedüster;
Es ist der Dichter dieser Schönheit Priester.

Von dunkler Kühle ist sein Mund umflossen.

Im Tal ruhn weiche Nebel hingegossen.
Am Saum des Waldes und der Schwermut Schatten
35 Schwebt Goldenes von seinem Mund geflossen
Am Saum des Waldes und der Schwermut Schatten.

Die Nacht umfängt sein trunkenes Ermatten.

An Angela

2. Fassung

1

Ein einsam Schicksal in verlaßnen Zimmern.
Ein sanfter Wahnsinn tastet an Tapeten,
5 An Fenstern, rötlichen Geranienbeeten,
Narzissen auch und keuscher im Verkümmern
Als Alabaster, die im Garten schimmern.

In blauen Schleiern lächeln Indiens Morgen.

Ihr süßer Weihrauch scheucht des Fremdlings Sorgen,
10 Schlaflose Nacht am Weiher um Angelen.
In leerer Maske ruht sein Schmerz verborgen,
Gedanken, die sich schwarz ins Dunkel stehlen.

Die Drosseln lachen rings aus sanften Kehlen.

2

15 Den spitzes Gras umsäumt, am Kreuzweg hocken
Die Mäher müde und von Mohne trunken,
Der Himmel ist sehr schwer auf sie gesunken,
Die Milch und Öde langer Mittagsglocken.
Und manchmal flattern Krähen auf im Roggen.

20 Von Frucht und Greueln wächst die heiße Erde

In goldnem Glanz, o kindliche Geberde
Der Wollust und ihr hyazinthnes Schweigen,
So Brot und Wein, genährt am Fleisch der Erde,
Sebastian im Traum ihr Geistiges zeigen.

25 Angelens Geist ist weichen Wolken eigen.

3

Die Früchte, die sich rot in Zweigen runden,
Des Engels Lippen, die ihr Süßes zeigen,
Wie Nymphen, die sich über Quellen neigen
30 In ruhevollem Anblick lange Stunden,
Des Nachmittags grüngoldne, lange Stunden.

Doch manchmal kehrt der Geist zu Kampf und Spiele.

In goldnen Wolken wogt ein Schlachtgewühle
Von Fliegen über Fäulnis und Abszessen.
35 Ein Dämon sinnt Gewitter in der Schwüle,
Im Grabesschatten trauriger Zypressen.

Da fällt der erste Blitz aus schwarzen Essen.

4

Des Weidenwäldchens silbernes Geflüster;
40 Lang klingt ein Regen nach in Flötenklängen.
Im Abend regungslose Vögel hängen!
Ein blaues Wasser schläft im Zweiggedüster.
Es ist der Dichter dieser Schönheit Priester.

Schmerzvolles Sinnen in der dunklen Kühle.

45 Von Mohn und Weihrauch duften milde Pfühle
Am Saum des Waldes und der Schwermut Schatten
Angelens Freude und der Sterne Spiele
Die Nacht umfängt der Liebenden Ermatten.

Der Saum des Waldes und der Schwermut Schatten.

<.................................
.................................>
In Milch und Öde; – dunkle Plage
Saturn lenkt finster deine Stund.

Im Schatten schwarzer Thujen irrt
Eva entstellt von Blut und Wunden,
5 Der süße Leib zerfetzt von Hunden –
O Mund, der herzzerreißend girrt.

Der Arme starr erhobnes Flehn
Ragt wild ins weiße Zelt der Sterne.
Im Ahorn dampft die Mondlaterne,
10 Am Weiher glühn die Azaleen.

O still! Die blinde Drossel singt
Im Käfig ihre trunkne Weise
Dem goldnen Helios zum Preise –
Ein Kerzenflämmchen zuckt und klingt.

15 O Lied voll Schmerz und Ewigkeit!
Gestirn und Schatten grau erbleichen
Und sind bald nur verlorne Zeichen.
Ein Hahn kräht um die Dämmerzeit.

Träumerei am Abend

Wo einer abends geht, ist nicht des Engels Schatten
Und Schönes! es wechseln Gram und sanfteres Vergessen;
Des Fremdlings Hände tasten Kühles und Zypressen
5 Und seine Seele faßt ein staunendes Ermatten.

Der Markt ist leer von roten Früchten und Gewinden.
Einträchtig stimmt der Kirche schwärzliches Gepränge,
In einem Garten tönen sanften Spieles Klänge,
Wo Müde nach dem Mahle sich zusammenfinden.

10 Ein Wagen rauscht, ein Quell sehr fern durch grüne Pfühle.
Da zeigt sich eine Kindheit traumhaft und verflossen,
Angelens Sterne, fromm zum mystischen Bild geschlossen,
Und ruhig rundet sich die abendliche Kühle.

Dem einsam Sinnenden löst weißer Mohn die Glieder,
15 Daß er Gerechtes schaut und Gottes tiefe Freude.
Vom Garten irrt sein Schatten her in weißer Seide
Und neigt sich über trauervolle Wasser nieder.

Gezweige stießen flüsternd ins verlaßne Zimmer
Und Liebendes und kleiner Abendblumen Beben.
20 Der Menschen Stätte gürten Korn und goldne Reben,
Den Toten aber sinnet nach ein mondner Schimmer.

Wintergang in a-Moll

Oft tauchen rote Kugeln aus Geästen,
Die langer Schneefall sanft und schwarz verschneit.
Der Priester gibt dem Toten das Geleit.
5 Die Nächte sind erfüllt von Maskenfesten.

Dann streichen übers Dorf zerzauste Krähen;
In Büchern stehen Märchen wunderbar.
Ans Fenster flattert eines Greisen Haar.
Dämonen durch die kranke Seele gehen.

10 Der Brunnen friert im Hof. Im Dunkel stürzen
Verfallne Stiegen und es weht ein Wind
Durch alte Schächte, die verschüttet sind.
Der Gaumen schmeckt des Frostes starke Würzen.

Immer dunkler

Der Wind, der purpurne Wipfel bewegt,
Ist Gottes Odem, der kommt und geht.
Das schwarze Dorf vorm Wald aufsteht;
Drei Schatten sind über den Acker gelegt.

Kärglich dämmert unten und still
Den Bescheidenen das Tal.
Grüßt ein Ernstes in Garten und Saal,
Das den Tag beenden will,

Fromm und dunkel ein Orgelklang.
Marie thront dort im blauen Gewand
Und wiegt ihr Kindlein in der Hand.
Die Nacht ist sternenklar und lang.

Unterwegs

1. Fassung

Ein Duft von Myrrhen, der im Zwielicht irrt.
Im Qualm versinken Plätze rot und wüst.
Bazare kreisen und ein Goldstrahl fließt
In alte Läden seltsam und verwirrt.

Im Spülicht glüht Verfallnes; und der Wind
Ruft dumpf die Qual verbrannter Gärten wach.
Beseßne jagen goldnen Träumen nach.
An Fenstern ruhn Dryaden schlank und lind.

Traumsüchtige wandeln, die ein Wunsch verzehrt.
Arbeiter strömen schimmernd durch ein Tor.
Stahltürme glühn am Himmelsrand empor.
O Märchen in Fabriken grau versperrt!

Im Finstern trippelt puppenhaft ein Greis
Und lüstern lacht ein Klimperklang von Geld.
Ein Heiligenschein auf jene Kleine fällt,
Die vorm Kaffeehaus wartet, sanft und weiß.

O goldner Glanz, den sie in Scheiben weckt!
Durchsonnter Lärm dröhnt ferne und verzückt.

20 Ein krummer Schreiber lächelt wie verrückt
Zum Horizont, den grün ein Aufruhr schreckt.

Auf Brücken von Kristall Karrossen ziehn,
Obstkarren, Leichenwägen schwarz und fahl,
Von hellen Dampfern wimmelt der Kanal,
25 Konzerte klingen. Grüne Kuppeln sprühn.

Volksbäder flimmern in Magie von Licht,
Verwunschne Straßen, die man niederreißt.
Ein Herd von Seuchen wirr im Äther kreist,
Ein Schein von Wäldern durch Rubinstaub bricht.

30 Verzaubert glänzt im Grau ein Opernhaus.
Aus Gassen fluten Masken ungeahnt,
Und irgendwo loht wütend noch ein Brand.
Ein kleiner Falter tanzt im Windgebraus.

Quartiere dräun voll Elend und Gestank.
35 Violenfarben und Akkorde ziehn
Vor Hungrigen an Kellerlöchern hin.
Ein süßes Kind sitzt tot auf einer Bank.

Unterwegs

2. Fassung

Ein Duft von Myrrhen, der durchs Zwielicht irrt,
Ein Fastnachtsspiel, auf Plätzen schwarz und wüst.
Gewölk durchbricht ein goldner Strahl und fließt
5 In kleine Läden traumhaft und verwirrt.

Im Spülicht glüht Verfallnes und der Wind
Ruft dumpf die Qual verbrannter Gärten wach.
Beseßne jagen dunklen Dingen nach;
An Fenstern ruhn Dryaden schlank und lind.

10 Ein Knabenlächeln, das ein Wunsch verzehrt.
Verschlossen starrt ein altes Kirchentor.
Sonaten lauscht ein wohlgeneigtes Ohr;
Ein Reiter trabt vorbei auf weißem Pferd.

Im Finstern trippelt puppenhaft ein Greis
15 Und lüstern lacht ein Klimperklang von Geld.
Ein Heiligenschein auf jene Kleine fällt,
Die vorm Kaffeehaus wartet, sanft und weiß.

O goldner Glanz, den sie in Scheiben weckt!
Der Sonne Lärm dröhnt ferne und verzückt.
20 Ein krummer Schreiber lächelt wie verrückt
Zum Horizont, den grün ein Aufruhr schreckt.

Karrossen abends durch Gewitter ziehn.
Durchs Dunkel stürzt ein Leichnam, leer und fahl.
Ein heller Dampfer landet am Kanal,
25 Ein Mohrenmädchen ruft im wilden Grün.

Schlafwandler treten vor ein Kerzenlicht,
In eine Spinne fährt des Bösen Geist.
Ein Herd von Seuchen Trinkende umkreist;
Ein Eichenwald in kahle Stuben bricht.

30 Im Plan erscheint ein altes Opernhaus,
Aus Gassen fluten Masken ungeahnt
Und irgendwo loht wütend noch ein Brand.
Die Fledermäuse schrein im Windgebraus.

Quartiere dräun voll Elend und Gestank.
35 Violenfarben und Akkorde ziehn
Vor Hungrigen an Kellerlöchern hin.
Ein süßes Kind sitzt tot auf einer Bank.

Dezember

›Dezembersonett‹ *1. Fassung*

Am Abend ziehen Gaukler durch den Wald
Auf wunderlichen Wägen, kleinen Rossen.
In Wolken scheint ein goldner Hort verschlossen.
5 Im weißen Plan sind Dörfer eingemalt.

Der Wind schwingt Schild und Knüppel schwarz und kalt.
Ein Rabe folgt den mürrischen Genossen.
Vom Himmel fällt ein Strahl auf blutige Gossen
Und sacht ein Leichenzug zum Friedhof wallt.

10 Des Schäfers Hütte schwindet nah im Grau,
Im Weiher gleißt ein Glanz von alten Schätzen;
Die Bauern sich im Krug zum Weine setzen.

Ein Knabe gleitet scheu zu einer Frau.
Man sieht noch in der Sakristei den Küster
15 Und rötliches Geräte, schön und düster.

Dezembersonett

2. Fassung

Am Abend ziehen Gaukler durch den Wald,
Auf wunderlichen Wägen, kleinen Rossen.
In Wolken scheint ein goldner Hort verschlossen,
5 Im dunklen Plan sind Dörfer eingemalt.

Der rote Wind bläht Linnen schwarz und kalt.
Ein Hund verfault, ein Strauch raucht blutbegossen.
Von gelben Schrecken ist das Rohr durchflossen
Und sacht ein Leichenzug zum Friedhof wallt.

10 Des Greisen Hütte schwindet nah im Grau.
Im Weiher gleißt ein Schein von alten Schätzen.
Die Bauern sich im Krug zum Weine setzen.

Ein Knabe gleitet scheu zu einer Frau.
Ein Mönch verblaßt im Dunkel sanft und düster.
15 Ein kahler Baum ist eines Schläfers Küster.

GEDICHTE
1912–1914

Ein Teppich, darein die leidende Landschaft verblaßt
Vielleicht Genezareth, im Sturm ein Nachen
Aus Wetterwolken stürzen goldene Sachen
Der Wahnsinn, der den sanften Menschen faßt.
5 Die alten Wasser gurgeln ein blaues Lachen.

Und manchmal öffnet sich ein dunkler Schacht.
Besessene spiegeln sich in kalten Metallen
Tropfen Blutes auf glühende Platten fallen
Und ein Antlitz zerfällt in schwarzer Nacht.
10 Fahnen, die in finstern Gewölben lallen.

Andres erinnert an der Vögel Flug
Über dem Galgen der Krähen mystische Zeichen
In spitzen Gräsern versinken kupferne Schleichen
In Weihrauchkissen ein Lächeln verhurt und klug.

15 Charfreitagskinder blind an Zäunen stehen
Im Spiegel dunkler Gossen voll Verwesung
Der Sterbenden hinseufzende Genesung
Und Engel die durch weiße <?> Augen gehen
Von Lidern düstert goldene Erlösung.

Rosiger Spiegel: ein häßliches Bild,
Das im schwarzen Rücken erscheint,
Blut aus brochenen Augen weint
Lästernd mit toten Schlangen spielt.

5 Schnee rinnt durch das starrende Hemd
Purpurn über das schwarze Gesicht,
Das in schwere Stücken zerbricht
Von Planeten, verstorben und fremd.

Spinne im schwarzen Rücken erscheint
10 Wollust, dein Antlitz verstorben und fremd.
Blut rinnt durch das starrende Hemd
Schnee aus brochenen Augen weint.

Dunkel ist das Lied des Frühlingsregens in der Nacht,
Unter den Wolken die Schauer rosiger Birnenblüten
Gaukelei des Herzens, Gesang und Wahnsinn der Nacht.
Feurige Engel, die aus verstorbenen Augen treten.

Gestalt die lange in Kühle finstern Steins gewohnt
Öffnet tönend den bleichen Mund
Runde Eulenaugen – Tönendes Gold.

Verfallen und leer fanden jene die Höhle des Walds
5 Den Schatten einer Hirschkuh im morschen Geäst
Am Saum der Quelle die Finsternis seiner Kindheit.

Lange singt ein Vogel am Waldsaum deinen Untergang
Die bangen Schauer deines braunen Mantels;
Erscheint der Schatten der Eule im morschen Geäst.

10 Lange singt ein Vogel am Waldsaum deinen Untergang
Die bangen Schauer deines blauen Mantels
Erscheint der Schatten der Mutter im spitzen Gras.

Lange singt ein Vogel am Waldsaum deinen Untergang
Die bangen Schauer deines schwarzen Mantels
15 Erscheint der Schatten des Rappens im Spiegel des Quells.

⟨Delirien⟩ 2. *Fassung*

⟨1⟩

⟨..............................
....
5 ....
..............................⟩

2

Dunkle Deutung des Wassers: Stirne im Mund der Nacht,
Seufzend in schwarzen Kissen des Menschen rosiger Schatten,
10 Röte des Herbstes, das Rauschen des Ahorns im alten Park,
Kammerkonzerte, die auf verfallenen Treppen verklingen.

3

Der schwarze Kot, der von den Dächern rinnt.
Ein roter Finger taucht in deine Stirne
15 In die Mansarde sinken blaue Firne,
Die Liebender erstorbene Spiegel sind.

Delirium

Der schwarze Schnee, der von den Dächern rinnt;
Ein roter Finger taucht in deine Stirne
Ins kahle Zimmer sinken blaue Firne,
5 Die Liebender erstorbene Spiegel sind.
In schwere Stücke bricht das Haupt und sinnt
Den Schatten nach im Spiegel blauer Firne,
Dem kalten Lächeln einer toten Dirne.
In Nelkendüften weint der Abendwind.

Am Rand eines alten Wassers

›Am Rand eines alten Brunnens‹ *1. Fassung*

Dunkle Deutung des Wassers: Stirne im Mund der Nacht⟨,⟩
Seufzend in schwarzen Kissen des Menschen rosiger
Schatten,
Röte des Herbstes, das Rauschen des Ahorns im alten Park,
5 Kammerkonzerte, die auf verfallenen Treppen verklingen.

Am Rand eines alten Brunnens

2. Fassung

Dunkle Deutung des Wassers: Zerbrochene Stirne
im Munde der Nacht,
Seufzend in schwarzem Kissen des Knaben bläulicher
Schatten,
Das Rauschen des Ahorns, Schritte im alten Park,
5 Kammerkonzerte, die auf einer Wendeltreppe verklingen,
Vielleicht ein Mond, der leise die Stufen hinaufsteigt.

Die sanften Stimmen der Nonnen in der verfallenen Kirche,
Ein blaues Tabernakel, das sich langsam auftut,
Sterne, die auf deine knöchernen Hände fallen,
10 Vielleicht ein Gang durch verlassene Zimmer,
Der blaue Ton der Flöte im Haselgebüsch – sehr leise.

An Mauern hin

Es geht ein alter Weg entlang
An wilden Gärten und einsamen Mauern.
Tausendjährige Eiben schauern
5 Im steigenden fallenden Windgesang.

Die Falter tanzen, als stürben sie bald,
Mein Blick trinkt weinend die Schatten und Lichter.
Ferne schweben Frauengesichter
Geisterhaft ins Blau gemalt.

10 Ein Lächeln zittert im Sonnenschein,
Indes ich langsam weiterschreite;
Unendliche Liebe gibt das Geleite.
Leise ergrünt das harte Gestein.

I

Ein Blasses, ruhend im Schatten verfallener Stiegen –
Jenes erhebt sich nachts in silberner 〈?〉 Gestalt
Und wandelt unterm Kreuzgang hin.

5 In Kühle eines Baums und ohne Schmerz
Atmet das Vollkommene
Und bedarf der herbstlichen Sterne nicht –

Dornen, darüber jener fällt 〈?〉.
Seinem traurigen Fall
10 Sinnen lange Liebende nach.

Die Stille der Verstorbenen liebt den alten Garten,
Die Irre die in blauen Zimmern gewohnt,
Am Abend erscheint die stille Gestalt am Fenster

Sie aber ließ den vergilbten Vorhang herab –
5 Das Rinnen der Glasperlen erinnerte an unsere Kindheit,
Nachts fanden wir einen schwarzen Mond im Wald

In eines Spiegels Bläue tönt die sanfte Sonate
Lange Umarmungen
Gleitet ihr Lächeln über des Sterbenden Mund.

Mit rosigen Stufen sinkt ins Moor der Stein
Gesang von Gleitendem und schwarzes Lachen
Gestalten gehn in Zimmern aus und ein
Und knöchern grinst der Tod in schwarzem Nachen.

5 Pirat auf dem Kanal im roten Wein
Dess' Mast und Segel oft im Sturm zerbrachen.
Ertränkte stoßen purpurn ans Gestein
Der Brücken. Stählern klirrt der Ruf der Wachen.

Doch manchmal lauscht der Blick ins Kerzenlicht
10 Und folgt den Schatten an verfallnen Wänden
Und Tänzer sind mit schlafverschlungnen Händen.

Die Nacht, die schwarz an deinem Haupt zerbricht
Und Tote, die sich in den Betten wenden
Den Marmor greifen mit zerbrochnen Händen.

Die blaue Nacht ist sanft auf unsren Stirnen aufgegangen.
Leise berühren sich unsre verwesten Hände
Süße Braut!

Bleich ward unser Antlitz, mondene Perlen
5 Verschmolzen in grünem Weihergrund.
Versteinerte schauen wir unsre Sterne.

O Schmerzliches! Schuldige wandeln im Garten
In wilder Umarmung die Schatten,
Daß in gewaltigem Zorn Baum und Tier über sie sank.

10 Sanfte Harmonien, da wir in kristallnen Wogen
Fahren durch die stille Nacht
Ein rosiger Engel aus den Gräbern der Liebenden tritt.

O das Wohnen in der Stille des dämmernden Gartens,
Da die Augen der Schwester sich rund und dunkel
im Bruder aufgetan,
Der Purpur ihrer zerbrochenen Münder
In der Kühle des Abends hinschmolz.
5 Herzzerreißende Stunde.

September reifte die goldene Birne. Süße von Weihrauch
Und die Georgine brennt am alten Zaun
Sag! wo waren wir, da wir auf schwarzem Kahn
Im Abend vorüberzogen,

10 Darüberzog der Kranich. Die frierenden Arme
Hielten Schwarzes umschlungen, und innen rann Blut.
Und feuchtes Blau um unsre Schläfen. Arm' Kindlein.
Tief sinnt aus wissenden Augen ein dunkles Geschlecht.

Am Abend

Ein blauer Bach, Pfad und Abend an verfallenen Hütten hin.
Hinter dunklen Gebüschen spielen Kinder mit blau und
roten Kugeln;
Manche wechseln die Stirne und die Hände verwesen im
braunen Laub.

5 In knöcherner Stille glänzt das Herz des Einsamen,
Schaukelt ein Kahn auf schwärzlichen Wassern.
Durch dunkles Gehölz flattert Haar und Lachen brauner
Mägde.

Die Schatten der Alten kreuzen den Flug eines kleinen
Geheimnis blauer Blumen auf ihren Schläfen. ⌊Vogels;
10 Andere schwanken auf schwarzen Bänken im Abendwind.

Goldene Seufzer erlöschen leise in den kahlen Zweigen
Der Kastanie; ein Klang von dunklen Zymbeln des
Sommers,
Wenn die Fremde auf der verfallenen Stiege erscheint.

Gericht

Hütten der Kindheit im Herbste sind,
Verfallener Weiler; dunkle Gestalten,
Singende Mütter im Abendwind;
5 An Fenstern Angelus und Händefalten.

Tote Geburt; auf grünem Grund
Blauer Blumen Geheimnis und Stille.
Wahnsinn öffnet den purpurnen Mund:
Dies irae – Grab und Stille.

10 Tasten an grünen Dornen hin;
Im Schlaf: Blutspeien, Hunger und Lachen;
Feuer im Dorf, Erwachen im Grün;
Angst und Schaukeln auf gurgelndem Nachen.

Oder an hölzerner Stiege lehnt
15 Wieder der Fremden weißer Schatten. –
Armer Sünder ins Blaue versehnt
Ließ seine Fäulnis Lilien und Ratten.

Schwesters Garten

1. Fassung

Es wird schon kühl, es wird schon spat,
Es ist schon Herbst geworden
In Schwesters Garten, still und stad;
5 Ihr Schritt ist weiß geworden.
Ein Amselruf verirrt und spat,
Es ist schon Herbst geworden
In Schwesters Garten still und stad;
Ein Engel ist geworden.

Schwesters Garten

2. Fassung

In Schwesters Garten still und stad
Ein Blau ein Rot von Blumen spat
Ihr Schritt ist weiß geworden.
5 Ein Amselruf verirrt und spat
In Schwesters Garten still und stad;
Ein Engel ist geworden.

⟨Wind, weiße Stimme, die an des Trunknen Schläfe flüstert . . .⟩ *1. Fassung*

Wind, weiße Stimme, die an des Schläfers Schläfe flüstert
In morschem Geäst hockt das Dunkle in seinem
purpurnen Haar
Lange Abendglocke, versunken im Schlamm des Teichs
Und darüber neigen sich die gelben Blumen des Sommers.
5 Konzert von Hummeln und blauen Fliegen in Wildgras
und Einsamkeit,
Wo mit rührenden Schritten ehdem Ophelia ging
Sanftes Gehaben des Wahnsinns. Ängstlich wogt das Grün
im Rohr
Und die gelben Blätter der Wasserrosen, zerfällt ein Aas
in heißen Nesseln
Erwachend umflattern den Schläfer kindliche Sonnen-
blumen.

10 Septemberabend, oder die dunklen Rufe der Hirten,
Geruch von Thymian. Glühendes Eisen sprüht in der
Schmiede
Gewaltig bäumt sich ein schwarzes Pferd; die hyazinthene
Locke der Magd
Hasch⟨t⟩ nach der Inbrunst seiner purpurnen Nüstern.
Zu gelber Mauer erstarrt der Schrei des Rebhuhns verrostet
in faulender Jauche ein Pflug
15 Leise rinnt roter Wein, die sanfte Guitarre im Wirtshaus.
O Tod! Der kranken Seele verfallener Bogen Schweigen
und Kindheit.

Aufflattern mit irren Gesichtern die Fledermäuse

⟨Wind, weiße Stimme, die an des Trunknen Schläfe flüstert . . .⟩ *2. Fassung*

Wind, weiße Stimme, die an des Trunknen Schläfe flüstert;
Verwester Pfad. Lange Abendglocken versanken
im Schlamme des Teichs
Und darüber neigen sich die gelben Blumen des Herbstes,
flackern mit irren Gesichtern
Die Fledermäuse.

5 Heimat! Abendrosiges Gebirg! Ruh! Reinheit!
Der Schrei des Geiers! Einsam dunkelt der Himmel,
Sinkt gewaltig das weiße Haupt am Waldsaum hin.
Steigt aus finsteren Schluchten die Nacht.

Erwachend umflattern den Schläfer kindliche Sonnenblumen.

So leise läuten
Am Abend die blauen Schatten
An der weißen Mauer.
Stille neigt sich das herbstliche Jahr.

5 Stunde unendlicher Schwermut,
Als erlitt' ich den Tod um dich.
Es weht von Gestirnen
Ein schneeiger Wind durch dein Haar.

Dunkle Lieder
10 Singt dein purpurner Mund in mir,
Die schweigsame Hütte unserer Kindheit,
Vergessene Sagen;

Als wohnt' ich ein sanftes Wild
In der kristallnen Woge
15 Des kühlen Quells
Und es blühten die Veilchen rings

Der Tau des Frühlings der von dunklen Zweigen
Herniederfällt, es kommt die Nacht
Mit Sternenstrahlen, da des Lichtes du vergessen.

Unter dem Dornenbogen lagst ⟨du⟩ und es grub der Stachel
5 Sich tief in den kristallenen Leib
Daß feuriger sich die Seele der Nacht vermähle.

Es hat mit Sternen sich die Braut geziert,
Die reine Myrthe
Die sich über des Toten anbetendes Antlitz neigt.

10 Blühender Schauer voll
Umfängt dich endlich der blaue Mantel der Herrin.

O die entlaubten Buchen und der schwärzliche Schnee.
Leise der Nord weht. Hier den braunen Pfad
Ist vor Monden ein Dunkles gegangen

Allein ⟨?⟩ im Herbst. Immer fallen die Flocken
5 In das kahle Geäst
Ins dürre Rohr; grünes Kristall singt im Weiher

Leer die Hütte von Stroh; ein Kindliches
Sind die wehenden Birken im Nachtwind.
O der Weg der leise ins Dunkel friert.
10 Und das Wohnen in rosigem Schnee

An Novalis

1. Fassung

Ruhend in kristallner Erde, heiliger Fremdling
Vom dunklen Munde nahm ein Gott ihm die Klage,
Da er in seiner Blüte hinsank
5 Friedlich erstarb ihm das Saitenspiel
In der Brust,
Und es streute der Frühling seine Palmen ⟨?⟩ vor ihn,
Da er mit zögernden Schritten
Schweigend das nächtige Haus verließ.

⟨An Novalis⟩ *2. Fassung (a)*

In dunkler Erde ruht der heilige Fremdling.
Es nahm von sanftem Munde ihm die Klage der Gott,
Da er in seiner Blüte hinsank.
Eine blaue Blume
5 Fortlebt sein Lied im nächtlichen Haus der Schmerzen.

An Novalis
2. Fassung (b)

In dunkler Erde ruht der heilige Fremdling
In zarter Knospe
Wuchs dem Jüngling der göttliche Geist,
5 Das trunkene Saitenspiel
Und verstummte in rosiger Blüte.

Stunde des Grams

Schwärzlich folgt im herbstlichen Garten der Schritt
Dem glänzenden Mond,
Sinkt an frierender Mauer die gewaltige Nacht.
5 O, die dornige Stunde des Grams.

Silbern flackert im dämmernden Zimmer der Leuchter
des Einsamen,
Hinsterbend, da jener ein Dunkles denkt
Und das steinerne Haupt über Vergängliches neigt,

Trunken von Wein und nächtigem Wohllaut.
10 Immer folgt das Ohr
Der sanften Klage der Amsel im Haselgebüsch.

Dunkle Rosenkranzstunde. Wer bist du
Einsame Flöte,
Stirne, frierend über finstere Zeiten geneigt.

⟨Nächtliche Klage⟩ *1. Fassung*

Die Nacht ist über der zerwühlten Stirne aufgegangen
Mit schönen Sternen
Am Hügel, da du von Schmerz versteinert lagst,

Ein wildes Tier im Garten dein Herz fraß.
5 Ein feuriger Engel
Liegst du mit zerbrochener Brust auf steinigem Acker,

Oder ein nächtlicher Vogel im Wald
Unendliche Klage
Immer wiederholend in dornigem Nachtgezweig.

Nächtliche Klage

2. Fassung

Die Nacht ist über der zerwühlten Stirne aufgegangen
Mit schönen Sternen
Über dem schmerzversteinerten Antlitz,
5 Ein wildes Tier fraß des Liebenden Herz
Ein feuriger Engel
Stürzt mit zerbrochener Brust auf steinigen Acker,
Wiederaufflatternd ein Geier.
Weh in unendlicher Klage
10 Mischt sich Feuer, Erde und blauer Quell

An Johanna

Oft hör' ich deine Schritte
Durch die Gasse läuten.
Im braunen Gärtchen
5 Die Bläue deines Schattens.

In der dämmernden Laube
Saß ich schweigend beim Wein.
Ein Tropfen Blutes
Sank von deiner Schläfe

10 In das singende Glas
Stunde unendlicher Schwermut.
Es weht von Gestirnen
Ein schneeiger Wind durch das Laub.

Jeglichen Tod erleidet,
15 Die Nacht der bleiche Mensch.
Dein purpurner Mund
Wohnt eine Wunde in mir.

Als käm' ich von den grünen
Tannenhügeln und Sagen
20 Unserer Heimat,
Die wir lange vergaßen –

Wer sind wir? Blaue Klage
Eines moosigen Waldquells,
Wo die Veilchen
25 Heimlich im Frühling duften.

Ein friedliches Dorf im Sommer
Beschirmte die Kindheit einst
Unsres Geschlechts,
Hinsterbend nun am Abend-

30 Hügel die weißen Enkel
Träumen wir die Schrecken
Unseres nächtigen Blutes
Schatten in steinerner Stadt.

Melancholie

Die blaue Seele hat sich stumm verschlossen,
Ins offne Fenster sinkt der braune Wald,
Die Stille dunkler Tiere; im Grunde mahlt
5 Die Mühle, am Steg ruhn Wolken hingegossen,

Die goldnen Fremdlinge. Ein Zug von Rossen
Sprengt rot ins Dorf. Der Garten braun und kalt.
Die Aster friert, am Zaun so zart gemalt
Der Sonnenblume Gold schon fast zerflossen.

10 Der Dirnen Stimmen; Tau ist ausgegossen
Ins harte Gras und Sterne weiß und kalt.
Im teuren Schatten sieh den Tod gemalt,
Voll Tränen jedes Antlitz und verschlossen.

Bitte

⟨An Luzifer⟩ *1. Fassung*

Dem Geist schick' deine Flammen, so er duldet,
Gefangen seufzt in schwarzer Mitternacht,
Am Frühlingshügel, so sich dargebracht
5 Das sanfte Lamm, der Schmerzen tiefsten duldet;
O Liebe, die gleich einem runden Licht
Aufgeht im Herzen und ein Sanftes duldet,
Daß dieses irdene Gefäß zerbricht.

Bitte

⟨An Luzifer⟩ *2. Fassung*

Dem Geist' schick deine Flammen, so er duldet,
Gefangen liegt in schwarzer Nacht,
Bis einst er fromm sich dargebracht
5 Der Welt, der er der Schmerzen tiefsten schuldet,
Die Liebe, die gleich einem Licht
Entbrennt im Herzen und ein Sanftes duldet,
Daß dies Gefäß der Tod zerbricht;
Gemordet Lamm, des Blut die Welt entschuldet.

An Luzifer

3. Fassung

Dem Geist leih deine Flamme, glühende Schwermut;
Seufzend ragt das Haupt in die Mitternacht,
Am grünenden Frühlingshügel; wo vor Zeiten
5 Verblutet ein sanftes Lamm, der Schmerzen tiefsten
Erduldet; aber es folgt der Dunkle dem Schatten
Des Bösen, oder er hebt die feuchten Schwingen

Zur goldenen Scheibe der Sonne und es erschüttert
Ein Glockenton die schmerzzerrissene Brust ihm,
10 Wilde Hoffnung; die Finsternis flammenden Sturzes.

Nimm blauer Abend eines Schläfe, leise ein Schlummerndes
Unter herbstlichen Bäumen, unter goldener Wolke.
Anschaut der Wald; als wohnte der Knabe ein blaues Wild
In der kristallnen Woge des kühlen Quells
5 So leise schlägt sein Herz in hyazinthener Dämmerung,
Trauert der Schatten der Schwester, ihr purpurnes Haar;
Dieses flackert im Nachtwind. Versunkene Pfade
Nachtwandelt jener und es träumt sein roter Mund
Unter verwesenden Bäumen; schweigend umfängt
10 Des Weihers Kühle den Schläfer, gleitet
Der verfallene Mond über seine schwärzlichen Augen.
Sterne versinkend im braunen Eichengeäst.

<Am Abend> *1. Fassung*

Noch ist gelb das Gras, grau und schwarz der Baum
Aber mit ergrünendem Schritt gehst du am Wald hin,
Knabe, der mit großen Augen in die Sonne schaut.
O wie schön sind die entzückten Schreie der Vögelchen.

5 Der Fluß kommt von den Bergen kalt und klar
Tönt im grünen Versteck; also tönt es,
Wenn du trunken die Beine bewegst. Wilder Spaziergang

Im Blau; Geist der aus Bäumen tritt und bittrem Kraut
Siehe deine Gestalt. O Rasendes! Liebe neigt sich zu
Weiblichem,
10 Bläulichen Wassern. Ruh und Reinheit!

Knospe vieles bewahrt, Grünes! Die schon sehr dunkel
Entsühne die Stirne mit dem feuchten Abendgezweig,
Schritt und Schwermut tönt einträchtig in purpurner
Sonne.

Am Abend

2. Fassung

Noch ist gelb das Gras, grau und schwarz der Wald;
Aber am Abend dämmert ein Grün auf.
Der Fluß kommt von den Bergen kalt und klar,
5 Tönt im Felsenversteck; also tönt es,
Wenn du trunken die Beine bewegst; wilder Spaziergang
Im Blau; und die entzückten Schreie der Vögelchen.
Die schon sehr dunkel, tiefer neigt
Die Stirne sich über bläuliche Wasser, Weibliches;
10 Untergehend wieder in grünem Abendgezweig.
Schritt und Schwermut tönt einträchtig in purpurner Sonne.

Beim jungen Wein

1. Fassung

Sonne purpurn untergeht,
Schwalbe ist schon ferngezogen.
Unter abendlichen Bogen
5 Junger Wein dic Runde geht;
Kind dein wildes Lachen.

Schmerz, darin die Welt vergeht.
Bleib der Augenblick gewogen,
Da im Abend hölzner Bogen
10 Junger Wein die Runde geht;
Kind dein wildes Lachen.

Flackerstern ans Fenster weht,
Kommt die schwarze Nacht gezogen,
Wenn im Schatten dunkler Bogen
15 Junger Wein die Runde geht;
Kind dein wildes Lachen.

Beim jungen Wein

2. Fassung

Sonne purpurn untergeht,
Schwalbe ist schon ferngezogen.
Unter abendlichen Bogen
5 Junger Wein die Runde geht;
Schnee fällt hinterm Berge.

Sommers letztes Grün verweht,
Jäger kommt vom Wald gezogen.
Unter abendlichen Bogen
10 Junger Wein die Runde geht;
Schnee fällt hinterm Berge.

Fledermaus die Stirn umweht,
Kommt ein Fremdling still gezogen.
Unter abendlichen Bogen
15 Junger Wein die Runde geht;
Schnee fällt hinterm Berge.

Rote Gesichter verschlang die Nacht,
An härener Mauer
Tastet ein kindlich Gerippe im Schatten
Des Trunkenen, zerbrochenes Lachen
5 Im Wein, glühende Schwermut,
Geistesfolter – ein Stein verstummt
Die blaue Stimme des Engels
Im Ohr des Schläfers. Verfallenes Licht.

Heimkehr

Wenn goldne Ruh der Abend odmet
Wald und dunkle Wiese davor
Ein Schauendes ist der Mensch,
5 Ein Hirt, wohnend in der Herden dämmernder Stille,
Der Geduld der roten Buchen;

So klar da es Herbst geworden. Am Hügel
Lauscht der Einsame dem Flug der Vögel,
Dunkler Bedeutung und die Schatten der Toten
10 Haben sich ernster um ihn versammelt⟨;⟩
Mit Schauern erfüllt ihn kühler Resedenduft⟨,⟩
Die Hütten der Dörfler der Hollunder,
Wo vor Zeiten das Kind gewohnt.

Erinnerung, begrabene Hoffnung
15 Bewahrt dies braune Gebälk,
Darüber Georginen hangen,
Daß darnach er die Hände ringe⟨,⟩
Im braunen Gärtchen den schimmernden Schritt
Verboten Lieben, dunkles Jahr,
20 Daß von blauen Lidern die Tränen stürzten
Dem Fremdling unaufhaltsam.

Von braunen Wipfeln tropft der Tau,
Da jener ein blaues Wild am Hügel erwacht,
Lauschend den lauten Rufen der Fischer
25 Am Abendweiher
Dem ungestalten Schrei der Fledermäuse;
Aber in goldener Stille
Wohnt das trunkene Herz
Seines erhabenen Todes voll.

Träumerei

1. Fassung

Sanftes Leben wächst im Stillen
Schritt und Herz durchs Grüne eilt
Liebendes an Hecken weilt,
5 Die sich schwer mit Düften füllen.

Buche sinnt; die feuchten Glocken
Sind verstummt, der Bursche singt
Feuer Dunkeles umschlingt
O Geduld und stumm Frohlocken.

10 Frohen Mut gib noch zum Ende
Schön beseelte, stille Nacht,
Goldnen Wein, den dargebracht
Einer Schwester blaue Hände.

Träumerei

2. Fassung

Sanftes Leben wächst rings im Stillen
Durchs Grüne eilt Schritt und Herz.
Liebendes weilt an Hecken,
5 Die sich mit Düften füllen.

Tiefsinnige Buche im Wirtshausgarten. Die feuchten
Sind verstummt; ein Bursche singt ⌊Glocken
– Feuer das Dunkles sucht –
O blaue Stille, Geduld!

10 Frohen Mut auch gib
Grünende Nacht dem Einsamen,
Dem sein Stern erlosch,
Lachen in purpurnem Wein.

Träumerei

3. Fassung

Verliebte gehn an den Hecken,
Die sich mit Düften füllen.
Am Abend kommen frohe Gäste
5 Von der dämmernden Straße.

Sinnige Kastanie im Wirtshausgarten.
Die feuchten Glocken sind verstummt.
Ein Bursche singt am Fluß
– Feuer, das Dunkeles sucht –
10 O blaue Stille! Geduld!
Wenn jegliches blüht.

Sanften Mut auch gib
Nacht dem Heimatlosen,
Unergründliches Dunkel
15 Goldne Stunde in Wein.

Psalm

Stille; als sänken Blinde an herbstlicher Mauer hin,
Lauschend mit morschen Schläfen dem Flug der Raben;
Goldne Stille des Herbstes, das Antlitz des Vaters
in flackernder Sonne
5 Am Abend verfällt im Frieden brauner Eichen das alte
Dorf,
Das rote Gehämmer der Schmiede, ein pochendes Herz.
Stille; in langsamen Händen verbirgt die hyazinthene
Stirne die Magd
Unter flatternden Sonnenblumen. Angst und Schweigen
Brechender Augen erfüllt das dämmernde Zimmer,
die zögernden Schritte
10 Der alten Frauen, die Flucht des purpurnen Munds,
der langsam im Dunkel erlischt.

Schweigsamer Abend in Wein. Vom niedern Deckengebälk
Fiel ein nächtlicher Falter, Nymphe vergraben in
bläulichen Schlaf.
Im Hof schlachtet der Knecht ein Lamm, der süße
Geruch des Blutes
Umwölkt unsre Stirnen, die dunkle Kühle des Brunnens.
15 Nachtrauert die Schwermut sterbender Astern, goldne
Stimmen im Wind.
Wenn es Nacht wird siehest du mich aus vermoderten
Augen an,
In blauer Stille verfielen deine Wangen zu Staub.
So leise erlöscht ein Unkrautbrand, verstummt der
schwarze Weiler im Grund
Als stiege das Kreuz den blauen Kalvarienhügel herab,
20 Würfe die schweigende Erde ihre Toten aus.

<Herbstliche Heimkehr> *1. Fassung (b)*

Erinnerung, begrabene Hoffnung
Bewahrt dies braune Gebälk,
Darüber Georginen hangen
Immer stillere Heimkehr,

ten den dunklen Abglanz
e,
dern die Tränen stürzen
ufhaltsam.

e Heimkehr

2. Fassung

Erinnerung, begrabene Hoffnung
Bewahrt dies braune Gebälk
Darüber Georginen hangen,
5 Immer stillere Heimkehr,
Der verfallne Garten dunklen Abglanz
Vergangner Jahre,
Daß von blauen Lidern Tränen stürzen
Unaufhaltsam.
10 O Geliebtes!
Schon tropft vom rostigen Ahorn
Laub, hinüberschimmern der Schwermut
Kristallne Minuten
Zur Nacht.

Herbstliche Heimkehr

3. Fassung

Erinnerung, begrabene Hoffnung
Bewahrt dies braune Gebälk
Darüber Georginen hangen,
5 Immer stillere Heimkehr,
Der verfallne Garten dunklen Abglanz
Kindlicher Jahre,
Daß von blauen Lidern Tränen stürzen
Unaufhaltsam;
10 Hinüberschimmern der Schwermut
Kristallne Minuten
Zur Nacht.

<Neige> *1. Fassung*

O geistlich Wiedersehn
Im alten Herbst!
So stille entblättern gelbe Rosen
Am Gartenzaun,
5 Schmolz in Tränen
Ein großer Schmerz.
So endet der goldne Tag.
Reich' deine Hand mir liebe Schwester
In der Abendkühle.

Neige

2. Fassung

O geistlich Wiedersehn
In altem Herbst.
Gelbe Rosen
5 Entblättern am Gartenzaun,
Zu dunkler Träne
Schmolz ein großer Schmerz,
O Schwester!
So stille endet der goldne Tag.

Lebensalter

Geistiger leuchten die wilden
Rosen am Gartenzaun;
O stille Seele!

5 Im kühlen Weinlaub weidet
Die kristallne Sonne;
O heilige Reinheit!

Es reicht ein Greis mit edlen
Händen gereifte Früchte.
10 O Blick der Liebe!

Die Sonnenblumen

Ihr goldenen Sonnenblumen,
Innig zum Sterben geneigt,
Ihr demutsvollen Schwestern
In solcher Stille
Endet Helians Jahr
Gebirgiger Kühle.

Da erbleicht von Küssen
Die trunkne Stirn ihm
Inmitten jener goldenen
Blumen der Schwermut
Bestimmt den Geist
Die schweigende Finsternis.

So ernst o Sommerdämmerung.
Von müdem Munde
Sank dein goldner Odem ins Tal
Zu den Stätten der Hirten,
Versinkt im Laub.
Ein Geier hebt am Waldsaum
Das versteinerte Haupt –
Ein Adlerblick
Erstrahlt im grauen Gewölk
Die Nacht.

Wild erglühen
Die roten Rosen am Zaun
Erglühend stirbt
In grüner Woge Liebendes hin
Eine erbliche⟨ne⟩ Rose

DOPPELFASSUNGEN
zu den Teilen ›Gedichte‹, ›Sebastian im Traum‹ und ›Veröffentlichungen im ‚Brenner'‹

Farbiger Herbst
›Musik im Mirabell‹ *1. Fassung*

Ein Brunnen singt. Die Wolken stehn
Im klaren Blau die weißen zarten.
Bedächtig stille Menschen gehn
Am Abend durch den alten Garten.

Der Ahnen Marmor ist ergraut
Ein Vogelzug streift in die Weiten.
Ein Faun mit toten Augen schaut
Nach Schatten, die ins Dunkel gleiten.

Das Laub fällt rot vom alten Baum
Und kreist herein durchs offene Fenster.
Ein Feuerschein glüht auf im Raum
Und malet trübe Angstgespenster.

Opaliger Dunst webt über das Gras
Ein Teppich von verwelkten Düften.
Im Brunnen schimmert wie grünes Glas
Die Mondessichel in frierenden Lüften.

Traum des Bösen
2. Fassung

O diese kalkgetünchten, kahlen Gänge;
Ein alter Platz; die Sonn' in schwarzen Trümmern.
Gebein und Schatten durch ein Durchhaus schimmern
Im Hafen blinken Segel, Masten, Stränge.

Ein Mönch, ein schwangres Weib dort im Gedränge.
Guitarren klimpern; Flucht aus leeren Zimmern.
Kastanien schwül in goldnem Glanz verkümmern;
Schwarz ragt der Kirchen trauriges Gepränge.

10 Aus bleichen Masken schaut der Geist des Bösen.
Paläste dämmern grauenvoll und düster;
Am Abend regt auf Inseln sich Geflüster.

Des Vogelfluges wirre Zeichen lesen
Aussätzige, die zur Nacht vielleicht verwesen.
15 Im Park erblicken zitternd sich Geschwister.

•

Traum des Bösen

3. Fassung

Verhallend eines Sterbeglöckchens Klänge –
Ein Liebender erwacht in schwarzen Zimmern,
Die Wang' an Sternen, die am Fenster flimmern.
5 Am Strome blitzen Segel, Masten, Stränge.

Ein Mönch, ein schwangres Weib dort im Gedränge.
Guitarren klimpern, rote Kittel schimmern.
Kastanien schwül in goldnem Glanz verkümmern;
Schwarz ragt der Kirchen trauriges Gepränge.

10 Aus bleichen Masken schaut der Geist des Bösen.
Ein Platz verdämmert grauenvoll und düster;
Am Abend regt auf Inseln sich Geflüster.

Des Vogelfluges wirre Zeichen lesen
Aussätzige, die zur Nacht vielleicht verwesen.
15 Im Park erblicken zitternd sich Geschwister.

Leise

›Melancholie‹ *1. Fassung*

Im Stoppelfeld ein schwarzer Wind gewittert.
Aufblühn der Traurigkeit Violenfarben,
Gedankenkreis, der trüb das Hirn umwittert.
5 Am Zaune lehnen Astern, die verstarben
Und Sonnenblumen schwärzlich und verwittert,
Gelöst in Schminken und Zyanenfarben.

Ein wunderlicher Glockenklang durchzittert
Reseden, die in schwarzem Flor verstarben
10 Und unsere Stirnen schattenhaft vergittert
Versinken leise in Zyanenfarben
Mit Sonnenblumen schwärzlich und verwittert
Und braunen Astern, die am Zaun verstarben.

Melancholia

›Melancholie‹ 2. *Fassung*

Bläuliche Schatten. O ihr dunklen Augen
Die lang mich anschaun im Vorübergleiten.
Guitarrenklänge sanft den Herbst begleiten
5 Im Garten aufgelöst in braunen Laugen.
Des Todes ernste Düsternis bereiten
Nymphische Hände, an Purpurbrüsten saugen
Verfallne Lippen und in braunen Laugen
Des Sonnenjünglings feuchte Locken gleiten.

10 Ein Stoppelfeld. Ein schwarzer Wind gewittert.
Aufblühn der Traurigkeit Violenfarben,
Gedankenkreis, der trüb das Hirn umwittert.
An Zäunen lehnen Astern, die verstarben
Und Sonnenblumen schwärzlich und verwittert;
15 Da schweigt die Seele grauenvoll erschüttert
Entlang an Zimmern, leer und dunkelfarben.

〈Verwandlung〉 1. *Fassung*

Des Herbstes Kühle: Ein Zimmer grau verhängt.
Hier zeigt sich Heiterkeit, ein tüchtig Leben
Des Menschen Hände tragen goldne Reben
In sanfte Augen Gott sich stille senkt.

5 Am Abend wandelt jener über Land.
Den Weg erfüllt der Eichen braunes Schweigen
Und immer sinken Blätter von den Zweigen
Die Seele friert im schwärzlichen Gewand.

Geruhiges vor einer Schenke spielt
10 Vom Munde ist die Bitternis gesunken
Hollunderfrüchte, Klänge, weich und trunken
Dem Einsamen folgt leise nach ein Wild.

Heiterer Frühling

1. Fassung

Wenn neu ergrünt der Bach in Abend fließt,
In Rohr und Weide rauscht das Frühlingsjahr;
Die blaue Luft ist süß und wunderbar
5 Von Blühendem, das sich zur Nacht ergießt.

An stillen Dämmerhecken läuft der Wind
Und sucht des Einsamen gestirnten Pfad.
In Gottes Schoß erglänzt die junge Saat,
Der Wald mit seinen Tieren weich und lind.

10 Die Birken dort, der schwarze Dornenstrauch
Stehn sanft in Schmerz und Wollust aufgelöst.
Hell Grünes blüht, ein dunkles Grün verwest
Und Kröten schliefen durch den jungen Lauch.

Dich lieb' ich treu, du derbe Wäscherin.
15 Noch trägt die Flut des Himmels rosige Last.
Ein Fischlein blitzt vorüber und verblaßt;
Der Wind läuft silbern durch die Erlen hin,

Entlang an Dämmerhecken schwer und leis';
Ein kleiner Vogel trällert wie verrückt.
20 Das junge Korn schwillt leise und verzückt
Und Bienen sammeln noch mit ernstem Fleiß.

Komm Liebe nun zum müden Arbeitsmann;
In seine Hütte fällt ein lauer Strahl.
Der Wald strömt durch das Dunkel herb und fahl
25 Und Knospen flüstern heiter dann und wann.

Wie scheint doch alles Werdende so krank!
Ein Fieberhauch um einen Weiler kreist;
Doch aus Gezweigen winkt ein sanfter Geist
Und öffnet das Gemüte weit und bang.

30 Ein blühender Erguß verrinnt sehr sacht
Und Ungebornes pflegt der eignen Ruh.
Die Liebenden blühn ihren Sternen zu
Und süßer fließt ihr Odem durch die Nacht.

So schmerzlich gut und wahrhaft ist, was lebt;
35 Und leise rührt dich an ein alter Stein:
Wahrlich! Ich werde immer bei euch sein.
O Mund! der durch die Silberweide bebt.

⟨Trübsinn⟩ *2. Fassung*

In Schenken träumend oft am Nachmittag,
In Gärten früh vom Herbst verbrannt und wüst
Der trunkene Tod geht stumm vorbei und grüßt
In dunklem Käfig tönt ein Drosselschlag.

5 Aus solcher Bläue tritt ein rosig Kind
Und spielt mit seinen Augen schwarz und glatt.
Ein Goldnes tropft aus Zweigen mild und matt
In rotem Laubwerk aber spielt der Wind.

Schon glänzt Saturn. Im Dunkel rauscht der Bach
10 Und leise rührt des Freundes blaue Hand
Und glättet stille Stirne und Gewand.
Ein Licht ruft Schatten in Hollunder wach.

Psalm

1. Fassung

Es ist ein Licht, das der Wind ausgelöscht hat.
Es ist ein Heidekrug, den am Nachmittag ein Betrunkener
verläßt.
Es ist ein Weinberg verbrannt und schwarz mit Löchern
voll Spinnen.
5 Es ist ein Raum, den sie mit Milch getüncht haben.
Der Wahnsinnige ist gestorben. Es ist eine Insel der Südsee,
Den Sonnengott zu empfangen. Man rührt die Trommeln.

Die Männer führen kriegerische Tänze auf.
Die Frauen wiegen die Hüften in Schlinggewächsen und Feuerblumen,
10 Wenn das Meer singt. O! unser verlorenes Paradies.

Die Nymphen haben die goldenen Wälder verlassen.
Man begräbt den Fremden; dann hebt ein Flimmerregen an.
Der Sohn des Pan erscheint in Gestalt eines Erdarbeiters,
Der den Mittag am glühenden Asphalt verschläft.
15 Es sind kleine Mädchen in einem Hof mit Kleidchen voll herzzerreißender Armut.
Es sind Zimmer erfüllt von Akkorden und Sonaten.
Es sind Schatten, die sich vor einem erblindeten Spiegel umarmen.
An den Fenstern des Spitals wärmen sich Genesende.
Ein weißer Dampfer am Kanal trägt blutige Seuchen herauf.

20 Die fremde Schwester erscheint wieder in Jemands bösen Träumen.
Ruhend im Haselgebüsch spielt sie mit seinen Sternen.
Der Student, vielleicht ein Doppelgänger schaut ihr lange vom Fenster nach.
Hinter ihm steht sein toter Bruder. Im Dunkel des Zimmers mögen seltsame Dinge vor sich gehen.
In roten Hyazinthen verblaßt die Erscheinung der jungen Krankenwärterin.
25 Der Garten ist im Abend. Im Kreuzgang flattern die Fledermäuse umher.
Die Kinder des Hausmeisters hören zu spielen auf und suchen das Gold des Himmels.
Es ist eine Wolke die sich auflöst. In der Laube hat sich der Gärtner erhängt.
Im Glashaus verschwimmen braune und blaue Farben. Es ist der Untergang, dem wir zutreiben.

Wo die Toten von gestern lagen, trauern Engel mit weißen zerbrochenen Flügeln.
30 Unter Eichen irren Dämonen mit brennenden Stirnen.
Im Moorland schweigen vergangene Vegetationen.
Es ist ein Flüsterwind – Gott der traurige Stätten verläßt.

Die Kirchen sind verstorben, Würmer nisten sich in den Nischen ein.
Der Sommer hat das Korn verbrannt. Die Hirten sind fortgezogen.
35 Wo immer man geht rührt man ein früheres Leben.
Die Mühlen und Bäume gehen leer im Abendwind.
In der zerstörten Stadt richtet die Nacht schwarze Zelte auf.

Wie eitel ist alles!

⟨Nähe des Todes⟩ *1. Fassung*

Lange lauscht der Mönch dem sterbenden Vogel am Waldsaum
O die Nähe des Todes, die beinerne Stätte am Hügel
Der Angstschweiß der auf die wächserne Stirne tritt.
Der weiße Schatten des Bruders, der den Hohlweg herabläuft.
5 Der Abend ist in die dunklen Dörfer der Kindheit gegangen
Der Weiher unter den Weiden
Füllt sich mit den roten Gulden trauriger Herbste.

O die dicken Ratten im Stroh!
Der Blinde, der abends wieder am Weg steht
10 Die Stille grauer Wolken ist auf den Acker gesunken.

Spinnen verhangen die weißen Höhlen der Schwermut
Da aus des Einsamen knöchernen Händen
Der Purpur seiner nächtlichen Tage hinsinkt –
Leise des Bruders mondene Augen.

15 O schon lösen in kühleren Kissen
Vergilbt von Weihrauch sich der Liebenden schmächtige Glieder.

Im Spital

›Menschliche Trauer‹ *1. Fassung*

Die Uhr, die tief im Grünen zwölfe schlägt –
Die Fieberkranken packt ein helles Grausen.
Der Himmel glitzert und die Gärten brausen.
5 Ein wächsern Antlitz sich am Fenster regt.

Vielleicht, daß diese Stunde stille steht.
Vor trüben Augen bunte Bilder gaukeln
Im Takt der Schiffe, die im Strome schaukeln.
Am Gang ein Schwesternzug vorüberweht.

10 Und Wolken regen sich im blauen Wind,
Wie Liebende die sich im Schlaf umschlingen.
Vielleicht, daß um ein Aas dort Fliegen schwingen,
Vielleicht auch weint im Mutterschoß ein Kind.

Am Fenster welken Blumen warm und rot,
15 Die man dem schönen Knaben heute brachte.
Wie er die Hände hob und leise lachte.
Man betet dort. Vielleicht liegt einer tot.

Es scheint, man hört auch gräßliches Geschrei
Und sieht in schwülem Brodem Fratzen flimmern.
20 Klavierspiel tönt gedämpft aus hellen Zimmern.
Die Uhr im tiefen Grün schlägt plötzlich drei.

Ein schwarzer Zug schwebt wieder dort davon.
Dann hört man ferne noch Choräle klingen.
Vielleicht, daß auch im Saale Engel singen.
25 Im Garten flattert traumhaft weißer Mohn.

Menschliche Trauer

3. Fassung

Die Uhr, die vor der Sonne fünfe schlägt –
Einsame Menschen packt ein dunkles Grausen.
Im Abendgarten morsche Bäume sausen;
5 Des Toten Antlitz sich am Fenster regt.

Vielleicht daß diese Stunde stillesteht.
Vor trüben Augen nächtige Bilder gaukeln
Im Takt der Schiffe, die am Flusse schaukeln;
Am Kai ein Schwesternzug vorüberweht.

10 Es scheint, man hört der Fledermäuse Schrei,
Im Garten einen Sarg zusammenzimmern.
Gebeine durch verfallne Mauern schimmern
Und schwärzlich schwankt ein Irrer dort vorbei.

Ein blauer Strahl im Herbstgewölk erfriert.
15 Die Liebenden im Schlafe sich umschlingen,
Gelehnet an der Engel Sternenschwingen,
Des Edlen bleiche Schläfe Lorbeer ziert.

⟨Landschaft⟩ *1. Fassung*

Septemberabend, oder die dunklen Rufe der Hirten,
Geruch von Thymian. Glühendes Eisen sprüht in der Schmiede
Gewaltig bäumt sich ein schwarzes Pferd; die hyazinthene Locke der Magd
Hasch⟨t⟩ nach der Inbrunst seiner purpurnen Nüstern.
5 Zu gelber Mauer erstarrt der Schrei des Rebhuhns
verrostet in faulender Jauche ein Pflug
Leise rinnt roter Wein, die sanfte Guitarre im Wirtshaus.
O Tod! Der kranken Seele verfallener Bogen Schweigen und Kindheit.

Aufflattern mit irren Gesichtern die Fledermäuse

Elis

1. Fassung

Vollkommen ist die Stille dieses goldenen Tags.
Unter alten Eichen
Erscheinst du, Elis, ein Ruhender mit runden Augen.

5 Ihre Bläue spiegelt den Schlummer der Liebenden.
An deinem Mund
Verstummten ihre rosigen Seufzer.

Am Abend zog der Fischer die leeren Netze ein.
Ein guter Hirt
10 Führt seine Herde am Waldsaum hin.
O wie gerecht sind, Elis, alle deine Tage.

Ein heiterer Sinn
Wohnt in der Winzer dunklem Gesang,
Der blauen Stille des Ölbaums.
15 Bereitet fanden im Haus die Hungernden Brot und Wein.

Elis

2. Fassung

1

Elis, wenn die Amsel im schwarzen Wald ruft,
Dieses ist dein Untergang.
5 Deine Lippen trinken die Kühle des blauen Felsenquells.

Laß, wenn deine Stirne leise blutet
Uralte Legenden
Und dunkle Deutung des Vogelflugs.

Du aber gehst mit weichen Schritten in die Nacht,
10 Die voll purpurner Trauben hängt
Und du regst die Arme schöner im Blau.

Ein Dornenbusch tönt,
Wo deine mondenen Augen sind.
O! wie lange bist Elis du verstorben.

15 Dein Leib ist eine Hyazinthe,
In die ein Mönch die wächsernen Finger taucht.
Eine schwarze Höhle ist unser Schweigen;

Daraus bisweilen ein sanftes Tier tritt
Und langsam die schweren Lider senkt;
20 Auf deine Schläfen tropft schwarzer Tau,

Das letzte Gold verfallener Sterne.

2

Vollkommen ist die Stille dieses goldenen Tags.
Unter alten Eichen
25 Erscheinst du, Elis, ein Ruhender mit runden Augen.

Ihre Bläue spiegelt den Schlummer der Liebenden.
An deinem Mund
Verstummten ihre rosigen Seufzer.

Am Abend zog der Fischer die schweren Netze ein.
30 Ein guter Hirt
Führt seine Herde am Waldsaum hin.
O! wie gerecht sind, Elis, alle deine Tage.

Ein heiterer Sinn
Wohnt in der Winzer dunklem Gesang,
35 Der blauen Stille des Ölbaums.

Bereitet fanden im Haus die Hungernden Brot und Wein.

3

Ein sanftes Glockenspiel tönt in Elis' Brust
Am Abend
40 Da sein Haupt ins schwarze Kissen sinkt.

Ein blaues Wild
Blutet leise im Dornengestrüpp.

Ein brauner Baum steht einsam da;
Seine blauen Früchte fielen von ihm.

45 Zeichen und Sterne
Versinken leise im Abendweiher.

Hinter dem Hügel ist es Winter geworden.

Blaue Tauben
Trinken nachts den goldenen Schweiß,
50 Der von Elis' kristallener Stirne rinnt.

Immer tönt
An schwarzen Mauern Gottes eisiger Odem.

⟨Hohenburg⟩ *1. Fassung*

Leer und erstorben des Vaters Haus,
Dunkle Stunde
Und Erwachen im dämmernden Garten.

Immer denkst du das weiße Antlitz des Menschen,
5 Fern dem Getümmel der Zeit.
Über ein Träumendes neigt sich gerne grünes Gezweig;

Kreuz und Abend,
Umfängt den Tönenden mit purpurnen Armen sein Stern
Und das Läuten bläulicher Blumen⟨.⟩

Dezember

›Am Moor‹ *1. Fassung*

Der Mantel im schwarzen Wind; leise flüstert das dürre Rohr
In der Stille des Moors. Am grauen Himmel
Folgt ein Zug von wilden Vögeln –
5 Quere über finsteren Wassern.

Durch kahle Birken gleiten die knöchernen Hände.
Knickt der Schritt in braunes Gehölz
Wo zu sterben ein einsames Tier wohnt.

Alte Weiblein kreuzten den Weg
10 Ins Dorf. Spinnen fielen aus ihren Augen
Und roter Schnee. Krähen und langes Glockengeläut

Geleitet den schwarzen Pfad, Endymions Lächeln
Und mondener Schlummer
Und die metallene Stirne tastet frierend durchs Haselgebüsch

15 Laß in der Schenke den Abend erwarten
Wohnen in purpurner Höhle des Weins,
Von der Tapete lautlos des Trunkenen Schatten sinkt.

Stundenlang fäl⟨l⟩t härener Schnee ans Fenster
Jagt den Himmel mit schwarzen Flaggen und zerbrochenen
Masten die Nacht.

⟨Am Moor⟩ *2. Fassung*

Mantel im schwarzen Wind. Leise flüstert das dürre Rohr
In der Stille des Moors; am grauen Himmel
Ein Zug von wilden Vögeln folgt;
Quere über finsteren Wassern.

5 Knöchern gleiten die Hände durch kahle Birken,
Knickt der Schritt in braunes Gehölz,
Wo zu sterben ein einsames Tier wohnt.

Aufruhr. In verfallener Hütte
Flattert mit schwarzen Flügeln ein gefallener Engel,
10 Schatten der Wolke; und der Wahnsinn des Baums;

Schrei der Elster. Altes Weiblein kreuzt den Weg
Ins Dorf. Unter schwarzem Geäst
O was bannt mit Fluch und Feuer den Schritt
Stummes Glockengeläut; Nähe des Schnees⟨.⟩

15 Sturm. Der dunkle Geist der Fäulnis im Moor
Und die Schwermut grasender Herden.
Schweigend jagt
Den Himmel mit zerbrochnen Masten die Nacht.

Am Moor

4. Fassung

⟨Wanderer im schwarzen Wind; leise flüstert das dürre
Rohr
In der Stille des Moors. Am grauen Himmel
Ein Zug von wilden Vögeln folgt;
5 Quere über finsteren Wassern.⟩

Aufruhr. In verfallener Hütte
Flattert mit schwarzen Flügeln der Geist der Fäulnis;
Verkrüppelte Birken im Herbstwind.

Abend in verödeter Schenke⟨.⟩ Den Heimweg umwittert
10 Die sanfte Schwermut grasender Herden;
Erscheinung der Nacht; Kröten tauchen aus braunen
Wassern.

Sommer

›Abend in Lans‹ *1. Fassung*

Sommer unter kalkgetünchten Bogen,
Vergilbtes Korn, ein Vogel der ein und aus fliegt
Abend und die dunklen Gerüche des Grüns.
5 Roter Mensch, auf dämmerndem Weg, wohin?
Über einsamen Hügel, vorbei am knöchernen Haus
Über die Stufen des Walds tanzt das silberne Herz.

Am Mönchsberg

1. Fassung

Für Adolf Loos

Wo im Schatten herbstlicher Ulmen der verfallne Pfad hinabsinkt,
Ferne den Hütten von Laub, schlafenden Hirten,
5 Immer folgt dem Wandrer die dunkle Gestalt der Kühle

Übern knöchernen Steg, die hyazinthne Stimme des Knaben,
Leise sagend die vergessene Legende des Walds;
Sanfter ein Krankes nun und lauschend im Wahnsinn⟨.⟩

Weich umschmeichelt ein spärliches Grün das Knie des Fremdlings,
10 Ein milder Gott die sehr ermüdete Stirn,
Tastet silbern der Schritt in die Stille zurück.

Erinnerung

›Verwandlung des Bösen‹ *1. Fassung (Fragment)*

Stille wohnte in nächtiger Höhle das Kind lauschend in der blauen Woge des Quells dem Geläute einer strahlenden Blume. Und es trat aus verfallener Mauer die bleiche
5 Gestalt der Mutter und sie trug in schlummernden Händen das Schmerzgeborne nachtwandelnd im Garten. Und es waren die Sterne Tropfen Blutes schimmernd im kahlen

Geäst des alten Baumes und sie fielen in der Nächtigen härenes Haar, und es hob die purpurnen Lider leise der Knabe, seufzend die silberne Stirne im Nachtwind.

Wachend im Abendgarten im stillen Schatten des Vaters, o wie ängstigt dies strahlende Haupt duldend in blauer Kühle und das Schweigen in herbstlichen Zimmern. Ein goldener Kahn sank die Sonne am einsamen Hügel und es verstummen zu Häupten die ernsten Wipfel. Stille begegnet in feuchter Bläue das schlummernde Antlitz der Schwester, vergraben in ihr scharlachfarbenes Haar. Schwärzlich folgte jenem die Nacht.

Was zwingt so still zu stehen auf verfallener Wendeltreppe im Haus der Väter und es erlöscht in schmächtigen Händen der flackernde Leuchter. Stunde einsamer Finsternis, stummes Erwachen im Hausflur im fahlen Gespinst des Mondes. O das Lächeln des Bösen traurig und kalt, daß der Schläferin rosige Wange erbleicht. In Schauern verhüllte ein schwarzes Linnen das Fenster. Und es sprang eine Flamme aus jenes Herzen und sie brannte silbern im Dunkel, ein singender Stern ⟨.⟩ Schweigend versanken der Kindheit kristallene Pfade im Garten

Im Winter

›Ein Winterabend‹ *1. Fassung*

Wenn der Schnee ans Fenster fällt,
Lang die Abendglocke läutet,
Vielen ist der Tisch bereitet
Und das Haus ist wohlbestellt.

Mancher auf der Wanderschaft
Kommt ans Tor auf dunklen Pfaden.
Seine Wunde voller Gnaden
Pflegt der Liebe sanfte Kraft.

O! des Menschen bloße Pein.
Der mit Engeln stumm gerungen,
Langt von heiligem Schmerz bezwungen
Still nach Gottes Brot und Wein.

⟨Herbstseele⟩ *1. Fassung*

Für ⟨?⟩ ⟨. . .⟩b. Münch ⟨?⟩

Tief in Grünes die Sense mäht
Blaue Luft, vergilbte Garben.
Stimmen flogen auf, verstarben
5 Nur ein altes Wasser geht,

Abends geht die dunkle Fahrt
Über braune Herbsteshügel
Silbern grüßt ein Weiherspiegel
Schreit der Habicht hell und hart.

Abendspiegel

›Afra‹ *1. Fassung*

Ein Kind mit braunem Haar. Schwärzliche Flammen
Verscheucht ein Schritt in feuchter Abendkühle
In dunkelgoldner Sonnenblumen Rahmen;
5 Ein weiches Tier versinkt auf rotem Pfühle.

Ein Schatten gleitet beinern übern Spiegel
Und leise taucht aus blauer Astern Schweigen
Ein roter Mund, ein rätselvolles Siegel,
Und schwarze Augen strahlen aus den Zweigen

10 Des Ahorns, dessen tolle Röte blendet.
Die Mauer hat ein sanfter Leib verlassen,
Ein blauer Glanz, der in der Dämmerung endet.
Der Wind klirrt leise in den leeren Gassen.

Am offenen Fenster welken still die Stunden
15 Des Liebenden. Der Wolken kühne Fahrten
Sind mit dem Pfad des Einsamen verbunden.
Ein Blick sinkt silbern in den braunen Garten.

Die Hände rührt des Wassers düstre Regung.
Ein frommer Geist reift ins Kristallne, Klare.
20 Unsäglich ist der Vögel Flug, Begegnung
Mit Sterbenden; dem folgen dunkle Jahre.

⟨Untergang⟩ *1. Fassung*

Am Abend, wenn wir durch goldene Sommer nach
Hause gehn
Sind die Schatten froher Heiliger mit uns.
Sanfter grünen die Reben rings, vergilbt das Korn
O mein Bruder, welche Ruh ist in der Welt.
5 Umschlungen tauchen wir in blaue Wasser,
Die dunkle Grotte männlicher Schwermut
Auf dürren Pfaden kreuzen die Wege Verwester sich,
Wir aber ruhn Beseligte im Sonnenuntergang.
Friede ⟨?⟩, wo die Farben des Herbstes leuchten
10 Zu Häupten rauscht der Nußbaum unsre alten
Vergangenheiten

⟨Untergang⟩ *2. Fassung*

Wenn wir durch goldene Sommer nach Hause gehn
Sind die Schatten froher Heiliger um uns.
Sanfter grünen die Reben rings, vergilbt das Korn
O mein Bruder, welche Stille ist in der Welt

5 Zu Häupten rauscht der Ahorn unsere alten
Vergangenheiten
Weht uns die Kühle blauer Wasser an,
Die dunklen Spiegel männlicher Schwermut
O mein Bruder, reift die Süße des Abends heran

Leise tönen die Lüfte am einsamen Hügel
10 Starb vor Zeiten
Dädalus⟨'⟩ Geist in rosigen Seufzern hin ⌈der Seele
O mein Bruder, verwandelt sich dunkel die Landschaft

⟨Untergang⟩ *3. Fassung*

Wenn wir durch unserer Sommer purpurnes Dunkel gehn
Treten die Schatten trauriger Mönche vor uns.
Schmächtiger glühen die Reben rings, vergilbt das Korn.
O mein Bruder, welche Stille ist in der Welt.

5 Zu Häupten rauscht die Eiche unsre alten Vergangenheiten
Weht uns das Antlitz steinerner Wasser an,
Die runde Grotte männlicher Schwermut,
O mein Bruder reifen schwarze Rosenkranznächte herein.

Vergangener tönen die Lüfte am einsamen Hügel,
10 Eines Liebenden trunkenes Saitenspiel.
Unter Dornenbogen
O mein Bruder steigen wir blinde Zeiger gen Mitternacht

Untergang

4. Fassung

Unter den dunklen Bogen unserer Schwermut
Spielen am Abend die Schatten verstorbener Engel.
Über den weißen Weiher
5 Sind die wilden Vögel fortgezogen.

Träumend unter Silberweiden
Kosen unsere Wangen vergilbte Sterne,
Beugt sich die Stirne vergangener Nächte herein.
Immer starrt uns das Antlitz unserer weißen Gräber an.

10 Leise verfallen die Lüfte am einsamen Hügel,
Die kahlen Mauern des herbstlichen Hains.
Unter Dornenbogen
O mein Bruder steigen wir blinde Zeiger gen Mitternacht.

Am Hügel

›Geistliche Dämmerung‹ *1. Fassung*

Still vergeht am Saum des Waldes
Ein dunkles Wild
Am Hügel endet leise der Abendwind,

5 Balde verstummt die Klage der Amsel
Und die Flöten des Herbstes
Schweigen im Rohr.

Mit silbernen Dornen
Schlägt uns der Frost,
10 Sterbende ⟨?⟩ wir ⟨?⟩ über Gräber geneigt

Oben löst sich blaues Gewölk;
Aus schwarzem Verfall
Treten Gottes strahlende Engel

Wanderers Schlaf

›Der Wanderer‹ *1. Fassung*

Immer lehnt am Felsen die weiße Nacht
Wo in Silbertönen die Föhre ragt
Stein und Sterne sind.

5 Über den Gießbach wölbt sich der knöcherne Steg
Folgt dem Schläfer die dunkle Gestalt der Kühle,
Sichelmond in rosiger Schlucht.

Ferne schlummernden Hirten. In altem Gestein
Schaut aus kristallenen Augen die Kröte
10 Erwacht der blühende Wind, die Silberstimme
Des Totengleichen

Leise sagend die vergessene Legende des Walds
Das weiße Antlitz des Engels
Leise umschmeichelt sein Knie der ⟨...⟩ Schaum des Wassers

15 Rosige Knospe
Des Singenden trauriger Vogelmund.
Ein schöner Glanz erwacht auf seiner Stirne

Stein und Stern
Darin der weiße Fremdling ehdem gewohnt.

Passion

1. Fassung

Wenn silbern Orpheus die Laute rührt,
Beklagend ein Totes im Abendgarten –
Wer bist du Ruhendes unter hohen Bäumen?
5 Es rauscht die Klage das herbstliche Rohr,
Der blaue Teich.

Weh, der schmalen Gestalt des Knaben,
Die purpurn erglüht,
Schmerzlicher Mutter, in blauem Mantel
10 Verhüllend ihre heilige Schmach.

Weh, des Geborenen, daß er stürbe,
Eh er die glühende Frucht,
Die bittere der Schuld genossen.

Wen weinst du unter dämmernden Bäumen?
15 Die Schwester, dunkle Liebe
Eines wilden Geschlechts,
Dem auf goldenen Rädern der Tag davonrauscht.

O, daß frömmer die Nacht käme,
Kristus.

20 Was schweigst du unter schwarzen Bäumen?
Den Sternenfrost des Winters,
Gottes Geburt
Und die Hirten an der Krippe von Stroh.

Blaue Monde
25 Versanken die Augen des Blinden in härener Höhle.

Ein Leichnam suchest du unter grünenden Bäumen
Deine Braut,
Die silberne Rose
Schwebend über dem nächtlichen Hügel.

30 Wandelnd an den schwarzen Ufern
Des Todes,
Purpurn erblüht im Herzen die Höllenblume.

Über seufzende Wasser geneigt
Sieh dein Gemahl: Antlitz starrend von Aussatz
35 Und ihr Haar flattert wild in der Nacht.

Zwei Wölfe im finsteren Wald
Mischten wir unser Blut in steinerner Umarmung
Und die Sterne unseres Geschlechts fielen auf uns.

O, der Stachel des Todes.
40 Verblichene schauen wir uns am Kreuzweg
Und in silbernen Augen
Spiegeln sich die schwarzen Schatten unserer Wildnis,
Gräßliches Lachen, das unsere Münder zerbrach.

Dornige Stufen sinken ins Dunkel,
45 Daß röter von kühlen Füßen
Das Blut hinströme auf den steinigen Acker.

Auf purpurner Flut
Schaukelt wachend die silberne Schläferin.

Jener aber ward ein schneeiger Baum
50 Am Beinerhügel,
Ein Wild äugend aus eiternder Wunde,
Wieder ein schweigender Stein.

O, die sanfte Sternenstunde
Dieser kristallnen Ruh,
55 Da in dorniger Kammer
Das aussätzige Antlitz von dir fiel.

Nächtlich tönt der Seele einsames Saitenspiel
Dunkler Verzückung
Voll zu den silbernen Füßen der Büßerin
60 Im verlorenen Garten;
Und an dorniger Hecke knospet der blaue Frühling.

Unter dunklen Olivenbäumen
Tritt der rosige Engel
Des Morgens aus dem Grab der Liebenden.

Passion

2. Fassung

Wenn silbern Orpheus die Laute rührt,
Beklagend ein Totes im Abendgarten –
Wer bist du Ruhendes unter hohen Bäumen?
5 Es rauscht die Klage das herbstliche Rohr,
Der blaue Teich.

Weh, der schmalen Gestalt des Knaben,
Die purpurn erglüht,
Schmerzlicher Mutter, in blauem Mantel
10 Verhüllend ihre heilige Schmach.

Weh, des Geborenen, daß er stürbe,
Eh er die glühende Frucht,
Die bittere der Schuld genossen.

Wen weinst du unter dämmernden Bäumen?
15 Die Schwester, dunkle Liebe
Eines wilden Geschlechts,
Dem auf goldenen Rädern der Tag davonrauscht.

O, daß frömmer die Nacht käme,
Kristus.

20 Ein Leichnam suchest du unter grünenden Bäumen
Deine Braut,
Die silberne Rose
Schwebend über dem nächtlichen Hügel.

Wandelnd an den schwarzen Ufern
25 Des Todes,
Purpurn erblüht im Herzen die Höllenblume.

Über seufzende Wasser geneigt
Sieh dein Gemahl: Antlitz starrend von Aussatz
Und ihr Haar flattert wild in der Nacht.

30 Zwei Wölfe im finsteren Wald
Mischten wir unser Blut in steinerner Umarmung
Und die Sterne unseres Geschlechts fielen auf uns.

O, der Stachel des Todes.
Verblichene schauen wir uns am Kreuzweg
35 Und in silbernen Augen
Spiegeln sich die schwarzen Schatten unserer Wildnis,
Gräßliches Lachen, das unsere Münder zerbrach.

Dornige Stufen sinken ins Dunkel,
Daß röter von kühlen Füßen
40 Das Blut hinströme auf den steinigen Acker.

Auf purpurner Flut
Schaukelt wachend die silberne Schläferin.

Jener aber ward ein schneeiger Baum
Am Beinerhügel,
45 Ein Wild äugend aus eiternder Wunde,
Wieder ein schweigender Stein.

O, die sanfte Sternenstunde
Dieser kristallnen Ruh,
Da in dorniger Kammer
50 Das aussätzige Antlitz von dir fiel.

Nächtlich tönt der Seele einsames Saitenspiel
Dunkler Verzückung
Voll zu den silbernen Füßen der Büßerin
In der blauen Stille
55 Und Versühnung des Ölbaums⟨.⟩

⟨Vorhölle⟩ *1. Fassung der 1. Strophe*

Am Saum des Waldes – es wohnen dort die Schatten
der Toten –
Am Hügel sinkt ein goldener Kahn, der Wolken blaue Ruh
Weidend in der braunen Stille der Eichen. Härene Angst
Odmet das Herz, Kelch überfließend von purpurner
Abendröte,
5 Dunkle Schwermut. Den Lauscher im Laub, ein Geistliches
Geleitet der Schritt den verfallenen Pfad hinab.
Nachweht Kühle aus klagendem Mund, als folgte ein
schmächtiger Leichnam.

Abendland

1. Fassung (a)

Verfallene Weiler versanken
Im braunen November,
Die dunklen Pfade der Dörfler
5 Unter verkrüppelten
Apfelbäumchen, die Klage
Der Frauen im silbernen Flor.

Hinstirbt der Väter Geschlecht.
Es ist von Seufzern
10 Erfüllt der Abendwind
Dem Geist der Wälder.
Stille führet der Steg
Zu wolkigen Rosen
Ein frommes Wild am Hügel
15 Und es tönen
Die blauen Quellen im Dunkel
Daß ein Sanftes
Ein Kind geboren werde.

Leise verließ am Kreuzweg
20 Der Schatten den Fremdling
Und steinern erblinden
Dem die schauenden Augen,
Daß von der Lippe
Süßer fließe das Lied.
25 Denn es ist die Nacht
Die Wohnung des Liebenden,
Ist sprachlos das blaue Antlitz
Über ein Totes
Die Schläfe aufgetan;
30 Kristallner Anblick.
Dem folgt auf dunklen Pfaden
An Mauern hin
Ein Abgestorbenes nach.

Wanderschaft

›Abendland‹ *1. Fassung (b)*

So leise sind die grünen Wälder
Unserer Heimat
Die Sonne sinkt am Hügel
5 Und wir haben im Schlaf geweint;
Wandern wir mit weißen Schritten
An der dornigen Hecke hin
Singende im Ährensommer
Und Schmerzgeborne.

10 Schon reift dem Menschen das Korn
Und die heilige Rebe
Und in steinernem Zimmer,
Im kühlen ist bereitet das Mahl.
Auch ist dem Guten
15 Das Herz versöhnt in grüner Stille
Und Kühle hoher Bäume
Speise teilt er mit sanften Händen aus.

Vieles ist ein Wachendes
In der sternigen Nacht
20 Und schön die Bläue,
Schreitend ein Bleiches, Odmendes,
Ein Saitenspiel.

Gelehnt an den Hügel der Bruder
Und Fremdling,
25 Der menschenverlassene, ihm sanken
Die feuchten Lider
In unsäglicher Schwermut.
Aus schwärzlicher Wolke
Träufelt bitterer Mohn.

30 Mondesweiß schweiget der Pfad
An jenen Pappeln hin
Und balde
Endet des Menschen Wanderschaft,
Gerechte Duldung.
35 Auch freuet die Stille der Kinder,
Die Nähe der Engel
Auf kristallener Wiese.

Abendland

2. Fassung

Else Lasker-Schüler in Verehrung

1

Verfallene Weiler versanken
5 Im braunen November,
Die dunklen Pfade der Dörfler
Unter verkrüppelten
Apfelbäumchen, die Klagen
Der Frauen im silbernen Flor.

10 Hinstirbt der Väter Geschlecht.
Es ist von Seufzern
Erfüllt der Abendwind,
Dem Geist der Wälder.

Stille führt der Steg
15 Zu wolkigen Rosen
Ein frommes Wild am Hügel;
Und es tönen
Die blauen Quellen im Dunkel,
Daß ein Sanftes,
20 Ein Kind geboren werde.

Leise verließ am Kreuzweg
Der Schatten den Fremdling
Und steinern erblinden
Dem die schauenden Augen,
25 Daß von der Lippe
Süßer fließe das Lied;

Denn es ist die Nacht
Die Wohnung des Liebenden,
Ist sprachlos das blaue Antlitz,
30 Über ein Totes
Die Schläfe aufgetan;
Kristallener Anblick;

Dem folgt auf dunklen Pfaden
An Mauern hin
35 Ein Abgestorbenes nach.

2

Wenn es Nacht geworden ist
Erscheinen unsre Sterne am Himmel
Unter alten Olivenbäumen,
40 Oder an dunklen Zypressen hin
Wandern wir weiße Wege;
Schwerttragender Engel:
Mein Bruder.
Es schweigt der versteinerte Mund
45 Das dunkle Lied der Schmerzen.

Wieder begegnet ein Totes
Im weißen Linnen
Und es fallen der Blüten
Viele über den Felsenpfad.

50 Silbern weinet ein Krankes,
Aussätziges am Weiher,
Wo vor Zeiten
Froh im Nachmittag Liebende geruht.

Oder es läuten die Schritte
55 Elis' durch den Hain,
Den hyazinthenen,
Wieder verhallend unter Eichen.
O des Knaben Gestalt
Geformt aus kristallenen Tränen
60 Und nächtigen Schatten.

Anders ahnt die Stirne Vollkommenes,
Die kühle, kindliche,
Wenn über grünendem Hügel
Frühlingsgewitter ertönt.

65

3

So leise sind die grünen Wälder
Unserer Heimat,
Die Sonne sinkt am Hügel
Und wir haben im Schlaf geweint;
70 Wandern mit weißen Schritten
An der dornigen Hecke hin
Singende im Ährensommer
Und Schmerzgeborene.

Schon reift dem Menschen das Korn,
75 Die heilige Rebe.
Und in steinernem Zimmer,
Im kühlen, ist bereitet das Mahl.
Auch ist dem Guten
Das Herz versöhnt in grüner Stille
80 Und Kühle hoher Bäume.
Speise teilt er mit sanften Händen aus.

Vieles ist ein Wachendes
In der sternigen Nacht
Und schön die Bläue,
85 Schreitend ein Bleiches, Odmendes,
Ein Saitenspiel.

Gelehnt an den Hügel der Bruder
Und Fremdling,
Der menschenverlassene, ihm sanken
90 Die feuchten Lider
In unsäglicher Schwermut.
Aus schwärzlicher Wolke
Träufelt bitterer Mohn.

Mondesweiß schweigt der Pfad
95 An jenen Pappeln hin
Und balde
Endet des Menschen Wanderschaft,
Gerechte Duldung.
Auch freut die Stille der Kinder
100 Die Nähe der Engel
Auf kristallener Wiese.

4

Ein Knabe mit zerbrochener Brust
Hinstirbt Gesang in der Nacht.
105 Laß nur stille am Hügel gehn
Unter den Bäumen
Gefolgt vom Schatten des Wilds.
Süß duften die Veilchen im Wiesengrund.

Oder laß treten ins steinerne Haus,
110 Im gramvollen Schatten der Mutter
Neigen das Haupt.

In feuchter Bläue leuchtet das Lämpchen
Die Nacht lang;
Denn es ruht der Schmerz nicht mehr;
115 Auch sind die weißen Gestalten
Der Odmenden, die Freunde ferne gegangen;
Gewaltig schweigen die Mauern rings.

5

Wenn es auf der Straße dunkelt
120 Und es begegnet in blauem Linnen
Ein lange Abgeschiedenes,
O, wie schwanken die tönenden Schritte
Und es schweigt das grünende Haupt.

Groß sind Städte aufgebaut
125 Und steinern in der Ebene;
Aber es folgt der Heimatlose
Mit offener Stirne dem Wind,
Den Bäumen am Hügel;
Auch ängstet öfter die Abendröte.

130 Balde rauschen die Wasser
Laut in der Nacht,
Rührt die kristallenen Wangen
Eines Mädchens der Engel,
Ihr blondes Haar,
135 Beschwert von der Schwester Tränen.

Dieses ist oft Liebe: es rührt
Ein blühender Dornenbusch
Die kalten Finger des Fremdlings
Im Vorübergehn;
140 Und es schwinden die Hütten der Dörfler
In der blauen Nacht.

In kindlicher Stille,
Im Korn, wo sprachlos ein Kreuz ragt,
Erscheint dem Schauenden
145 Seufzend sein Schatten und Hingang.

Abendland

3. Fassung

An Else Lasker-Schüler

1

Mond, als träte ein Totes
5 Aus blauer Höhle
Und es fallen der Blüten
Viele über den Felsenpfad.
Silbern weint ein Krankes
Am Abendweiher,
10 Auf schwarzem Kahn
Hinüberstarben Liebende.

Oder es läuten die Schritte
Elis' durch den Hain
Den hyazinthenen
15 Wieder verhallend unter Eichen.
O des Knaben Gestalt
Geformt aus kristallenen Tränen,
Nächtigen Schatten.
Zackige Blitze erhellen die Schläfe
20 Die immerkühle,
Wenn am grünenden Hügel
Frühlingsgewitter ertönt.

2

So leise sind die grünen Wälder
25 Unsrer Heimat,
Die kristallne Woge
Hinsterbend an verfallner Mauer
Und wir haben im Schlaf geweint;
Wandern mit zögernden Schritten
30 An der dornigen Hecke hin
Singende im Abendsommer,
⟨In⟩ heiliger Ruh
Des fern verstrahlenden Weinbergs
Schatten nun im kühlen Schoß
35 Der Nacht, trauernde Adler.
So leise schließt ein mondener Strahl
Die purpurnen Male der Schwermut.

3

Strahlend nachtet die steinerne Stadt
40 In der Ebene.
Ein schwarzer Schatten
Folgt der Fremdling
Mit dunkler Stirne dem Wind,
Kahlen Bäumen am Hügel;
45 Auch ängstet im Herzen
Einsame Abendröte
Als stürzten silberne Wasser
Ins kühle Dunkel –
O Liebe, es rührt
50 Ein blauer Dornenbusch
Die kalte Schläfe,
Mit fallenden Sternen
Schneeige Nacht.

An Mauern hin

›Im Dunkel‹ *1. Fassung*

Nimmer das goldene Antlitz des Frühlings;
Dunkles Lachen im Haselgebüsch. Abendspaziergang im Wald
Und der inbrünstige Schrei der Amsel.
5 Taglang rauscht in der Seele des Fremdlings das glühende Grün.

Metallne Minute: Mittag, Verzweiflung des Sommers;
Die Schatten der Buchen und das gelbliche Korn.
Taufe in keuschen Wassern. O der purpurne Mensch.
Ihm aber gleichen Wald, Weiher und weißes Wild.

10 Kreuz und Kirche im Dorf. In dunklem Gespräch
Erkannten sich Mann und Weib
Und an kahler Mauer wandelt mit seinen Gestirnen der Einsame⟨.⟩

Leise über den mondbeglänzten Weg des Walds
Sank die Wildnis vergessener Jagden.
15 Blick der Bläue aus verfallenen Felsen bricht.

⟨Der Schlaf⟩ *1. Fassung*

Getrost ihr dunklen Gifte
Erzeugend weißen Schlaf
Einen höchst seltsamen Garten
Dämmernder Bäume
5 Erfüllt von Schlangen, Nachtfaltern,
Fledermäusen;
Fremdling dein jammervoller Schatten
Schwankt, bittere Trübsal
Im Abendrot!
10 Uralt einsame Wasser
Versanken im Sand.

Weiße Hirsche am Nachtsaum
Sterne vielleicht ⟨?⟩!
Gehüllt in Spinnenschleier
15 Schimmert toter Auswurf.
Eisernes Anschaun.
Dornen umschweben
Den blauen Pfad ins Dorf,
Ein purpurnes Lachen
20 Den Lauscher in leerer Schenke.
Über die Diele
Tanzt mondesweiß
Des Bösen gewaltiger Schatten.

An

›Die Heimkehr‹ *1. Fassung*
›Herbstliche Heimkehr‹ *1. Fassung (a)*

Die Kühle dunkler Jahre, Schmerz und Hoffnung
Bewahrt dies braune Gebälk
Darüber flammend Georginen hangen.
5 Als sänke ein goldner Helm von blutender Stirne
Stille endet der Tag,
Schaut Kindheit sanft aus schwärzlichen Augen an.
Leise verstrahlen im Abend die roten Buchen,
Liebe, Hoffnung, daß von blauen Lidern
10 Tau tropft unaufhaltsam.

Einsame Heimkehr! Die dunklen Rufe der Fischer
Tönen immer am dämmernden Fluß;
Liebe, Nacht, der Schwermut kristallene Minuten
Hinüberschimmernd, Sterne, schon stilleres Anschaun

Im Schnee

›Nachtergebung‹ *1. Fassung*

Der Wahrheit nachsinnen –
Viel Schmerz!
Endlich Begeisterung
5 Bis zum Tod.
Winternacht
Du reine Mönchin!

Anblick

›Nachtergebung‹ *2. Fassung*

Da so rot der Herbst und leise
Unter Ulmen dunkle Qual
Dämmernd Dorf und Liebesmahl
5 Falke winkt auf goldner Reise.

Stirne blutet sanft und dunkel
Sonnenblume welkt am Zaun
Schwermut blaut im Schoß der Fraun;
Gottes Wort im Sterngefunkel!

10 Purpurn flackert Mund und Lüge.
In verfallnem Zimmer kühl,
Scheint nur Lachen, golden Spiel,
Daß ein Sturm dies Haupt zerschlüge

Nachts mit Blitzen; schwärzlich fallen
15 Faule Früchte nachts vom Baum.
Kind an deinem blauen Saum
Muß ich stumm vorüberwallen.

An die Nacht

›Nachtergebung‹ *3. Fassung*

Mönchin schließ mich in dein Dunkel,
Kreuz im kühlen Sterngefunkel.
Purpurn brachen Mund und Lüge
5 Einer Glocke letzte Züge.
Nacht dein lüstern Wolkendunkel
Rote Frucht, verfluchte Lüge
Einer Glocke letzte Züge –
Blutend Kreuz im Sterngefunkel.

An die Nacht

›Nachtergebung‹ *4. Fassung*

Nymphe zieh mich in dein Dunkel;
Aster friert und schwankt am Zaun,
Schwermut blüht im Schoß der Fraun,
5 Blutend Kreuz im Sterngefunkel.

Purpurn brachen Mund und Lüge
In verfallner Kammer kühl;
Scheint noch Lachen, golden Spiel;
Einer Glocke letzte Züge.

10 Blaue Wolke! Schwärzlich fallen
Faule Früchte dumpf vom Baum
Und zum Grabe wird der Raum
Und zum Traum trüb' Erdenwallen.

Lange lauscht der Mönch dem sterbenden Vogel am
Waldsaum
O die Nähe des Todes, verfallender Kreuze am Hügel
Der Angstschweiß der auf die wächserne Stirne tritt.
O das Wohnen in blauen Höhlen der Schwermut.
5 O blutbefleckte Erscheinung, die den Hohlweg herabsteigt
Daß der Besessene leblos in die silbernen Kniee bricht.

Mit Schnee und Aussatz füllt sich die kranke Seele
Da sie am Abend dem Wahnsinn der Nymphe lauscht,
Den dunklen Flöten des ⟨. . .⟩ im dürren Rohr;
10 Finster ihr Bild im Sternenweiher beschaut;

Stille verwest die Magd im Dornenbusch
Und die verödeten Pfade und leeren Dörfer
Bedecken sich mit gelbem Gras. ⌈Abgrund.
Über verschüttete Stiegen hinab – ⟨?⟩ purpurner ⟨?⟩

15 Wo an schwarzen Mauern Besessene stehn
Steigt der bleiche Wanderer im Herbst hinab
Wo vordem ein Baum war, ein blaues Wild im Busch
Öffnen sich, zu lauschen, die weichen Augen
Helians.

20 Wo in finsteren Zimmern einst die Liebenden schliefen
Spielt der Blinde mit silbernen Schlangen,
Der herbstlichen Wehmut des Mondes.

Grau verdorren im braunen Gewand die Glieder
Ein steinerner Bogen
25 Der sich im Spiegel faulender Wasser verzückt.
Knöcherne Maske, die einst Gesang war.
Wie schweigsam die Stätte.

Ein verpestetes Antlitz, das zu den Schatten sinkt,
Ein Dornenbusch der den roten Mantel des Büßenden
30 Leise folgt der magische Finger des Blinden ⌊sucht;
Seinen erloschenen Sternen

Ein weißes Geschöpf ist der einsame Mensch
Das staunend Arme und Beine bewegt,
Purpurne Höhlen darin verblichene Augen rollen.

35 Über verschüttete Stiegen hinab wo Böse stehn
Ein Klang von herbstlichen Zymbeln verklingt
Öffnet sich wieder ein weißer <?> Abgrund.

Durch schwarze Stirne geht schief die tote Stadt
Der trübe Fluß darüber Möven flattern
40 Dachrinnen kreuzen sich an vergangenen Mauern
Ein roter Turm und Dohlen. Darüber
Wintergewölk, das aufsteigt.

Jene singen den Untergang der finsteren Stadt;
Traurige Kindheit, die nachmittags im Haselgebüsch spielt,
45 Abends unter braunen Kastanien blauer Musik lauscht,
Der Brunnen erfüllt von goldenen Fischen.

Über das Antlitz des Schläfers neigt sich der greise Vater
Des Guten bärtiges Antlitz, das ferne gegangen
Ins Dunkel

50 O Fröhlichkeit wieder, ein weißes Kind
Hingleitend an erloschenen Fenstern.
Wo vordem ein Baum war, ein blaues Wild im Busch
Öffnen sich zu sterben die weichen Augen
Helians.

55 Wo an Mauern die Schatten der Ahnen stehn,
Vordem ein einsamer Baum war, ein blaues Wild im Busch
Steigt der weiße Mensch auf goldenen Stiegen,
Helian ins seufzende Dunkel hinab.

Finster blutet ein braunes Wild im Busch;
Einsam der Blinde, der über verfallene Stufen herabsteigt.
Im Zimmer die dunklen Flöten des Wahnsinns.

Mit Schnee und Aussatz füllt sich die kranke Seele,
5 Da sie am Abend ihr Bild im rosigen Weiher beschaut.
Verfallene Lider öffnen sich weinend im Haselgebüsch.
O der Blinde,
Der schweigend über verfallene Stufen hinabsteigt
im Dunkel.

Im Dunkel sinken Helians Augen.

Sommer. In Sonnenblumen gelb klapperte morsches
Gebein,
Sank zu jungen Mönchen der Abend des verfallenen
Gartens hinab
Duft und Schwermut des alten Hollunders,
Da aus Sebastians Schatten die verstorbene Schwester trat,
5 Purpurn des Schlafenden Mund zerbrach.
Und die Silberstimme des Engels

Spielende Knaben am Hügel. O wie leise die Zeit,
Des Septembers und jener, da er in schwarzem Kahn
Am Sternenweiher vorbeizog, am dürren Rohr.
10 In wilder Vögel Flug und Schrei.

11 Ferne ging in Schatten und Stille des Herbstes
Ein Haupt,
Stieg der Schatten des Schläfer⟨s⟩ verfallene Stufen hinab.

11 Ferne saß die Mutter im Schatten des Herbstes
Ein weißes Haupt. Über verfallene Stufen
Stieg im Garten der dunkle Schäfer hinab.
Klage der Drossel.

15 O die härene Stadt; Stern und rosig Erwachen.

11 Ferne ging im braunen Schatten des Herbstes
Der weiße Schläfer.
Über verfallenen Stufen glänzte ein Mond sein Herz,
Klangen leise ihm blaue Blumen nach,
15 Leise ein Stern.

11 Oder wenn er ein sanfter Novize
Abends in Sankt Ursulas dämmernde Kirche trat,
Eine silberne Blume sein Antlitz barg in Locken
Und in Schauern ihn der blaue Mantel des Vaters umfing
15 Die dunkle Kühle der Mutter

11 Oder wenn er ein sanfter Novize
Abends in Sankt Ursulas dämmernde Kirche trat,
Eine silberne Stimme ⟨?⟩ das Antlitz barg in härenen
Locken,
Und in Schauern ihn die

FRAGMENTE

Fragment 1

Kindheit

Was leise gehet unter Herbstesbäumen
Am grünen Fluß, darüber Möven gleiten –
Es fällt das Laub; Einfalt dunkeler Zeiten.
5 's ist Gottes Ruh. Die Abendschatten säumen
Ein schwarzer Vogel singt in Herbstesbäumen.

Ein Händefalten müde und einträchtig
Am Abend folgen ihren Vogelzeichen
Die Augen, ehe sie dem Schlummer weichen –
10 Erinnerung des Knaben sanft und schmächtig.

Ein schwarzer Vogel singt in Herbstesbäumen
Den Frieden dieser Tage süß und mächtig
Auch will die Seele stille sich bereiten.

Fragment 2

Ein Kreuz ragt Elis
Dein Leib auf dämmernden Pfaden

Fragment 3

Geburt

Gang mit dem Vater, Gang mit der Mutter

Fragment 4

Im Frühling

Abend ist im alten Garten geworden.

Fragment 5

Nachtwandlung, Tod und Seele

Da ich hinsank am schwarzen Hügel des Schlafs müde der Wildnis und Verzweiflung finsterer Wintertage, kam auf glühendem Flügel ⟨?⟩ ein Traum zu mir:

Fragment 6

Da der Tag dahinsank fuhr K

Fragment 7

Es kehret der Heimatlose
Zurück zu moosigen Wäldern

Fragment 8

Gegen Abend erwachte Münch am Saum des Waldes. Eine goldene Wolke erlosch über ihm und die dunkle Stille des Herbstes erfüllte ihn mit Angst, die Einsamkeit der Hügel rings.

Fragment 9

Im Frühling; ein zarter Leichnam
Erstrahlend in seinem Grab
Unter den wilden
Hollunderbüschen der Kindheit.

Fragment 10

Nächtliche Buchen; es wohnt im Herzen
Dunkler Landschaft ein roter Wurm.

Fragment 11

Schneeige Nacht!
Ihr dunklen Schläfer
Unter der Brücke
Von zerbrochener Stirne
5 Tropft kristallner Schweiß euch

DRAMEN

Blaubart
Ein Puppenspiel
Fragment

Vorausnahme

Beklagst du, Gerechter dies wirre Bild,
Das von Gelächter und Irrsinn zerwühlt
Glaub' mir, bis wir uns wiedersehn
Wird mein Helde auf sittsameren Wegen gehn!
Amen!

Personen

Blaubart
Der Alte
⟨Herbert⟩
⟨Elisabeth⟩

1. Szene, 1. Fassung

Zimmer im Schloß. Es ist Nacht. Orgelspiel verklingt.

DER ALTE (am Fenster):
Gott sei ihm gnädig! Die Mess' ist aus –
Nun treten sie aus der Kirche heraus!
Gott sei ihr gnädig!
HERBERT (kniend):
Gott sei ihr gnädig – der bleichen Braut!
(angstvoll) Mir ist, ich hört' einen seufzenden Laut
Der Nacht entsteigen! Gütiger Gott!
Hilf den Sündern aus ihrer Höllennot!
Ich halt's nicht aus!
DER ALTE:
In den Wipfeln wühlt das Frühlingsgebraus!
Sei still! Mein Knabe, sie nahn!
HERBERT (wie verzückt):
Die alle
Nach dieser Nacht den Tag nicht sahn

Nun sind sie da unten wieder erwacht
Und seufzen in die Blutbrautnacht!
20 Nimm mir Ohr und Aug! Ich bin verflucht!
Die Nacht ist voll Wahnsinn – und verrucht!
35 Hilf! Alter hörst du das Schrein!

DER ALTE (still):
Nein!

HERBERT:
Laß mich fort! Ins Dorf hin!
40/25 Auf offnem Platz will ich niederknien
Und will bekennen – was hier geschah –
Und heute geschieht – daß sie fern und nah
Sturmglocken läuten in die Nacht –
Eh noch das Namenlose vollbracht!

45 DER ALTE:
30 Ich halt' dich nicht! Ward dir zu tun
Dies auferlegt, dann magst du's tun!
Du dauerst mich!

HERBERT:
50 Vater! Bet, für mich!
Daß ich den leibeignen ⟨?⟩ Herrn verrat!
35 Wir sehn uns nimmer! Ich hör' er naht!
Fort! Fort! Leb wohl!

DER ALTE:
55 Leb wohl!
(Herbert ab)

1. Szene, 2. Fassung

⟨Zimmer im Schloß. Es ist Nacht. Orgelspiel verklingt.

15 DER ALTE (am Fenster):
Gott sei ihm gnädig! Die Mess' ist aus –
Nun treten sie aus der Kirche heraus!
Gott sei ihr gnädig!

HERBERT (kniend):
20 Gott sei ihr gnädig – der bleichen Braut!
10 (angstvoll) Mir ist, ich hört' einen seufzenden Laut
Der Nacht entsteigen! Gütiger Gott!
Hilf den Sündern aus ihrer Höllennot!
Ich halt's nicht aus!

25 DER ALTE:
In den Wipfeln wühlt das Frühlingsgebraus!
15 Sei still! Mein Knabe, sie nahn!
HERBERT (wie verzückt):
Die alle
30 Nach dieser Nacht den Tag nicht sahn
Nun sind sie da unten wieder erwacht
Und seufzen in die Blutbrautnacht!
20 Nimm mir Ohr und Aug! Ich bin verflucht!
Die Nacht ist voll Wahnsinn – und verrucht!
35 Hilf! Alter hörst du das Schrein!
DER ALTE (still):
Nein!
HERBERT:⟩
Ich sah sie gehn, wie verlöschend Licht
40/25 Durch meinen Traum, und faßt es nicht
Fühlt ihre Näh, wie im Fieberglühn –
Und mußte schrein und vor ihnen fliehn!
Ein böser Traum hat mich krank gemacht
Nun weine ich die ganze Nacht
45/30 Ich vergaß – warum!
⟨DER⟩ ALTE:
Deine Kindertage sind um –
⟨HERBERT:⟩
Laß mich fort, Greis, laß mich fort.
50 Aasgeier umflattern wieder den Ort!
Sie gießen Blut auf die Schwelle hin –
35 Dort wo die Braut muß niederknien
Sieh Alter – siehst du das Blut?
DER ALTE:
55 Der Fackeln flackernde Glut!
HERBERT:
Die Schatten winken der bleichen Braut
Was heißt mich tun – davor mir so graut!
40 Kehr um – du Magd! Ein Schritt noch vom Tor!
60 Ihr geliebten Frauen tretet doch vor!
Der Tod vor der Schwelle! Bete für mich!
Der Tod vor der Schwelle: Laß mich sterben für dich.
Maria, – Jungfrau o bitt' für mich!
(Er stürzt sich zum Fenster hinaus)

65 DER ALTE ⟨(⟩fällt in die Knie⟨):⟩
45 Läßt du darum Frühling werden
Gott auf dieser dunklen Erden?

1. Szene, 3. Fassung (?), Fragment

DER DIENER⟨:⟩
15 Gott sei ihr gnädig!
Wie sie geht – gleich einem verlöschenden Licht
Wie ein ferner Traum – o fühlst du sie nicht!
Und seh ich sie an, fühl ich Fieberglühn –!
10 Und möchte vor ihr niederknien
20 Was ists, das mein Herze so brennen macht,
Und tausend Stimmen leiht der Nacht!
DER ALTE:
Du sollst sie nicht ansehn, mein armes Kind
DER JUNGE:
25 Gott sei ihr gnädig der bleichen Braut

2. Szene

Blaubart und Elisabeth.

ELISABETH:
70 Mein Herr! Als wir gingen durch dies Haus
Da löschten alle Fackeln aus!
BLAUBART:
Meine Taube, fühlst gar darin einen Sinn?
ELISABETH:
75/50 Ich weiß nicht Herr! Meine Hände glühn!
Mich däucht es weint wo immerzu!
BLAUBART:
Geh! Alter! Leg dich zur Ruh!
DER ALTE (kniet vor ihm nieder):
80 Gott sei Euch gut!
BLAUBART:
Was weinst du?
DER ALTE:
55 Kreist hundert Jahr nun schon mein Blut –
85 Hab nie Herr einen gesehn in der Welt –
Der so wie Ihr von Gott gequält!

Gäb' gern dies bißchen Leben für Euch –
Und kann nur weinen und knien vor Euch.

BLAUBART:

90/60 Du redest irr! Geh altes Kind!

DER ALTE (küßt seine Hände):

Erbarm dich dieser Hände so bleich –
O Jesus! dieser Hände so bleich
Gut Nacht! (ab)

95 BLAUBART (am Fenster):

Der Mond
65 Wie eine besoffene Dirne stiert –

ELISABETH:

Mich friert!

100 BLAUBART (tritt zurück):

Hier zitterndes Kindlein – trink Wein!
Daß die Augen dir glühn! Wie sehn sie rein!
Hei! Bist du torig! Ich trink dir zu!
70 Vergaß ich es? Wie alt bist du?

105 ELISABETH:

Fünfzehn Jahre Herr! In dieser Nacht!
Was ist Euch Herr?

BLAUBART:

Hab' ich gelacht?
110 Hei trink! Du zartliche Braut!
75 Sieh nur, wie der Mond dich brünstig anschaut!

ELISABETH:

Versteh Euch nicht, hab Angst vor Euch!

BLAUBART:

115 Wahrhaftig! Deine Wangen sind bleich!
Ich sing dir ein Lied, das dich lachen macht.

ELISABETH:

Das sänget Ihr?

BLAUBART:

120/80 Der Tausend ich weiß ein Liedlein dir,
Das oft ich vernommen in solcher Nacht.
(Er singt)

Wer sagt, daß ihr Licht erloschen war,
Als ich zur Feier löste ihr Haar.
Was klagt ihr mich an ihr Glocken
125/85 Möchtet lieber frohlocken.

Wer sagt, daß ihr stummer Mund verwest,
Als ich zur Nacht bei ihr gewest.
O schweige, schweige, du leise
Unendliche traurige Weise.

130/90 Wer sagt, daß offen stünd' ein Grab,
Und daß ich im Blick was Böses hab!
Wenn das mein Herze wüßte!
Erbarm' dich, o Jesus Christe!

ELISABETH schluchzt auf

135 BLAUBART:
Wie stehn dir die schimmernden Tränen gut!
95 Trink Wein!

ELISABETH:
Ich hab' ihn verschüttet – er leuchtet wie Blut!

140 BLAUBART:
Sagtest du Blut! Des Mondes trübe Glut
Nichts weiter! Hörst du, wie der Maien rauscht!

ELISABETH:
Mich däucht, daß im Dunkel zitternd wer lauscht
⟨. . .⟩
145/100 Träumt gestern unter dem Lindenbaum
An Vaters Haus einen bösen Traum.
(träumerisch) Heinrich, mein Knabe! Hilf!

BLAUBART (flüsternd):
Du Hur!
150 Ist's ein Affe oder ist's ein Stier –
105 Ein Wolf oder sonstig reißend Getier!
Hei lustig geschnäbelt zur Nacht,
Bis zweie nur mehr eines macht –
Und das ist drei!
155 So hört ich's die Spatzen pfeifen im Mai!

ELISABETH (wie verzaubert):
110 Komm Lieber! Feuer fließt mir im Haar
Weiß nimmer, nimmer, was gestern war
Blut stickt und würgt mir die Kehle zu
160 Nun hab' ich keine Nacht mehr Ruh!
Möcht nackend in der Sonne gehn,
115 Vor aller Augen mich lassen sehn,
Und tausend Schmerzen auf mich flehn
Und Schmerzen dir tun, zu rasender Wut!

165 Mein Knabe komm! Trink' meine Glut,
Bist du nicht durstig nach meinem Blut,
120 Nach meiner brennenden Haare Flut?
Hörst nicht, wie die Vögel im Walde schrien
Nimm alles, alles was ich bin –
170 Du Starker – mein Leben – du nimm hin!
Was stehst du fern –

BLAUBART:

125 Ist erst erloschen der letzte Stern – –

ELISABETH (wie verzaubert):

175 Trägst du nicht am Hals ein Schlüsselein?
Es leuchtet – möcht's ein goldenes sein?
Was öffnet's mir?

BLAUBART:

Es öffnet zum Brautgemach die Tür!
180/150 Sein Geheimnis ist Verwesung und Tod,
Erblüht aus des Fleisches tiefster Not.
(Es schlägt Mitternacht! Alles Licht erlischt)
In Mitternacht du brünstige Braut
Zur Todesblume greifend erblaut –
185 Sei dir dies süße Geheimnis vertraut.
135 Starb Gott einst für des Fleisches Not
Muß der Teufel feiern zur Lust den Tod.
(Er sperrt eine Türe auf)
Hörst du des Asrael Flügelschlag –
190 Wie die Vögel du schreien hörtest im Hag.
Lust peitschen Haß, Verwesung und Tod
140 Entsprungen dem Blute, gellend und rot
Komm zitternde Braut! (Er fällt über sie her)

ELISABETH:

195 Hu! Hu! Wies mich schüttelt und graut!
Nicht du! Nicht du! O rette mich!
Lieber!

BLAUBART:

145 Wie dein Knabe – so keusch, o lieb ich dich!
200 Doch soll ich dich Kindlein ganz besitzen –
Muß ich, Gott will's den Hals dir schlitzen!
Du Taube, und trinken dein Blut so rot
Und deinen zuckenden, schäumenden Tod!
150 Und saugen aus deinem Eingeweid
205 Deine Scham und deine Jungfräulichkeit

ELISABETH:
Erbarmen! Was zerrst du mich am Haar!
BLAUBART:
Keusch blühende Rose auf meinem Altar –
210 ELISABETH:
Gott steh mir bei! Du geifernd ⟨Tier⟩!
BLAUBART:
155 Ist's ein Affe, oder ist's ein Stier
Ein Wolf oder ander reißend Getier
215 Hei lustig geschnäbelt zur Nacht –
Bis zweie nur mehr eines macht!
Und eins ist der Tod!
ELISABETH:
160 Neigt niemand sich meiner grausen Not?
220 BLAUBART (schreit):
Gott!

(Er zerrt sie in die Tiefe. Man hört einen gellenden Schrei. Dann tiefe Stille. Nach einiger Zeit erscheint Blaubart, bluttriefend, und trunken außer sich und stürzt wie niedergemäht vor einem Crucifix nieder)

225 BLAUBART (verlöschend):
Gott!

Fragmentarische Szene

BLAUBART:
Ist ein spaßhafter wieder milder Gast.
Was macht dir so heiß – du fieberst ja fast!
(Er streichelt ihre Finger)
5 Atmest du diese mondene Nacht –
Die Molche und Lilien geile macht.
5 Hei, wies aus bebenden Kelchen schäumt,
Und schwärend sich Leib an Leib aufbäumt –
Und geifernd sich voll Wut umschlingt –
10 Und ringt – und ringt!
So heiß und schwer

Don Juans Tod
⟨Eine Tragödie in 3 Akten⟩

Fragment

Prolog

⟨. . .⟩ festlich hohe Träume ⟨. . .⟩
⟨. . .⟩
⟨. . .⟩ dionysisch Antlitz,
In dem die Freuden einer Götterwelt,
Die einst dahinsank, auferstanden schienen
Ein Enkel derer, die die Götter liebten
Und die das Leben segnet und befreit.
Weh!
Aus dir starrt mich des Erdendaseins hohle
Und schmerz⟨. . .⟩ Maske steinern an,
Dahinter Tod und heißer Wahnsinn lauern.
⟨. . .⟩
⟨. . . das⟩ qualentlohte ⟨Schicksal . . .⟩
⟨. . .⟩
Durch finstere Tat, im Zwiespalt deines Wesens –
Ein Fremdgeborener und ein Qualbestimmter
Ein überwundner Sieger, Selbstverlorner,
Auf eisigen Gipfeln, die den Menschen fremd,
Ein Jäger, der die Pfeile schickt nach Gott.

Don Juans Tod
⟨Eine Tragödie in 3 Akten⟩

Der Tragödie dritter Akt

1. Fassung

Szene: Ein Saal im Schloß des Don Juan.

CATALINON (vor sich hinmurmelnd):
Was scharrt dort an der Tür! Nur immer zu!
Ich rühr' mich nicht. – Es scheint geduldig wie
Ein Tier, das selbst dem Schweigen eine Antwort
Entlocken möchte – scharrt und scharrt! He du,
Gib acht! Hier ist die Hölle – sagt' ich Hölle?
Vielleicht des Himmels Eingang auch. Wer weiß!
Dem Unfaßbaren hascht das träge Wort

Vergeblich nach, das nur in dunklem Schweigen
An unsres Geistes letzte Grenzen rührt.
10 Nur nicht so laut, ich komme schon und öffne!
15 (Er geht zur Tür und schiebt den Riegel zurück)
Tritt ein, du Unermüdlicher! Bist du
Ein Mensch, laß deine Sprache draußen,
Daß du vorwitzig sie nicht brauchst.

FIORELLO (am ganzen Körper bebend, tritt ein)

20 CATALINON:
Dacht' ich's doch gleich!

FIORELLO:
15 Daß du nur da bist!
Leer steht das Haus, die Diener sind geflohn
25 Laut schreiend in die Nacht die Greueltat
Die hier in dieser Stunde sich bereitet.

CATALINON:
Schweig alter Mensch!

FIORELLO:
30/20 O namenloser Frevel!

CATALINON:
Schenk' dir den Schluß der Rede, weiß ich doch
Wonach der Witz dir steht. Schweig du, wie ich
Gesagt.

35 FIORELLO:
Ich schweige schon, du fürchterlicher Mensch.

CATALINON:
25 Wenn's dir beliebt, kannst du auch wieder gehn!
Dir wäre besser – –

40 FIORELLO:
Ich, meinen Herrn verlassen!
Ich bleibe hier, wenn auch die Angst mich tötet,
Und die Erwartung dessen, was da kommen
30 Wird.
45 (Er setzt sich nieder)

CATALINON (vor sich hinsummend):
In deine erloschenen Augen
Pflanz ich ein loderndes Licht
Ich entreiß dich dem Todesdunkel
50 Und Gott und Teufel, sie hindern es nicht!

FIORELLO:
35 Der Entsetzliche!

CATALINON (horcht auf):

Er naht – er kommt!

55 ⟨()Don Juan erscheint in der Tür zur rechten Seite, durch die man in einem fahl erleuchteten Zimmer die Leiche der Donna Anna auf einem Ruhebett liegen sieht.()⟩

DON JUAN:

Weg, schreckliches Gesicht!
60 Was scheuchst du mich von meinem Lager auf
Da dieser Stunde tiefster Wonneschauer
40 Mir noch im Blute bebt und mich erfüllt
Mit übermenschlichen Gesichten. Weg, weg!
Du Fratze, die ein geiler Schreck gebar,
65 Mich ekelt, sehe ich dich an – ich möcht'
Es nicht und muß. So fass' ich dich verfluchtes
45 Gebilde du Auswurf meiner heißen Sinne
Erwürge dich mit diesen Händen, versenge
Mit meines Atems Glut, dich, Tiergesicht!
70 Ah! Schwebst du mir noch vor und blickst mich an
Aus toderstarrten Augenhöhlen, worin
50 Die Finsternis, die noch kein Lichtstrahl je
Erhellte, weint. Und füllst den Raum mit Schweigen,
Das blaß, grufttief sich schleicht in meines Herzens
75 Aufschäumend Pulsen und schlangengleich sich windet
Um meiner Sinne trunkene Entzückung,
55 Daß ferner immer ferner mir des Lebens
Vielstimmiges Geräusch verklingt, sich brechend
An ekler Öde. Es engt der Raum sich und
80 Verschlingt, der nahen Dinge sichere
Gestalt. Es steigt an mir empor und schon
60 Droht es mich zu umfassen. Weg Wesenloses!
Noch widertönt mein Blut von dieser Welt
Die Erde hält mich und ich lache dein.
85 (Er taumelt ans Fenster, und stößt es auf)
Hier öffne ich dem Leben weit die Pforten,
Und tönend braut's herein, mich zu umfassen,
65 Mit seinen Schwingen hüllt's mich ein – und ich –
Bin sein!
90 Und atme ein die Welt, bin wieder Welt
Bin Wohllaut, farbenheißer Abglanz – bin
Unendliche Bewegung – bin.

Don Juans Tod
<Eine Tragödie in 3 Akten>

Der Tragödie dritter Akt
2. Fassung

Szene: Ein Saal im Schloß des Don Juan.

Don Juan erscheint in der Tür zur rechten Seite, durch die man in einem hellerleuchteten Zimmer die Leiche der Donna Anna auf einem Ruhebett liegen sieht.

DON JUAN:
Weg, schreckliches Gesicht!
Was scheuchst du mich von meinem Lager auf,
Da dieser Stunde tiefster Wonneschauer
Mir noch im Blute bebt, und mich erfüllt
Mit übermenschlichen Gesichten. Weg – weg!
Du Fratze, die ein geiler Schreck gebar!
Ich schaudere, seh' ich dich an – ich möcht'
Es nicht und muß. **(Mit den Händen ins Leere fassend)** So fass'
ich dich verfluchtes
Gebilde, du Auswurf meiner heißen Sinne,
Erwürge dich, mit diesen Händen, versenge
Mit meines Atems Glut – dich, Tiergesicht.
Ah! Schwebst du mir noch vor, und blickst mich an
Aus toderstarrten Augenhöhlen, worin
Die Finsternis, die noch kein Lichtstrahl je
Erhellte, weint. Und füllst den Raum mit Schweigen,
Das blaß, grufttief, sich schleicht in meines Blutes
Aufschäumend Pulsen und schlangengleich sich windet
Um meines Herzens trunkene Entzückung,
Daß ferner, immer ferner mir des Lebens
Vielstimmiges Geräusch verklingt, sich brechend
An ekler Öde. Es engt der Raum sich und
Verschlingt der nahen Dinge sichere
Gestalt. Es steigt an mir empor und schon
Droht es mich zu umfassen. Weg – Wesenloses!
Noch widertönt mein Blut von dieser Welt
Die Erde hält mich und ich lache dein!
(Er taumelt ans Fenster und stößt es auf)
Hier öffne ich dem Leben weit die Pforten,

Und atme ein die Welt, bin wieder Welt,
Bin Wohllaut, farbenheißer Abglanz – bin
Unendliche Bewegung! – Bin!

(Er sinkt mit einem lauten Schrei zu den Stufen nieder)

II. Auftritt

Es treten auf: der Hausverwalter Fiorello, und Catalinon.

Dramenfragment

1. Fassung

1

Hütte am Saum eines Waldes. Im Hintergrund ein Schloß. Es ist Abend.

Der Pächter: Unser Tagewerk ist getan. Die Sonne ist untergegangen. Laß uns ins Haus gehen〈.〉

Peter: Bei der Mühle hat man heute die Leiche eines Knaben gefunden. Die Waisen des Dorfes sangen seine schwarze Verwesung. Die roten Fische haben seine Augen gefressen und ein Tier den silbernen Leib zerfleischt; das blaue Wasser einen Kranz von Nesseln und wildem Dorn in seine dunklen Locken geflochten.

Der Pächter: Rotes Gestern, da ein Wolf mein Erstgebornes zerriß. Fluch, Fluch durch finstere Jahre. Woran erinnerst du mich: Leise tönen die Glocken, langsam wölbt sich der schwarze Steg über den Bach und die roten Jagden verhallen in den Wäldern. Dunkel singt der Wahnsinn im Dorf; morgen heben wir vielleicht das Bahrtuch von einem teueren Toten. Laß uns gehn. O die läutenden Herden am Waldsaum, das Rauschen des Korns –

Peter: Euere Tochter –

Der Pächter: Sprichst du von deiner Schwester! Ihr Antlitz sah ich heut' nacht im Sternenweiher, gehüllt in blutende Schleier. Des Vaters Fremdlingin –

Peter: Die Schwester singend im Dornenbusch und das Blut rann von ihren silbernen Fingern, Schweiß von der wächsernen Stirne. Wer trank ihr Blut?

Der Pächter: Gott mein Haus hast du heimgesucht. In

dämmerndem Zimmer steh ich geneigten Haupts, vor der Flamme meines Herdes; darin ist Ruß und Reines, und im Schatten weiß ich einen knöchernen Gast; glühend Erblinden. Wo bist du Peter?

PETER: Grüne Schlangen flüstern im Haselbusch – Schritt in englischer Flamme –

DER PÄCHTER: O die Wege voll Stacheln und Stein. Wer ruft euch; daß ihr in Schlummer das Haus und das weiße Haupt verlasset eh' am Morgen der Hahn kräht.

PETER: O die Pforte des Klosters, die sich leise schließt. Gewitter ziehn über das Schloß. Höllenfratzen und die flammenden Schwerter der Engel. Fort! Fort! Lebt wohl.

DER PÄCHTER: O die Ernte di⟨e . . .⟩ Schon rauscht das wilde Gras auf den Stufen des Hauses, nistet im Gemäuer der Skorpion. O meine Kinder.

Maria sprichst du ein kleines Irrlicht zu mir, hingegangenes Kind, ein blauer Quell mein verstorbenes Weib und die alten Bäume fallen auf uns. Wer spricht? Johanna, Tochter weiße Stimme im Nachtwind, von welch traurigen Pilgerschaften kehrst du heim. O du, Blut von meinem Blute, Weg und Träumende in mondener Nacht – wer bist du? Peter, dunkelster Sohn, ein Bettler sitzest du am Saum des steinigen Ackers, hungernd, daß du die Stille deines Vaters erfülltest. O die Sommerschwere des Korns; Schweiß und Schuld und endlich sinkt in leeren Zimmern das müde Haupt auch. O das Rauschen der Linde von Kindheit an, vergebliche Hoffnung des Lebens, das versteinerte Brot! Neige dich stille Nacht nun. (Er verbirgt das Haupt in den Händen)

2

Dornige Wildnis, Felsen, ein Quell. Es ist Nacht.

JOHANNA⟨:⟩ Stich schwarzer Dorn. Ach noch tönen von wildem Gewitter die silbernen Arme. Fließe Blut von den rasenden Füßen. Wie weiß sind sie geworden von nächtigen Wegen! O das Schreien der Ratten im Hof, der Duft der Narzissen. Rosiger Frühling nistet in den schmerzenden Brauen. Was spielt ihr verwesten Träume

der Kindheit in meinen zerbrochenen Augen. Fort!
Fort! Rinnt nicht Scharlach vom Munde mir. Weiße
Tänze im Mond. Tier brach ins Haus mit keuchendem
70 Rachen. Tod! Tod! O wie süß ist das Leben! In kahlem
Baum wohnt die Mutter, sieht mich mit meinen traurigen Augen an. Weiße Locke des Vaters sank ins
Hollundergebüsch – Liebes es ist mein brennendes Haar.
Rühre nicht dran, Schwester mit deinen kalten Fingern.

75 Die Erscheinung: Leises Schweben erglühender Blüte –

Johanna: Weh, die Wunde die dir am Herzen klafft, liebe
Schwester⟨.⟩

Die Erscheinung⟨:⟩ Brennende Lust; Qual ohne Ende.
Fühl' meines Schoßes schwärzliche Wehen.

80 Johanna: In deinem Schatten wes Antlitz erscheint; gefügt aus Metall und feurige Engel im Blick; zerbrochne
Schwerter im Herzen.

⟨Die⟩ Erscheinung: Weh! Mein Mörder! (Die Erscheinung
versinkt)

85 Johanna: Glühende Schmach, die mich tötet; Elai!
Schneeiges Feuer im Mond!
(Sie stürzt besinnungslos in den Dornenbusch, der sich über ihr schließt⟨.⟩)

Der Wanderer: Wer schrie in der Nacht, stört das süße
Vergessen in schwarzer Wolke mir? Weg und Hügel,
90 wo ich in glühenden Tränen geruht – laß Gott nur
Traum sein, den Schritt im moosigen Wald, Hütte die
ich im Abendrot verließ, Frau und Kind. Weg aus
diesen furchtbaren Schatten.

Der Mörder: Bleierne Stufe ins Nichts. Wer riß aus dem
95 Schlaf mich; hieß mich verödete Pfade gehn. Wer hat
mein Antlitz genommen, das Herz in Kalk verwandelt.
Verflucht dein Name! Wer hat die Lampe aus meinen
Händen genommen. Wildes Vergessen. Wer drückt das
Messer in meine rote Rechte. Lachendes Gold! Ver-
100 flucht! Verflucht! (Er starrt in die ⟨?⟩ Luft ⟨?⟩)

Der Wanderer: Wie dunkel ist es um mich geworden;
Stimme im Innern kündet Unheil, heilige Mutter trockne
den Schweiß auf meiner Stirne, das Blut; trauriger
Amselruf, Nachmittagssonne im Wald – wo träumte
105 ich das?

Der Mörder (über ihn herfallend): Hund, dein Gebein! (Er
ersticht ihn)

DER WANDERER (sterbend) ⟨:⟩ Weg von meiner Kehle die schwarze Hand – weg von den Augen nächtige Wunde – purpurner Alb der Kindheit. (Er sinkt zurück)

DER MÖRDER: Lachendes Gold, Blut – o verflucht! (Er durchsucht den Ranzen des Toten)

Dramenfragment

2. Fassung

I. Akt

In der Hütte des Pächters. Es ist Nacht. Der Pächter, Peter, sein Sohn. Es klopft.

PETER: Wer da?

STIMME DRAUSSEN: Öffne! (Peter öffnet. Kermor tritt ein)

KERMOR: Meinem Rappen brach ich im Wald das Genick, da der Wahnsinn aus seinen purpurnen Augen brach. Der Schatten der Ulmen fiel auf mich, das blaue Lachen des Wassers. Nacht und Mond! Wo bin ich. Einbrech ich in süßen Schlummer, umflattert mich silbernes Hexenhaar! Fremde Nähe nachtet um mich. (Er sinkt am Herd nieder)

PETER: Seine Schläfe blutet⟨.⟩ Sein Antlitz ist schwarz von Hochmut und Trauer, Vater!

DER PÄCHTER: Getan ist das Tagwerk, die Sonne untergegangen. Stille unser Leben.

PETER: Bei der Mühle hat man heute die Leiche des Mönchs gefunden. Die Waisen des Dorfes sangen seine schwarze Verwesung. Rote Fische haben seine Augen gefressen und ein Tier den silbernen Leib zerfleischt; das blaue Wasser einen Kranz von Nesseln und wildem Dorn ins dunkle Haar ihm geflochten.

DER PÄCHTER: Rotes Gestern, grünender Morgen. Mein Weib ist gestorben, das Erstgeborne verdorben erblindet des Greisen Gesicht⟨.⟩ Fluch durch finstere Jahre. Wer kam als Fremdling zu uns?

KERMOR (im Schlaf): Verhallt ihr roten Jagden. Schwarzer Steg, langsam gewölbt über dem Bach. Wälder und Glocken. Leise hebt die silberne Hand das Bahrtuch von

der finsteren Schläferin, beut in Dornen das metallene
30 Herz. Mondnes Antlitz –

DER PÄCHTER: Erlosch die Flamme im Herd! Wer verläßt
mich!

PETER: O die Schwester singend im Dornenbusch und das
Blut rinnt von ihren silbernen Fingern, Schweiß von
35 ihrer wächsernen Stirne. Wer trinkt ihr Blut?

KERMOR (im Schlaf): O ihr Wege in Stein. Sternenantlitz
gehüllt in eisige Schleier; singende Fremdlingin – –
Finsternis wogt im Herzen mir.

DER PÄCHTER: Furchtbarer Gott, der eingekehrt in mein
40 Haus. Geerntet ist das Korn, gekeltert die Traube. O die
finsteren Zimmer!

PETER: Schweiß und Schuld!, Vater, hör, die Pforte des
Klosters, die sich leise auftut. Stürzende Sterne! Gewitter ziehen über das Schloß, Höllenfratzen und die
45 flammenden Schwerter der Engel – –

KERMOR (im Schlaf): Mädchen dein glühender Schoß im
Sternenweiher – –

PETER: O die Rosen, grollend in Donnern! Fort! Fort!
Lebt wohl. (Er stürzt fort)

50 KERMOR (im Schlaf)⟨:⟩ Laß ab – schwarzer Wurm, der purpurn am Herz bohrt! Verfallener Mond, folgend durch
morsches Geröll – –

DER PÄCHTER: Peter, dunkelster Sohn, ein Bettler sitzest
du am Saum des steinigsten Ackers, hungernd, daß du
55 die Stille deines Vaters erfülltest. O die Herbstschwere
des Weizens, Sichel und harter Gang und endlich sinkt
in kahlem Zimmer das weiße Haupt hin. (In diesem
Augenblick tritt Johanna aus ihrer Schlafkammer) Johanna, ein
kleines Irrlicht sprichst du zu uns, stilleres Kind,
60 mit der blauen Stimme des Quells mein verstorbenes
Weib und die alten Bäume, die ein Toter gepflanzt,
fallen auf uns. Wer spricht. Johanna, Tochter, weiße
Stimme im Nachtwind, gerüstet zu purpurner Pilger-
schaft; o du Blut, von meinem Blute, Pfad und Träu-
65 mende in mondener Nacht. Wer sind wir? O vergebliche Hoffnung des Lebens; o das versteinerte Brot!
(Sein Haupt sinkt hin)

JOHANNA (traumwandelnd): O das wilde Gras auf den Stufen,
das die frierenden Sohlen zerfleischt, Bild in hartem

70 Kristall, laß dich mit silbernen Nägeln graben – o süßes Blut.

KERMOR (erwachend): Erwachen aus braunem Mohn! Leise verstummen die sanften Stimmen der Engel. Heule Herb⟨st⟩sturm! Falle auf mich, schwarzes Gebirge,
75 Wolke von Stahl; schuldiger Pfad, der mich hergeführt

JOHANNA: Lachende Stimme im Nachtwind – –

KERMOR (erblickt sie): Dornige Stufen in Verwesung und Dunkel; purpurne Höllenflamme flamme! (Er erhebt sich und flieht ins Dunkel)

80 JOHANNA (hoch aufgerichtet): Mein Blut über dich – da du brachest in meinen Schlaf.

APHORISMEN

Aphorismus 1

Nur dem, der das Glück verachtet, wird Erkenntnis.

Aphorismus 2

Gefühl in den Augenblicken totenähnlichen Seins: Alle Menschen sind der Liebe wert. Erwachend fühlst du die Bitternis der Welt; darin ist alle deine ungelöste Schuld; dein Gedicht eine unvollkommene Sühne.

Anhang

Die »Gedichte« und »Sebastian im Traum«

Der erste Hinweis auf den Plan, eine Gedichtsammlung auf dem Wege der Subskription zu veröffentlichen, findet sich in einem Brief Trakls an Buschbeck vom 2. 2. 1912[1]; in ironisch ehrerbietigem Ton schließt er:

> ... gleichwie ich mich Deinem ferneren Wohlwollen bestens empfehle, der Du dereinst meine Gedichte in Verlag nehmen willst.

Anfang Dezember desselben Jahres schickt Trakl das Manuskript an Buschbeck ab, »ohne es nach einem besonderen Gesichtspunkt zu ordnen«[2]. Die Entscheidung überläßt er dem Freunde:

> Falls Du eine andere Anordnung der Gedichte für angezeigt halten solltest, bitte ich Dich sie nur nicht chronologisch vorzunehmen.[3]

Der greift allerdings in die Anordnung der Gedichte nicht ein:

> ... ich will Dir doch von dem großen Eindruck schreiben, den ich wieder von der Gesammtheit dieser zum Teil mir ja längst bekannten Gedichte[n] empfieng, von dieser Welt von Bildern und Gesichten, an die mich mehr bindet als die Gemeinsamkeit einer Jugend oder die Gemeinsamkeit einzelner Erlebnisse. Eine andere Ordnung unter diese Gedichte zu bringen, als die von Dir gewählte, halte ich mich nicht für berufen und ich halte sie auch nicht für notwendig. Ich glaube, daß im Gegenteil diese ungezwungene und ungesuchte Buntheit der Bilder das beste, sicher aber das sympatischeste ist. So ließ ich sie also vollkommen, wie Du sie mir gesendet.[4]

Am 18. Dezember 1912 reicht Buschbeck das Manuskript dem Albert Langen Verlag zur Prüfung ein, wird aber trotz der Fürsprache Karl Borromäus Heinrichs, des Lektors bei Albert Langen, am 19. 3. 1913 abschlägig beschieden:

> Das uns von Ihnen übersandte Manuskript »Dämmerung und Verfall« von Georg Trakl ist durch sämtliche Instanzen unseres Verlages geprüft worden und übereinstimmend sind die Trakl'schen Gedichte sehr talentvoll befunden worden, wenngleich sämtliche Beurteiler außer dem der ersten Instanz auch mancherlei Einwände hatten. Leider hat sich auf Grund dieser Urteile in unserem Kurato-

[1] Brief 27, HKA Bd. I, S. 486.
[2] Brief 45, HKA Bd. I, S. 496.
[3] Brief 45, HKA Bd. I, S. 497.
[4] Buschbeck, Brief 5, HKA Bd. II, S. 750 f.

rium die nötige Einstimmigkeit dafür, das Werk in Verlag zu nehmen, nicht ergeben.[5]

Während dieser ganzen Zeit arbeitet Trakl an der Vervollkommnung der Sammlung; er meldet Korrekturwünsche an, stellt Gedichte in der Sammlung um oder tauscht sie ganz aus. Die intensive Arbeit an der Gesamtkomposition, sein Bemühen um die Stimmigkeit jedes Wortes, jeder Zeile und jedes Gedichts mit allen Worten, Zeilen und Gedichten des Bandes mag ihn dazu bewogen haben, die Sammlung zu benennen, als *ein* Gedicht die Gesamtheit der Gedichte zu fassen: »Dämmerung und Verfall«.

Gleich nach der Ablehnung durch den Albert Langen Verlag bittet Trakl den Freund, ihm das Manuskript zurückzusenden:

> Ich bitte Dich sehr, mir die vom Verlag Langen zurückgeschickten Gedichte zu übersenden und zwar nach Innsbruck an die Adresse Fickers, da ich heute dorthin fahre. Ich will das Manuskript noch einmal gründlich und gewissenhaft durchsichten, ehe ich es einem anderen Verlag einreiche und vor allem die Gedichte entfernen, die ursprünglich vor mir ausgeschieden waren und später durch Dr. Heinrich eingefügt wurden.[6]

Und noch einmal, dringlicher, nach der Anfrage des Kurt Wolff Verlages[7]:

> Heute erhielt ich vom Verlag »Rohwolt« einen sehr freundlichen Antrag wegen meiner Gedichte. Ich nehme ihn mit vieler Freude an

[5] HKA Bd. II, S. 686 f.

[6] Brief 65, HKA Bd. I, S. 507 f.

[7] Der Verlag firmiert erst seit dem 15. 2. 1913 als »Kurt Wolff Verlag«; bekannter und wohl auch für Trakl vertrauter war der alte Name »Ernst Rowohlt Verlag«, den der Ernst Wolff Verlag auch noch eine Weile im Briefkopf mitführt. Vgl. Kurt Wolff Verlag, Brief 1, HKA Bd. II, S. 789:

KURT WOLFF VERLAG · LEIPZIG
(FRÜHER ERNST ROWOHLT VERLAG)
ABTEILUNG: BÜHNENVERTRIEB
KÖNIGSTR. 10 ⟨...⟩ DEN 1. April 1913

Herrn Georg Trackl
p. adr. Verlag der Zeitschrift »Der Brenner«
Innsbruck

Sehr geehrter Herr!
Ich habe Ihre Gedichte im »Brenner« mit großem Interesse gelesen und möchte mir die Anfrage erlauben, ob Sie geneigt wären, mit eine Zusammenstellung ihrer Gedichte, die Sie für eine Publikation in Buchform geeignet halten, einzusenden.
Ich würde mich freuen, recht bald von Ihnen zu hören, und begrüße Sie

in ausgezeichneter Hochachtung
ergebenst
Kurt Wolff

und bitte Dich sehr mir das Manuskript umgehend zu senden, da ich es noch ordnen will, ehe ich es einreiche.[8]

Das Mitte April 1913 an den Kurt Wolff Verlag abgesandte Manuskript unterscheidet sich also beträchtlich von dem, das der Albert Langen Verlag in seinem Ablehnungsbescheid »Dämmerung und Verfall« nennt. So nennt Trakl zwar diesen Titel – der möglicherweise auf einen Vorschlag von Karl Borromäus Heinrich zurückgeht – als er mit Kurt Wolff einen Vertrag über die Veröffentlichung der Gedichte abschließt:

> Beigeschlossen übersende ich Ihnen die beiden unterzeichneten Verträge. Wenn Sie der Gedichtsammlung einen anderen Titel gegeben wissen wollen, so schlage ich Ihnen jenen vor, den die Sammlung ursprünglich trug »Dämmerung und Verfall«. Ich glaube, daß er alles Wesentliche ausdrückt.[9];

die zitierte Briefstelle zeigt aber auch, daß Trakl von dem Titel abrückt: nur bedingungsweise noch soll er gelten; denn obwohl »er alles Wesentliche ausdrückt«, hat sich die ursprüngliche Gestalt eben der Sammlung, die er benannte und zusammenfaßte, so sehr verändert, daß Trakl ihn nur mit deutlichem Hinweis auf die Vergangenheit des ursprünglichen Zustands zitiert.

Während der Herstellungszeit des Buches – es erscheint im Juli 1913 in der Reihe »Bücherei Der jüngste Tag« als Band 7/8 – arbeitet Trakl weiter durch nachgereichte Korrekturen und Umstellung einzelner Gedichte an der Vervollkommnung der Sammlung »Gedichte«.

Im § 7 des Vertrages über den Band »Gedichte« hatte Trakl sich verpflichtet,

> seine schriftstellerischen Arbeiten, die er innerhalb der nächsten fünf Jahre schreiben wird, in erster Linie der Firma Kurt Wolff Verlag anzubieten und zwar in der Form, daß die Firma Kurt Wolff Verlag das Vorkaufsrecht daran besitzt.[10]

Hierauf bezieht sich sein Brief vom 6. März 1914:

> Mit gleicher Post erlaube ich mir, meiner kontraktlichen Verpflichtung gemäß, Ihnen das Manuskript eines neuen Gedichtbandes »Sebastian im Traum« mit dem Ersuchen vorzulegen, es möglichst bald zu lesen und mir Ihre Entscheidung, ob und zu welchen Bedingungen Sie das Buch in Ihren Verlag aufnehmen wollen, bekanntzugeben.[11]

[8] Brief 68, HKA Bd. I, S. 509.
[9] Brief 71, HKA Bd. I, S. 511.
[10] HKA Bd. II, S. 688.
[11] Brief 111, HKA Bd. I, S. 533.

Dies ursprünglich eingereichte Manuskript hat Trakl noch stark verändert. Bereits einen Monat nach der Einsendung schreibt er an den Kurt Wolff Verlag:

> Ein baldiger Bescheid wäre mir vor allem deshalb sehr erwünscht, weil ich an dem Manuskript noch einige umgehend nötige Änderungen vornehmen möchte, insbesondere einige Stücke, die mir einer Umarbeitung bedürftig erscheinen vorläufig aus dem Manuskript entfernen möchte, dafür einige jüngere Gedichte einfügen möchte.[12]

Trakl gliederte das ursprünglich dreiteilige Werk neu in fünf Abteilungen, die auch die Endfassung hat. Für die erste Fassung bezeugt ein Inhaltsverzeichnis von Karl Borromäus Heinrichs Hand den folgenden Aufbau:[13]

I. TEIL
Kindheit
Stundenlied
Unterwegs
An den Knaben Elis
Elis
Die Verfluchten
Landschaft
Im Park
Nachts
Afra
Hohenburg
Trauer
Sebastian im Traum
Sonja
Im Frühling
Abends in Lans
Am Mönchsberg
Kaspar Hauser Lied
Am Abend
Am Moor
Der Herbst des Einsamen
Entlang
Herbstseele
Gericht
Verwandlung des Bösen

II. TEIL
Ruh und Schweigen
Anif
Geburt
Untergang
An einen Frühverstorbenen
Geistliche Dämmerung
Abendländisches Lied
Verklärung
Föhn
Der Wanderer
Karl Kraus
An die Verstummten
Passion
Siebengesang des Todes
Winternacht

III. TEIL
In Venedig
Ausgang
Am Rand eines alten Brunnens
Die Sonne
Sommer
Sommers Neige
Ein Winterabend
Frühling der Seele
Traum und Umnachtung

Die Neugliederung und Umarbeitung dieser ersten Fassung genügt Trakl aber noch nicht. Er greift noch zweimal erheblich ändernd in

[12] Brief 114, HKA Bd. I, S. 535.
[13] Zitat nach: HKA Bd. II, S. 807.

die zweite Fassung ein. Zunächst ersetzt er die fünfteilige Fassung von »Abendland« (s. S. 221 Abendland 2. Fassung), die er im Lauf der Erstbearbeitung am 16. April 1914 neu hinzugesetzt hatte –

> Ich möchte auch noch gerne fünf Gedichte beifügen, die bei meinem Aufenthalt in Berlin vor kurzer Zeit entstanden sind und die E. Lasker Schüler gewidmet sind.[14]

– durch die dreiteilige (s. S. 76 Abendland 4. Fassung)

> Beiliegend übersende ich Ihnen eine verkürzte und stark veränderte Fassung des Gedichtes »Abendland« und bitte Sie diese an Stelle der ersten Fassung dieses Gedichtes zu geben. ... Die erste Fassung wollen Sie bitte an mich retourieren oder vernichten.[15]

Wenige Tage darauf konzipiert er die vierte Abteilung des Bandes völlig neu:

> Sehr geehrter Herr!
> Anbei sende ich Ihnen 4 Gedichte, mit der Bitte, sie an Stelle folgender, in der Abteilung »Gesang d. Abgeschied« enthaltener Gedichte einzureihen: »Ausgang«, »Sommer« »Sommers Neige« »Am Rand eines alten Brunnens« »In Hellbrunn«. (Diese 5 Gedichte sind zu streichen)
> Das Gedicht »Ein Winterabend« derselben Abteilung ersuche ich an Stelle des Gedichtes »Trauer« der 2. Abteil. das ebenfalls zu streichen wäre zu stellen.
> Zugleich schicke ich Ihnen das dementsprechend umgeänderte Inhaltsverzeichnis. Wollen Sie bitte die Güte haben, mir mitzuteilen, ob Sie diese Umänderungen durchzuführen gewillt sind, da mir außerordentlich daran liegen würde. Die betreffende Abteilung des Buches würde in dieser neuen Fassung unvergleichlich geschlossener und besser sein, wovon Sie sich leicht überzeugen können.
> Ich bitte um baldige Nachricht und begrüße Sie in vorzüglichster Hochachtung
>
> als Ihr sehr ergebener
> Georg Trakl
>
> IV: Gesang des Abgeschiedenen.
>
> In Venedig
> Vorhölle
> Gesang einer gefangenen Amsel
> Jahr.

[14] Brief 116, HKA Bd. I, S. 536.

[15] Brief 119, HKA Bd. I, S. 537. Von den Herausgebern der HKA datiert: Anfang Juni 1914.

Nachtseele
Die Sonne
Abendland
Frühling der Seele
Im Dunkel
Gesang des Abgeschiedenen.
In der II. Abt. »Herbst des Einsamen«
statt »Trauer« »Ein Winterabend«[16]

Trakl hat den fertigen Band, dessen Drucklegung und Gestaltung er sorgfältig überwachte, nicht mehr gesehen. Am 24. August 1914 nachts reist er mit dem Militärtransport von Innsbruck ab. Er stirbt am 3. November im Garnisonsspital Krakau. »Sebastian im Traum« kann erst im Frühjahr 1915 an den Buchhandel ausgeliefert werden.

Zur Anordnung der Texte

Die Abschnitte »Gedichte« und »Sebastian im Traum« in diesem Buch entsprechen in der Abfolge und den Fassungen der Texte den Ausgaben »Gedichte« und »Sebastian im Traum« von 1913 bzw. 1915. Es wurde oben zu zeigen versucht, daß in diesen beiden Sammlungen die Authentizität der einzelnen Gedichte von ihrem jeweiligen Kontext abhängt.

Die Veröffentlichungen im »Brenner« 1914/15 – im dritten Abschnitt dieses Buches – haben die Herausgeber der HKA deshalb von den sonstigen Veröffentlichungen zu Lebzeiten – im vierten Abschnitt dieses Buches – gesondert und in der Ordnung der Erscheinungsdaten zusammengefaßt, »weil so angedeutet werden kann, daß ein neues, drittes, durch den Tod abgebrochenes Gedichtbuch im Werden war«.[17]

Die Stücke in den Abschnitten »Sonstige Veröffentlichungen zu Lebzeiten« und »Nachlaß« sind nach Gattungen und innerhalb der Gattungen, sofern eine Datierung möglich war, chronologisch angeordnet. Eine Ausnahme bilden die Gedichte im ersten Teil des Nachlasses, die der »Sammlung 1909«; auch hier mußte die von Trakl getroffene Anordnung bestehen bleiben.

[16] Brief 120, HKA Bd. I, S. 538 f. Erschlossenes Datum: 10. Juni 1914. Bei den im Brief genannten »4 Gedichten« handelt es sich um »Vorhölle«, »Gesang einer gefangenen Amsel«, »Jahr« und »Nachtseele«. Das zu streichende Gedicht »Ausgang« ist verschollen, ein Gedicht »Trauer« nicht überliefert oder anderweitig bezeugt (vgl. HKA Bd. II, S. 615).

[17] HKA Bd. II, S. 23.

Zur Gestaltung des Textes

Die Taschenbuchausgabe stimmt mit der HKA in der Zeilenzählung, der Rechtschreibung und der Zeichensetzung überein. Bei der *Zeilenzählung* werden nicht berücksichtigt:

Zusätze der Herausgeber (z. B. »*1. Fassung*«)
Von den Herausgebern ergänzte Zeilen in Winkelklammern
Von den Herausgebern durch »〈...〉« angezeigte Textlücken

Doppelte Zeilenzählung haben die Versdramen »Blaubart« (s. S. 237) und »Don Juans Tod« (s. S. 245). Hier werden neben den Zeilen auch die Verse gezählt.

Aus der HKA wird überdies im Verzeichnis der Anfänge und Überschriften die *Zählung verschiedener Gedichte mit gleichem Titel* übernommen. Ihre chronologische Folge wird durch römische Ziffern angegeben. Ist die Chronologie ungesichert, so wird durch ein eingeklammertes Fragezeichen »*(?)*« auf diesen Umstand hingewiesen.

In allen Fällen, in denen ein Gedicht über zwei oder mehr Seiten läuft und mit neuer Seite eine Strophe beginnt, wurde der Strophenbeginn durch *Einzug* der ersten Strophenzeile gekennzeichnet. Einzige Ausnahme von dieser Regel bilden die Sonette, deren Gliederungsprinzipien durch ihre Gattungszugehörigkeit definiert sind.

In der Gestaltung der *Überschriften* weicht die Taschenbuchausgabe insofern von der HKA ab, als sie statt der Versalien in der HKA normale Groß- und Kleinschreibung verwendet. Damit wird eine Schreibweise wiederhergestellt, die auch das wichtigste zeitgenössische Publikationsorgan des Traklschen Werkes, der »Brenner«, befolgte. Im übrigen muß angemerkt werden, daß Trakl in diesem Punkt sich den Gepflogenheiten des jeweils veröffentlichenden Verlages widerspruchslos gebeugt hat. In seinen Manuskripten und Typoskripten erscheinen die Überschriften durchweg in derselben Schriftgröße und -art wie der zugehörige Gedichttext mit einem abschließenden Punkt, ohne anders als durch die Mittelstellung über dem Gedicht ausgezeichnet zu sein.

Trakls Arbeitsweise, die immer wieder neue Bearbeitung schon abgeschlossener Gedichte, bedingt die Existenz verschiedener *Fassungen* eines Gedichts. Die verschiedenen Fassungen wurden von den Herausgebern in chronologischer Abfolge durchgezählt, die Ordnungszahl der jeweiligen Fassung wird in der Herausgeberanmerkung unter der Titelzeile angegeben.

Bei *gleichbleibenden* Überschriften verschiedener Fassungen wird lediglich unter der Überschrift »*1.* (*2.* usw.) *Fassung*« vermerkt.

Bei *abweichenden* Überschriften jüngerer Fassungen wird die als Titelzitat durch Anführungsstriche gekennzeichnete Überschrift der jeweils letzten Fassung hinzugesetzt; die Herausgeberanmerkung hat dann die Form »›Text‹ *1.* (*2.* usw.) *Fassung*«.

Bei *fehlender* Überschrift jüngerer Fassungen wird in der Herausgeberanmerkung die Überschrift der jeweils letzten Fassung als Titelergänzung durch Winkelklammern gekennzeichnet; die Herausgeberanmerkung steht in solchen Fällen anstelle der Titelzeile und hat die Form »⟨Text⟩ *1.* (*2.* usw.) *Fassung*«.

Zur Auswahl der Gedichte mit kritischem Apparat

Zweck dieser Auswahl sollte sein, an exemplarischen Gedichten Trakls Arbeitsweise, die poetische Ökonomie seiner Bilder und die Genese seiner Texte vorzuführen. Gleichzeitig sollten diese Gedichte aber auch thematisch bedeutsam und im Zusammenhang des Traklschen Werkes beispielhaft sein.

Erschwerend für die Auswahl war, daß der knappe Raum der Taschenbuchausgabe äußerste Beschränkung verlangte. So wurde im Einvernehmen mit den Herausgebern der HKA zu folgenden Gedichten der kritische Apparat abgedruckt:

An den Knaben Elis
An den Knaben Elis[18]
Elis 1.–3. Fassung
Rosenkranzlieder
  An die Schwester
  Nähe des Todes 2. Fassung
  Amen
Abendlied
Helian
Sebastian im Traum
Abend in Lans
⟨Delirien⟩
Delirium
Am Rand eines alten Wassers
Am Rand eines alten Brunnens
Lange lauscht der Mönch . . .

[18] Das Gedicht »An den Knaben Elis« steht sowohl in der Sammlung »Gedichte« (1913) als auch in »Sebastian im Traum« (1915); hier folgt ihm unmittelbar das Gedicht »Elis« in der 3. Fassung.

Finster blutet ein braunes Wild ...
Sommer. In Sonnenblumen gelb ...

Die Mehrzahl dieser Gedichte – Fassungen nicht gerechnet – geht auf drei Gedichtkomplexe zurück, nämlich

»An die Schwester« und »Nähe des Todes« aus dem Kleinzyklus »Rosenkranzlieder« sowie »Abendlied« und »Helian« auf den Gedichtkomplex »Lange lauscht der Mönch ...«

»Helian« darüber hinaus noch auf den Gedichtkomplex »Finster blutet ein braunes Wild ...«

»Sebastian im Traum« auf den Gedichtkomplex »Sommer. In Sonnenblumen gelb ...«

In engem Zusammenhang mit diesem Gedichtskomplex steht »Abend in Lans«, dessen erste, von Trakl wieder getilgte Fassung »Sommer« überschrieben war. Beide Texte entstehen nahezu gleichzeitig, die Überschrift der getilgten Fassung taucht als Einwortsatz am Anfang der ersten Zeile des Gedichtkomplexes gleichsam als »Spitzmarke« wieder auf. Zwischen »Sebastian im Traum« aber und »Abend in Lans« stehen im streng kalkulierten Kontext der Sammlung »Sebastian im Traum« nur zwei Gedichte.

Die »Elis«-Gedichte verdienten schon deshalb Beachtung, weil »An den Knaben Elis« in beiden von Trakl veröffentlichten Gedichtsammlungen abgedruckt ist. Besonders aufschlußreich für seine Arbeitsweise ist dabei der Umstand, daß die Folge der beiden selbständigen Gedichte »An den Knaben Elis« und »Elis« in »Sebastian im Traum« auf ein »Elis« überschriebenes Gedicht (Elis 2. Fassung) zurückgeht, das durch Montage der Gedichte »An den Knaben Elis« und »Elis« (1. Fassung) und durch Erweiterung der ursprünglichen »Elis«-Fassung entstand. Ähnlich wie bei der »Elis«-Gedichten verhält es sich bei »Delirium«, »Am Rand eines alten Wassers« und »Am Rand eines alten Brunnens«, die aus dem Text des Kleinzyklus 〈Delirien〉 entwickelt wurden, wobei »Am Rand eines alten Wassers« die 1. Fassung von »Am Rand eines alten Brunnens« darstellt.

Zum kritischen Apparat

Der kritische Apparat zu den oben genannten Gedichten wurde im Einvernehmen mit den Herausgebern der HKA in folgenden Punkten verändert:

Bei den Handschriftenbeschreibungen wurden die Zustandsbeschreibungen der Schriftträger nicht abgedruckt. Die Angaben der für die Chronologie wichtigen Papiergruppe und des bei der Identifizierung hilfreichen Wasserzeichens, schienen für die vorliegende Ausgabe als orientierende Hinweise zum Schriftträger zu genügen.

Als Hilfsmittel zur leichteren Auffindung der behandelten Gedichte steht neben den Apparatüberschriften und den Zwischenüberschriften beim Zyklus »Rosenkranzlieder« am rechten Seitenrand die Seitenangabe des Gedichtes. Die Seitenzahlen, die den oft sehr unterschiedlichen Ort der verschiedenen Fassungen angeben, werden ebenfalls mit der ersten Nennung der jeweiligen Fassung angegeben; in diesen Fällen hat der Seitenverweis die Form *[s. S. xyz]*.

Verzeichnis der Siglen

1. Sammlungen

Bb Sammlung Erhard Buschbeck, Privatbesitz, Wien
F Sammlung Ludwig von Ficker, Brenner-Archiv, Innsbruck
G Sammlung Maria Geipl-Trakl, Museum Carolino Augusteum, Salzburg
S Sonstige Handschriften

(Unberücksichtigt in dieser Ausgabe bleibt:
Y: Yale University Library, Yale, vormals Kurt Wolff)

2. Drucke

A Georg Trakl, Gedichte. Leipzig: Kurt Wolff 1913 (Der jüngste Tag. 7/8)
B Georg Trakl, Sebastian im Traum. Leipzig: Kurt Wolff 1915 (Copyright 1914)
J Der Brenner. Herausgeber: Ludwig von Ficker. Innsbruck: Brenner Verlag. 1910–1914: Halbmonatsschrift. I.–IV. Jahr. 1915: Jahrbuch 1915. 1919–1921: VI. Folge. 1922–1954: VI.–XVIII. Folge.
Erinnerung ... Erinnerung an Georg Trakl. Innsbruck: Brenner Verlag (1926)

(Unberücksichtigt in dieser Ausgabe bleiben:
C[1]: Georg Trakl, Aus goldenem Kelch. Die Jugenddichtungen. Salzburg/Leipzig: Otto Müller (1939)
C[2]: Georg Trakl, Aus goldenem Kelch. Die Jugenddichtungen. (Zweite erweiterte Auflage.) Salzburg: Otto Müller (1951) (Gesamtausgabe. 2))

3. Textzeugen

H	Handschrift von Trakls Hand
h	Handschrift von fremder Hand
ℌ	Typoskript Trakls mit handschriftlicher Überarbeitung oder Korrektur von Trakls Hand
(*ℌ*)	Typoskript Trakls ohne handschriftliche Überarbeitung oder Korrektur von Trakls Hand
𝔥	Typoskript von fremder Hand
𝔇	Druck (z. B. Korrekturfahne) mit handschriftlicher Überarbeitung oder Korrektur von Trakls Hand
(𝔇)	Druck (z. B. Korrekturfahne) ohne handschriftliche Überarbeitung oder Korrektur von Trakls Hand
E	Erstdruck oder autorisierter späterer Druck
V	Vorstufe
X	verlorener oder verschollener Textzeuge (Manuskript oder Typoskript) von Trakls Hand

Die Verwendung der Siglen

Mit den unter 1. und 2. aufgeführten Siglen werden die *Fundstellen* der Textzeugen für den kritischen Text bezeichnet. Die unter 3. aufgeführten Siglen dienen der *Qualifikation* des jeweiligen Textzeugen nach der Art seiner Beschriftung (*H*, *ℌ*, 𝔇), dem Grad seiner Authentizität (*H*, *h*; *ℌ*, (*ℌ*), 𝔥; 𝔇, (𝔇), *E*) und nach überlieferungsgeschichtlichen Merkmalen (*X*, *V*). Im letztgenannten Fall ist *X* Sonderfall von *H* oder *ℌ* und *V* Substitutionszeichen für alle Textzeugen (*H*, *h*, *ℌ*, ... usw.) des Gedichtes oder Gedichtkomplexes, worauf unter *V* verwiesen wird.

Zu den Siglen der Sammlungen

Die genaue Fundstelle der Textzeugen aus den *Sammlungen* (s. o. unter 1.) wird durch Zusatz der Handschriftennummer[19] zur Sigle der Sammlung angegeben. Dabei ist folgendes zu beachten:

[19] Hier muß auf eine terminologische Besonderheit der HKA hingewiesen werden: »Handschrift« kann bedeuten, daß es sich um
ein Manuskript handelt; in diesem Sinn werden die Siglen *H*, *h* erläutert
einen integralen – nicht unbedingt vollständigen – Textstand handelt; in diesem Sinn können auch die mit 𝔥 oder 𝔇 bezeichneten Textzeugen »Handschriften« sein
ein Blatt aus einer Sammlung mit Blattzählung handelt, das auch mehrere integrale Textstände überliefert; in diesem Sinn wird z. B. die Sigle *S* (Hs.-Gruppe *S*) mit »Sonstige Handschriften« erläutert.

S 71 Bei dieser Sigle handelt es sich um ein Konvolut mehrerer integraler Textstände; deshalb wird hier der genaue Fundort durch eine weitere Angabe bezeichnet, z. B.

S 71, Nr. 11a

Unter einer Sigle wie z. B.

S 16

wird tatsächlich nur ein integraler Textstand angeführt. (Beispiele aus: An den Knaben Elis. Überlieferung: s. S. 279)

F Die Sammlung *F* wird nach Mappen und Nummern integraler Textstände gezählt. Hier setzt sich die Handschriftennummer also stets aus zwei Zahlen zusammen, z. B.

F IV 6.

(Beispiel aus dem Stemma zu: An den Knaben Elis; s. S. 279)

Indizes bei Handschriftennummern bedeuten:

a Durchschläge eines Originals werden durch den Index a gekennzeichnet. Sie gelten zusammen mit dem Original als eine Handschrift und stehen unter derselben (Typoskript-)Sigle, wie z. B.

(ℌ)³: F IV 3 und Durchschlag G 204ª

(Beispiel aus: Rosenkranzlieder. Überlieferung. Nähe des Todes; s. S. 281)

r recto, d. h. rechte Seite, d. h. Vorderseite eines Blattes

v verso, d. h. linke Seite, d. h. Rückseite eines Blattes. (Beispiele: vgl. Helian. Überlieferung; s. S. 285).

Zu den Siglen der Drucke

Die genaue Fundstelle der Textzeugen aus den *Drucken* (vgl. Anm. 19) wird durch Zusatz (in runden Klammern) der Seitenangabe zur Sigle des Druckes (s. o. unter 2.) bezeichnet, wie z. B.

A S. 18)

oder – falls es sich um einen Brennerdruck handelt – durch Zusatz (in runden Klammern) der Jahrgangsnummer und -datierung, der Heft-

»Druck« kann bedeuten, daß es sich um
einen veröffentlichten Text (Erstausgabe) handelt; in diesem Sinn wird die Sigle *E* gebraucht
einen gedruckten Textzeugen handelt, dessen Textstand nicht veröffentlicht wurde; in diesem Fall wird die Sigle 𝔇 gebraucht.

nummer, des Erscheinungsdatums und der Seitenangabe zur Sigle *J*, wie z. B.

J (J. III, 1912/13, H. 15 vom 1. Mai 1913, S. 664)
(Beispiel aus: An den Knaben Elis. Überlieferung; s. S. 279)

Zu den Siglen der Textzeugen

Die auf die oben beschriebene Weise mit ihrer Fundstelle nachgewiesenen Textzeugen aus den Drucken und den Sammlungen erhalten eine *qualifizierende* Sigle (s. o. unter 3.).

Diese Sigle ist bei den *Drucken* (s. o. unter 2.) immer *E*, wie z. B.

E¹: J (J. III, 1912/13, H. 15 vom 1. Mai 1913, S. 664)
E²: A (S. 18)
E³: B (S. 10)
Beispiele aus: An den Knaben Elis. Überlieferung; s. S. 279)

bzw.

E: Erinnerung . . ., S. 140
(Beispiel aus: Delirium. Überlieferung; s. S. 301)

Die Textzeugen aus den *Sammlungen* können gemäß ihrer Schriftart oder Authentizität die Siglen *H*, *h*, *ℌ*, *(ℌ)*, 𝔥, 𝔇, *(𝔇)* und im Ausnahmefall auch die Sigle *E* erhalten. In der Hs.-Gruppe »Sonstige Handschriften« *(S)* repräsentieren die mit *S 78*, *S 16* und *S 71, Nr. 38* nachgewiesenen Textzeugen die drei möglichen Formen der auf Trakl nachweislich zurückgehenden Textüberlieferung: der Text von

S 78 ist *handschriftlich* überliefert, von Trakl selbst niedergeschrieben; die Textzeugensigle ist *H:*
H²: S 78 . . .
(Beispiel aus: Rosenkranzlieder. Überlieferung. An die Schwester; s. S. 280).

S 16 ist *maschinenschriftlich* überliefert, von Trakl selbst handschriftlich überarbeitet; die Textzeugensigle ist ℌ:
ℌ¹: S 16 . . .
(Beispiel aus: An den Knaben Elis. Überlieferung; s. S. 279)

S 71, Nr. 38 ist *gedruckt* überliefert (in diesem Fall ein ausgeschnittener Brennerdruck), von Trakl selbst handschriftlich überarbeitet; die Textsigle ist 𝔇:
𝔇³: S 71, Nr. 38 . . .
(Beispiel aus: Rosenkranzlieder. Überlieferung. An die Schwester; s. S. 280)

Bei völlig identischem Textstand eines in einer Sammlung und in einem Druck nachgewiesenen Textzeugen stehen beide unter derselben Sigle[20] *E*, z. B.

*E*¹: *J (J. III, 1912/13, ...)*
S 71, Nr. 11a, ...
(Beispiel aus: An den Knaben Elis. Überlieferung; s. S. 279)

Ziffernindizes bei Textzeugensiglen geben die chronologische Folge der Textzeugen nach ihrem Textstand an. Die Textzeugen werden durchlaufend gezählt ohne Rücksicht auf ihre Zugehörigkeit zu verschiedenen Textzeugenarten.

Verschiedene Arten von Textzeugen, die eine Handschrift, d. h. einen integralen Textstand bilden, erhalten denselben Index, wie z. B.

$\mathfrak{H}^3 + H^3$: *F IV 21, ...*
F I 3, ...
(Beispiel aus: Helian. Überlieferung; s. S. 286)

Mit *E* und *V* bezeichnete Textzeugen werden gesondert gezählt, jedoch ihrem Textstand entsprechend in die chronologische Folge eingeordnet. Der Zahlenindex gibt also nicht immer auch gleichzeitig die Ordnung in der Chronologie an. In der Überlieferung zu »Abendlied« (s. S. 284) ist z. B. E^1 später als $(\mathfrak{H})^2$: E^1 steht in der chronologischen Folge an 4. Stelle, $(\mathfrak{H})^2$ an 3. Stelle.

Völlig ohne Ziffernindex bleibt eine Textsigle, wenn

nur ein Textzeuge vorhanden ist (vgl. z. B. Finster blutet ein braunes Wild im Busch .... Überlieferung, s. S. 309)

nur ein Textzeuge *E* oder *V* vorhanden ist (für *E* vgl. z. B.: Delirium. Überlieferung; s. S. 301 – für *V* vgl. z. B.: Abendlied. Überlieferung; s. S. 284)

ein verschollener Textzeuge (*X*) sich nicht in die Reihenfolge der übrigen Textzeugen einordnen läßt (vgl. z. B.: An den Knaben Elis. Überlieferung; s. S. 279).

Im letztgenannten Fall steht die Sigle *X* immer am Schluß der Überlieferung.

[20] Vgl. das analoge Verfahren bei textidentischem Originaltyposkript und seinem Durchschlag (s. o. S. 270).

Ist die Chronologie ungesichert, so stehen die Ziffernindizes in runden Klammern. In der Überlieferung zu »Helian« (s. S. 285 f.) ist z. B. die Folge der 4 ersten Textzeugen:

$V^{(1)}$: ....
$V^{(2)}$: ...
$H^{(1)}$: ...
$H^{(2)}$: ...

Erst die Chronologie des 5. Textzeugen ist gesichert:

$\mathfrak{H}^3 + H^3$: ...

Der Zusatz von a oder b zum Index hat keine chronologische Bedeutung, er hat lediglich spezifizierende Funktion. In der Überlieferung zu »Sebastian im Traum« (s. S. 295) z. B. bedeutet

X^{2a}, X^{2b}: *G 126 und G 127 ...*,

daß die verschollenen Textzeugen *einen*, in die chronologische Folge einzuordnenden Textstand repräsentierten (deshalb dieselben Ziffernindizes), der unter *zwei* Handschriftennummern (deshalb die differenzierenden Zusätze a und b) geführt wurde.

Die genetische Anordnung variierter Zeilen und Ansätze

Vorbemerkung: Unterscheiden sich der endgültige Text und der der Vorlage nur in einem Wort oder Zeichen, so wird häufig die Variante in der konventionellen Form wie z. B.

1 Elis] Elis.

angegeben. (Beispiel aus: An den Knaben Elis. Varianten; s. S. 280)

Die sich durch mehrfache Abwandlung einzelner Stellen in einer Zeile ergebenden verschiedenen Fassungen dieser Zeile werden »Stufen« genannt. Der Wortlaut einer Stufe hebt jeweils den der voraufgehenden Stufe auf.

Aus Gründen der Ökonomie werden die Stufen einer Zeile so hingeschrieben, daß kein Wort oder Zeichen öfter vorkommt als in der Handschrift selbst[21]: es werden jeweils nur die geänderten Worte oder Zeichen einer Stufe angegeben, und zwar so, daß immer der neue

[21] Bei Zeilenvarianten aus zwei oder mehreren Handschriften wird jedoch der volle Wortlaut jeder Zeile aus jeder Handschrift hingeschrieben.

Wortlaut oder das neue Zeichen genau unter dem entsprechenden ersetzten Wortlaut oder Zeichen steht.

Der Wortlaut der drei Stufen von »Helian« Zeile 92 läßt sich aus dem Apparat (s. S. 290) folgendermaßen ablesen:

Da der Enkel im Schatten des Wahnsinns
Da der Enkel im Schatten des Schwermut
Da der Enkel in sanfter Umnachtung

Dieser Sachverhalt wird im Apparat so wiedergegeben:

Da der Enkel im Schatten des Wahnsinns
Schwermut
in sanfter Umnachtung

Zusammengehörige Stufen einer Gruppe von Zeilen werden durch kleine römische Ziffern – I, II, III usw. – gekennzeichnet. (vgl. z. B. An die Schwester. Varianten; s. S. 282)

Größere Ansätze, die dem endgültigen Text noch sehr fern stehen, werden im Apparat unter vorangestellten, halbfett gedruckten und eingeklammerten römischen Ziffern – **(I)**, **(II)**, **(III)** usw. – zusammengefaßt.

Kleinere Ansätze werden unter halbfett gedruckten Versalien – **A**, **B**, **C** usw. – zusammengefaßt. (vgl. z. B.: Sommer. In Sonnenblumen gelb klapperte morsches Gebein .... Varianten; s. S. 311 ff.)

Auch bei den Ansätzen gilt das Prinzip der Stufung, d. h. der Wortlaut eines späteren Ansatzes ersetzt den des früheren. Dieses Prinzip wird nur bei den Gedichtkomplexen »Lange lauscht der Mönch dem sterbenden Vogel am Waldsaum ...« und »Sommer. In Sonnenblumen gelb klapperte morsches Gebein ...« durchbrochen; denn hier werden alle Ansätze bis auf Ansatz **(I)** des ersteren abgedruckt.

Zur Zeilenzählung im Apparat

1 Wird der Zeilenzähler halbfett gedruckt, so bezieht er sich auf den Text der Gedichte.

1 Wird der Zeilenzähler in der Grundschrift gedruckt, so dient er nur der Orientierung innerhalb später verworfener Ansätze (vgl. z. B.: Lange lauscht der Mönch dem sterbenden Vogel am Waldsaum .... Varianten. **(I)**; s. S. 303)

1/1 Eine doppelte halbfette Zählung erscheint, wenn zwei in der Zählung voneinander abweichende Fassungen eines Gedichtes im Zusammenhang dargestellt sind. (vgl. z. B.: Elis. Varianten; s. S. 294)

1/1 Innerhalb nicht verworfener Ansätze tritt zum halbfetten Zeilenzähler des Gesamtkomplexes der Zeilenzähler des Ansatzes. (vgl. z. B.: Lange lauscht der Mönch dem sterbenden Vogel am Waldsaum . . . . Varianten. **(III)**; s. S. 305 ff.)

$\mathbf{1^a}$, 1^a Nachträglich in einen Text eingefügte Zeilen werden durch einen Index zum Zeilenzähler gekennzeichnet.

$\mathbf{2 = 1^a}$ Muß die Beziehung zum Text des Gedichtes hergestellt werden, darf also die laufende Zählung nicht durchbrochen werden, wird der Nachtrag durch den Zusatz des vorausgehenden Zeilenzählers mit Index zum laufenden Zeilenzähler angegeben. (vgl. z. B.: Abend in Lans. Varianten; s. S. 297)

1a, 1a Vom endgültigen Text her gesehen überschüssige Zeilen werden durch kleine lateinische Buchstaben neben dem Zeilenzähler der letzten gültigen Zeile kenntlich gemacht. (vgl. z. B.: Abend in Lans. Varianten; s. S. 297)

Als endgültiger Text in diesem Sinne kann auch der letztgültige Wortlaut innerhalb eines Ansatzes **(I)** usw. bzw. **A** usw. gelten. Sind nämlich in **(I)** usw. bzw. **A** usw. Zeilen gestrichen worden, bevor der Ansatz durch einen Ansatz **(II)** usw. bzw. **D** usw. aufgehoben wurde, so müssen diese gestrichenen Zeilen als überschüssig angesehen werden. (vgl. z. B.: Lange lauscht der Mönch dem sterbenden Vogel am Waldsaum . . . . Varianten. **(II)**; s. S. 303 f.).

$\mathbf{1a^a}$ Im kompliziertesten Fall kann diese überschüssige Zeile auch nachträglich in den Text eingefügt sein (vgl. ebd. S. 304).

Zeilenumbruch im Apparat

(α), (β) Bei gebrochenen Zeilen im Apparat wird die Bruchstelle mit eingeklammerten griechischen Buchstaben gekennzeichnet. Im Variantenapparat zu »Helian« (s. S. 289) sind die Varianten zu Zeile 56, Ansatz **B*** so zu lesen:

56	I	Die		Früchte des Hollunders	sich	Kindern						...
	II		alten			über				Gräbern		...
			kindlichen				des	Menschen	|:	Gräber	:|	...
							der	Witwen				...
								Mütter				...
							[	*]* Witwe				...
						[	Mariens				]	...
II/III					[							...

Die im Apparat verwendeten Zeichen

In der Darstellung werden folgende Zeichen verwendet:

Es steht in:

[ ] — ein vom Autor beim Übergang auf die nächste Stufe getilgter Text;

[ ] — 1. ein vom Autor beim Übergang auf die nächste Stufe versehentlich nicht getilgter Text;
2. ein Zusatz oder Zitat aus der HKA durch den Bearbeiter dieser Ausgabe;

⟨ ⟩ — 1. eine Textergänzung;
2. eine Auswahlvariante;

( ) — ein vom Autor durch Unterpungieren wiederhergestellter getilgter Text;

|: :| — 1. ein vom Autor durch Korrektur oder Überschreiben eines früheren Wortlautes hergestellter Text;
2. ein vom Autor – z. B. durch Bezifferung der einzelnen Wörter – umgestellter Text.

Es bedeutet:

∧ — eine vom Autor auf dieser Textstufe vorgenommene Tilgung;

× — ein unlesbares Wort;

F ×, × es — ein unlesbares Wort, dessen Anfangsbuchstabe bzw. Endung lesbar ist;

× — ein unlesbarer Buchstabe;

| — Zeilenende in der Handschrift (bei Prosa! z. B. in Handschriftenbeschreibungen);

* — Unsicherheit in der Zuordnung der Varianten zu dieser Stufe der Zeile;

*1, *1, *A — Unsicherheit in der Ordnung der Varianten dieser Zeile, dieses Ansatzes;

ṇ, ṛ — n, r, vielleicht aber auch en, er;

ṃ, ṇ — m, n, vielleicht aber auch n, m;

ẹ — ein nicht mit Sicherheit zu lesendes e;

ạ, ọ, ụ	a, o, u, vielleicht aber auch ä, ö, ü;
ạ̈, ọ̈, ụ̈	ä, ö, ü, vielleicht aber auch a, o, u;
Geradschrift	Text des Autors;
Kursive	Text der Herausgeber;
Sperrung	vom Autor durch Unterstreichen oder Sperrung hervorgehobener Text;
N	Datierung durch Jutta Nagel, Göttingen.

Sonstige in der Ausgabe verwendete Abkürzungen und Zeichen

Drucke:

Basil ...	Otto Basil, Georg Trakl in Selbstzeugnissen und Dokumenten. (Reinbek:) Rowohlt (1965) (rowohlts monographien 106)
HKA	Georg Trakl, Dichtungen und Briefe. Historisch-kritische Ausgabe. Hrsg. von Walther Killy und Hans Szklenar. Salzburg: Otto Müller Verlag 1969

Sonstige Abkürzungen:

Bl., Bll.	Blatt, Blätter
Dbl., Dbll.	Doppelblatt, Doppelblätter
Dok.	Dokument
F.	Folge
H.	Heft
Hs., Hss., hsl.	Handschrift, Handschriften, handschriftlich
J., Jg.	Jahr, Jahrgang
Masch., masch.	Maschine(nschriftlich), maschinenschriftlich
Slg.	Sammlung
Wz.	Wasserzeichen
Z.	Zeile

Sonstige Zeichen:

⟨ ⟩	Textergänzung oder Auswahlvariante (s. o.)
⟨*?*⟩	Lesart ist fraglich
( )	Szenenanweisung

Zusätze:

a, b	Bei Fassungen: differenzierende Hinweise *ohne* chronologische Bedeutung
Sammlung 1909	Bei Fassungen: Hinweis auf die vom übrigen Text unabhängige Chronologie dieser Sammlung

Die Papiergruppen

Die Papiergruppen werden chronologisch nach dem frühesten datierbaren Beleg geordnet; Stücke, die einer Papiergruppe mit Einschränkung zugewiesen werden, gelten für die Datierung dieser Gruppe nicht als Beleg. Läßt sich eine Papiergruppe nicht mit Sicherheit in die relative Chronologie einfügen, wird ihre Nummer mit einem Sternchen versehen.

Beschreibung der Sammelhandschriften *G 59–65* und *G 72–79*

G 59–65
*Einzelbl., Papiergruppe *6.2b; hat zweifellos mit G 72–79 einmal ein Doppelblatt gebildet. Zweispaltig beschrieben, und zwar jeweils vom oberen bzw. unteren Rand zur Mitte hin. Bleistift. Recto: oben links G 59:* Ein Teppich, darein die leidende Landschaft verblaßt . . . *[s. S. 173], H; oben rechts G 60:* Rosiger Spiegel: ein häßliches Bild . . . *[s. S. 173], H; unten links, kopfstehend, G 63:* An die Schwester *[s. S. 34],* H^1*; darunter, durch einen Querstrich von G 63 getrennt, kopfstehend, G 61:* Dunkel ist das Lied des Frühlingsregens in der Nacht . . . *[s. S. 174], H; unten rechts, kopfstehend, G 62:* Helian *[s. S. 40],* $H^{(2)}$. *Verso: oben links G 65:* Untergang *[s. S. 212]* H^3*; unten links, kopfstehend, G 64:* Untergang *[s. S. 212]* H^4*; rechte Spalte leer.*

G 72–79
*Einzelbl., Papiergruppe *6.2b; hat zweifellos mit G 59–65 einmal ein Doppelblatt gebildet. Zweispaltig beschrieben, und zwar recto jeweils vom oberen bzw. unteren Rand zur Mitte hin, Bleistift, stellenweise leicht, auf der Rückseite stark verwischt. Recto: oben links G 75:* Nähe des Todes *[s. S. 34],* H^2*; darunter, durch einen Querstrich von G 75 (oben) und G 77 (unten) getrennt, G 76:* Untergang *[s. S. 212],* H^1*; oben rechts G 74:* Nähe des Todes *[s. S. 202],* H^1*; unten links, kopfstehend, G 77 (Brunner-Nr. »77« nur mit Bleistift):* Abendlied *[s. S. 38],* H^1*; unten rechts, kopfstehend, G 72:* Delirium *[s. S. 175],* H^1*; darunter, durch einen Querstrich von G 72 getrennt, kopfstehend, G 73: Fragment 1:* Kindheit *I [s. S. 234], H. Verso: oben rechts G 78:* Untergang *[s. S. 213],* H^6*; darunter, durch einen Querstrich von G 78 getrennt, G 77 (Brunner-Nr. »77« mit roter Tinte):* Untergang *[s. S. 65],* H^8*; unten rechts G 79:* Untergang *[s. S. 212],* H^5*; linke Spalte leer.*

Kritischer Apparat zu ausgewählten Gedichten

An den Knaben Elis 17

Überlieferung:

Das Gedicht An den Knaben Elis *stellt eine Vorstufe für das Gedicht* Elis, *2. Fassung, dar, und zwar für Teil 1 (Zeile 2–21); vgl. das Stemma.*

𝔥[1]: *S 16 (Privatbesitz, Göttingen, 1967), vormals Slg. F*
*Einzelbl., Papiergruppe * 16. Typoskript: violettes Farbband; hsl. überarbeitet (Bleistift und schwarze Tinte); unter dem Text hsl.* Georg Trakl *(Bleistift); Rückseite leer.*

E[1]: *J (J. III, 1912/13, H. 15 vom 1. Mai 1913, S. 664)*
S 71, Nr. 11a, Satzvorlage für E[2]
Ausgeschnittener Brenner-Druck (E[1]). In der rechten unteren Ecke »11a«, fremde Hand (Bleistift).

(𝔇)[2]: *S 71, Nr. 11b*
Umbruchblatt für A, S. 17. 18; S. 17: In einem verlassenen Zimmer, *(𝔇)[4], Zeile 7 bei* schwingt. *Punkt zu stark ausgedruckt; S. 18:* An den Knaben Elis, *(𝔇)[2], Zeile 5* Laß, *unterstrichen, fremde Hand (Blaustift). Auf S. 17 unten »IV«, fremde Hand (Blaustift), daneben »–5. JUN. 1913« (violetter Stempel) und »POESCHEL & TREPTE | BUCHDRUCKEREI · LEIPZIG | SEEBURGSTRASSE 57« (violetter Stempel).*

E[2]: *A (S. 18)*

E[3]: *B (S. 10)*

X: *verschollenes Typoskript, vormals im Besitz Karl Röcks (nach Röck-Nachlaß V 10, 1932)*

Die Elis-*Gedichte hängen in folgender Weise zusammen:*

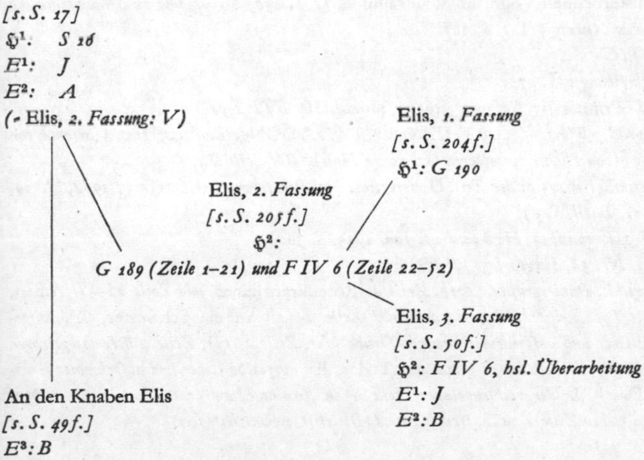

An den Knaben Elis
[s. S. 17]
𝔥[1]: *S 16*
E[1]: *J*
E[2]: *A*
(→ Elis, *2. Fassung: V)*

Elis, *1. Fassung*
[s. S. 204f.]
𝔥[1]: *G 190*

Elis, *2. Fassung*
[s. S. 205f.]
𝔥[2]:
G 189 (Zeile 1–21) und F IV 6 (Zeile 22–52)

Elis, *3. Fassung*
[s. S. 50f.]
𝔥[2]: *F IV 6, hsl. Überarbeitung*
E[1]: *J*
E[2]: *B*

An den Knaben Elis
[s. S. 49f.]
E[3]: *B*

Text folgt: E²

Datierung: Entstanden im April 1913 auf der Hohenburg. N

Varianten:

ℌ¹ und E¹ weisen keine regelmäßige Großschreibung am Versanfang auf.

1 Elis] Elis.

6 Legenden] Legenden [,]

8 in] durch
in

13 bist, Elis,] bist Elis

15 In die] darein
in die

16 Eine schwarze Höhle] Ein schwarzer Höhle
|:Eine:| |:schwarze :| ℌ¹

Rosenkranzlieder 34

Überlieferung:

An die Schwester *(• Zeile 2–11)* 34

V: *Das Gedicht* An die Schwester *geht aus dem Komplex* Lange lauscht der Mönch dem sterbenden Vogel am Waldsaum... *[s. S. 230] hervor, und zwar hauptsächlich aus dem Ansatz (I), s. S. 303.*

H¹: *G 63 (G 59–65ʳ)*
Beschreibung s. S. 278.

H²: *S 78 (Privatbesitz, Salzburg, 1967), vormals Slg. F (F I 2)*
Einzelbl., Wz.: »⟨...R?⟩UE & C°. | ⟨...⟩DON«. *Bleistift; eine Variante von Ludwig von Ficker eingetragen (schwarze Tinte); Rückseite leer.*
Faksimile: Wort in der Zeit. Oesterreichische Literaturzeitschrift. Graz, 1964, H. 10, S. (1); Basil, S. 83

E¹: *J (J. III, 1912/13, H. 8 vom 15. Jan. 1913, S. 361)*

𝔇³: *S 71, Nr. 38, Satzvorlage für E²*
*Einzelbl., Papiergruppe *6.1b. Zeile 1:* Rosenkranzlieder. *und Zeile 22–31:* Amen, *(ℌ), Typoskript: violettes Farbband; Zeile 2–11:* An die Schwester, *𝔇³, ausgeschnittener und aufgeklebter Brenner-Druck (E¹, Zeile 3–11), Zeile 2 hsl. nachgetragen (Bleistift); Zeile 12–21:* Nähe des Todes, *E¹, ausgeschnittener und aufgeklebter Brenner-Druck. In der rechten oberen Ecke »38«, fremde Hand (rote Tinte); am rechten Rand, neben Zeile 2, »C«, fremde Hand (Bleistift); Rückseite leer.*

E²: *A (S. 49)*

Text folgt: E^2

Datierung: *H^1 ist vermutlich nach der Zeit um den 27. November 1912 anzusetzen, H^2 jedenfalls vor dem 15. Januar 1913 (E^1).*

Nähe des Todes *(= Zeile 12–21)* 34

V: *Das Gedicht* Nähe des Todes *geht aus dem Komplex* Lange lauscht der Mönch dem sterbenden Vogel am Waldsaum... *[s. S. 230] hervor, und zwar hauptsächlich aus dem Ansatz (II), s. S. 303 ff.*

1. Fassung [s. S. 202]

H^1: *G 74 (G 72–79r)*
Beschreibung s. S. 278.

2. Fassung: Nähe des Todes
H^2: *G 75 (G 72–79r)*
Beschreibung s. S. 278.

$(\mathfrak{H})^3$: *F IV 3 und Durchschlag G 204a*
*F IV 3: Einzelbl., Papiergruppe *13. Typoskript: violettes Farbband; unter dem Text* Georg Trakl. *(Masch.); Rückseite leer.*
*G 204a: Einzelbl., Papiergruppe *13. Typoskript: Durchschlag zu F IV 3, rötlichviolettes Kohlepapier; Rückseite leer.*

E^1: *J (J. III, 1912/13, H. 10 vom 15. Febr. 1913, S. 425)*
S 71, Nr. 38, Satzvorlage für E^2
Beschreibung s. o. zu An die Schwester!

E^2: *A (S. 49)*

Text folgt: *H^1 (1. Fassung) und E^2 (2. Fassung)*

Datierung: *Entstanden hauptsächlich im Dezember 1912 und Januar 1913, und zwar sind H^1 und H^2 vermutlich nach der Zeit um den 27. November 1912 anzusetzen; $(\mathfrak{H})^3$ ist in Salzburg, wahrscheinlich zwischen dem 1. und 7. Februar 1913, geschrieben.*

Amen *(= Zeile 22–31)* 34

$(\mathfrak{H})$: *S 71, Nr. 38, Satzvorlage für E*
Beschreibung s. o. zu An die Schwester!

E: *A (S. 50)*

Text folgt: *E*

Datierung: *$(\mathfrak{H})$ ist zwischen dem 1. und 16. April 1913 in Innsbruck geschrieben.*

Varianten:

1 Rosenkranzlieder. *auf dem Blatt S 71, Nr. 38*

1 *Die drei Gedichte sind erst mit Brief 61 an Erhard Buschbeck, [HKA] Bd. I, S. 506, unter dem Titel* Rosenkranzlieder *zusammengefaßt worden. [Dort heißt es:*

Lieber Freund!

Zu beiliegenden Gedichten die Bitte: Statt »Heiterer Frühling« »Im Dorf« zu wählen. Die drei Gedichte: 1 »An die Schwester«, 2 »Nähe d. Todes« und

3* »Amen« unter dem Titel »Rosenkranz-⟨lieder⟩« zusammenzuschließen.
...

**Die Ziffern 1, 2, 3 sind über den Gedichttiteln nachgetragen und unterstrichen.]*

An die Schwester *(- Zeile 2–11)*
Stufe I/II (verschiedener Schriftduktus) H^1, *Stufe III* H^2.

2 I/II *fehlt!* H^1
III An meine Schwester. H^2

3 I Wo du gehst ist es Abend geworden
II * wird Herbst und ∧ H^1
III Wo du gehst wird Herbst und Abend, H^2

4 I/II Ein blaues Wild, das unter Bäumen tönt. H^1
III Blaues Wild, das unter Bäumen tönt, H^2

5 I Wie krank bist du geworden
II Einsamer Weiher am Abend H^1
III Einsamer Weiher am Abend. H^2

6 I/II Der Vögel Flug, der leise tönt H^1
III Leise der Flug der Vögel tönt, H^2

7 I/II Der Wahnsinn über deinen Augenbogen H^1
III Der Wahnsinn über deinen Augenbogen.
|: Die :| Schwermut H^2

8 I Dein dunkles Schreiten tönt.
Auge
II/ schmales Lächeln H^1
III Dein schmales Lächeln tönt. H^2

9–11

A: 9 II Und
Die Sterne deiner Schläfenbogen

10 II Suchen dich am Abend Karfreitagskind

11 II Deiner Hände Granatbogen.

B: 9 II Gott hat deine Lider verbogen

10 II Sterne suchen [dich] am Abend Karfreitagkind

11 II Deinen Stirnenbogen. H^1
Ansatz B ist nicht gestrichen.

C: 9 III Gräber unter dunklen Bogen H^2
finsteren *Ficker!* H^2
Sternenbogen

10 III Sind deine weißen Augen Charfreitagskind
blauen
weißen

11 III Unter steinernen Bogen.
tönenden H^2

E^1 und $\mathfrak{D}^3$ weisen folgende Varianten auf:

2 die] meine E^1

2 *hsl. nachgetragen!* $\mathfrak{D}^3$

10 nachts, Karfreitagskind,] nachts Karfreitagskind E^1 $\mathfrak{D}^3$

Nähe des Todes (• *Zeile 12–21)*

1. Fassung

2 die beinerne Stätte] das hohe Gericht
die leere Hütte
die beinerne Stätte

5 dunklen] finstern
dunklen

7 den *bis* Herbste.] den grünen Finsternissen trauriger Sommer.
* ∧ Gold Herbste
* grünen
* roten
* |:Gulden:|

10 auf] in
auf

13 Schweigend die
|:der:| leidende Gott hinsank
*Der Purpur seiner heiligen Tage |:hinsinkt:| –
* traurigen
* nächtlichen

14 Bruder deine mondenen Augen.
*Und des |:Bruders:| ∧
*Leise

15 kühleren] herbstlichen
kühleren H^1

2. Fassung: Nähe des Todes

12 *fehlt!* H^2

12 Todes] Todes. *(ℌ)³*

13 geht.] geht *Blattrand! H²*

16 Augen] L⟨ider⟩
|:Augen:| *H²*

18 verzückten] verruchten *H²*

19 Laß] Lasset *H²*

20 auf] in *H²*
Amen *(• Zeile 22–31)*

22 Amen.

26 Finger.] Finger *(ℌ)*

Abendlied 38

Überlieferung:

V: *Das Gedicht* Abendlied *geht aus dem Komplex* Lange lauscht der Mönch dem sterbenden Vogel am Waldsaum... *[s. S. 230] hervor, und zwar hauptsächlich aus dem Ansatz (II), s. S. 303ff.*

H¹: *G 77 (G 72–79ʳ)*
Beschreibung s. S. 278.

(ℌ)²: *F IV 4 und Durchschlag G 203ᵃ*
*F IV 4: Einzelbl., Papiergruppe *13. Typoskript: violettes Farbband, rote Spuren in einigen Unterlängen; unter dem Text* Georg Trakl, *(Masch.); Rückseite leer.*
*G 203ᵃ: Einzelbl., Papiergruppe *13. Typoskript: Durchschlag zu F IV 4, rötlichviolettes Kohlepapier; Rückseite leer.*

E¹: *J (J. III, 1912/13, H. 10 vom 15. Febr. 1913, S. 425)*

𝔇³: *S 71, Nr. 44, Satzvorlage für E²*
*Brenner-Druck (E¹), ausgeschnitten und auf ein Einzelbl. geklebt: linke Kante beschnitten, Papiergruppe *6.1b; auf der Rückseite Abdrücke von violettem Kohlepapier oder violetter Masch.-Schrift. Erstdruck, hsl. Variante (Bleistift). In der rechten oberen Ecke »44.«, fremde Hand (rote Tinte), darunter »14« und verso »15«, fremde Hand (Bleistift); am rechten Rand, neben Zeile 3, »C«, fremde Hand (Bleistift).*

E²: *A (S. 57)*

Text folgt: E²

Datierung: Entstanden hauptsächlich im Dezember 1912 und Januar 1913, und zwar ist H¹ vermutlich nach der Zeit um den 27. November 1912 anzusetzen; (ℌ)² ist in Salzburg, wahrscheinlich zwischen dem 1. und 7. Februar 1913, geschrieben.

Varianten:

1 Abendlied. H^1 $(\mathfrak{H})^2$

2 gehn,] gehn H^1

3 Gestalten] Schatten H^1 $(\mathfrak{H})^2$ E^1 Schatten
Gestalten $\mathfrak{D}^3$

5 Wasser] Wassers *Schreibfehler!* H^1

7 ruhen] lie⟨gen⟩ ruhn $(\mathfrak{H})^2$ E^1 $\mathfrak{D}^3$
ruhen H^1

9 Frühlingsgewölke] Frühlingswolken H^1

10 edlere] edle ⟨?⟩
|:edlere :| H^1

12 auf,] auf. H^1 $(\mathfrak{H})^2$ E^1 $\mathfrak{D}^3$

14 heimsucht,] heimsucht H^1

15 herbstlicher Landschaft.] frommer Umnachtung
*einsamer
*herbstlicher
*herbstlicher Landschaft. H^1

Helian 40

Überlieferung:

$V^{(1)}$: *Eine Vorstufe für das Gedicht* Helian *(nur für Zeile 23–94) stellt der Komplex* Lange lauscht der Mönch dem sterbenden Vogel am Waldsaum... *[s. S. 230] dar, vgl. S. 302.*

$V^{(2)}$: *Eine weitere Vorstufe für das Gedicht* Helian *(nur für Zeile 82–94?) stellt der Komplex* Finster blutet ein braunes Wild im Busch... *[s. S. 232] dar, vgl. S. 309.*

$H^{(1)}$: *G 134, Zeile 40 bis Zeile 44–47, Ansatz A, und*
G 26, und zwar G 26ᵛ, Zeile 44–47, Ansatz B, bis Zeile 53–57 B: 53 und
Zeile 53–57 B: 54 III
G 26ʳ, Zeile 53–57 B: 54 I/II und
Zeile 53–57 B: 55 bis Zeile 58–60, Ansatz B

G 134: Briefumschlag, Wz.: »MARY MILL | EXTRA DURABLE«; *oben aufgerissen, Marke mit Poststempel ausgerissen. Anschriftenseite: »Georg Trakl | Waagplatz | Salzburg«, Erhard Buschbecks Hand (schwarze Tinte); Absenderseite: am oberen Rand »ERHARD BUSCHBECK | Tivoligasse 76 Tür 1 | WIEN XII« (blauer Stempel); daneben und darüber hinweg, querstehend,* Helian, $H^{(1)}$ *(Zeilen s. o.), Trakls Hand (Bleistift, leicht verwischt).*

G 26: Einzelbl. Recto, oben: Parodie des Gedichtes De profundis *II [s. S. 27] (vgl. Zeile 2–12, 21, 22), von derselben Hand wie die Anschrift auf dem Briefumschlag G 8,* Verwandlung, H^1 *(schwarze Tinte):*

»Es ist ein Hurenhaus in das ein besoffener Dichter fällt
Es ist ein grauer Eckstein, von Hunden verbrunzt
Es ist ein Furtz dessen Duft unsere Nasen umweht
Welch ein Ereigniß.
Am Thore des Hauses
Sammelt die alte Magd, spärliche Trinkgelder
Die klotzigen Augen durchdringen gierig das Dunkel der Flur
Die stinkige Möse, harrt des kräftigen Schwanzes
Im Vorbeigehen
Fand der Wachmann den besoffenen Leichnam
Speiend im Rinnsal
Und durch das Gäßchen
Klangen gröhlende Stimmen.«

Verso/recto, unten (kopfstehend): Helian, $H^{(1)}$ *(Zeilen s. o.) Trakls Hand (Bleistift).*

$H^{(2)}$: *G 62 (G 59–65ʳ), Zeile 82–94c*
Beschreibung s. S. 278.

$\mathfrak{H}^3+H^3$: *F IV 21, Zeile 1–81, und*
F I 3, Zeile 82–94, Satzvorlage für E^1
F IV 21: zwei Dbll., Wz. in den hinteren Blättern (eigentlich a): verschlungene Buchstaben »ANG⟨C?⟩« *im verzierten Wappenschild, in den vorderen Blättern (eigentlich b):* »ORIGINAL | NEUSIEDL BANK POST« *(beide Wz. im Verhältnis zu Trakls Niederschrift kopfstehend). Typoskript (Zeile 1–22 | 23–39 | 40–60 | 61–81): violettes Farbband, rote Spuren in einigen Unterlängen; hsl. überarbeitet (schwarze Tinte, violetter Kopierstift [lateinische Schrift], Bleistift); von Ludwig von Ficker als Satzvorlage ausgezeichnet und Zeile 1 ergänzt »/ von Georg Trakl« (Bleistift); am linken Rand, neben Zeile 2: »(10)«, neben Zeile 23: »(13)«, neben den Zeilen 40 und 61 jeweils: »(11)«, fremde Hand (Kopierstift); S. 2 und S. 4 beider Doppelblätter leer.*
F I 3: Einzelbl. Schwarze Tinte (Zeile 82–94); von L. von Ficker als Satzvorlage ausgezeichnet (Bleistift); verso »Bis Donnerstag | 11 Uhr«, fremde Hand (Kopierstift).

E^1: *J (J. III, 1912/13, H. 9 vom 1. Febr. 1913, S. 386–389)*
S 71, Nr. 47, Satzvorlage für E^2*, und zwar*
Sonderdruck, auf S. 1 in der rechten oberen Ecke »47«, fremde Hand (Bleistift).

E^2: *A (S. 61–65)*

Text folgt: E^2

Datierung: Entstanden hauptsächlich im Dezember 1912 und Januar 1913, und zwar ist $H^{(1)}$ *vermutlich in der Zeit von um den 27. November bis 30./31. Dezember anzusetzen;* $\mathfrak{H}^3$ *ist in Salzburg geschrieben, höchstwahrscheinlich während der Weihnachtszeit und jedenfalls vor dem 30./31. Dezember;* $H^{(2)}$ *und* H^3 *sind wahrscheinlich erst nach dem 4. Januar 1913 in Innsbruck geschrieben.*

Varianten:

40 Erschütternd ist der Untergangs
|: Untergang :| des Geschlechts

41 I Und die Augen des Schauenden
II In dieser Stunde füllen sich

42 I/II [Füllen sich] mit dem Gold seiner Sterne.

43 Sanfter Schäfer : ein Glockenspiel das nicht mehr tönt.
[ ] [versinkt]
Am Abend versinkt
|: verfällt :|

44–47

44 I Am
Im Abend der Kastanien
alter
der alten
II Schwärzlich ragt das Haus am alten Platz
III * Finsterniß ist im ∧ ∧ ∧
*Groß ist die ∧

45 I a/b *[Ruft die Wache zum Gebet]*
II [Im Dunkel der Kastanien ruft die Wache zum Gebet]
III = *Stufe I a!*

46 I–III Und jener tritt in leere Zimmer ein
*Doch wird |: eintreten :|.
Ansatz A ist nicht gestrichen!

44 Groß ist die Finsterniß im Haus. Verschlossen das ei⟨?⟩
dunkle Tor.
alte
Der Dämon am |: alten :|

45 Groß
Winterlich dies ⟨das?⟩ Dunkel im kahlen Kastaniengeäst
*Voll Schweigen |: das :| ⟨dies?⟩

46 Wo die eherne Wache zum Gebet ruft.

44 Unter schwarzem Kastaniengeäst

45 Ruft die eherne Wache zum Gebet.

46 Ein bleicher Engel

47 Tritt der Sohn ins Haus seiner Väter.
finstre
stille
stille
leere

48 Die Schwestern sind ferne zu weißen Greisen gegangen

49 Nachts fand sie der Schläfer im finsteren Hausflur

50 Starrend von Kot und Würmern
roten
Zurückgekehrt von traurigen Pilgerschaften.
*Da sie wechselhaften
* ∧ ∧ traurigen

51 I Nach seinen silbernen Füßen sucht ihr Haar,
schweres
II Von Kot und Würmern [starrt] ihr Haar
III O wie starrt

52 I Starrend von Kot
Das von Kot und Würmern starrt.
II Und sucht nach seinen silbernen Füßen.
III Nun er darein mit silbernen Füßen steht.

53–57

A: *Die Stufen I–III ergeben sich aus der Stellung der Zeilen.*

53 Sie aber sind in stürmischen Nächten in der Fremde gestorben .
* schwarzen Stürmen Seele verdorben

54 I/II Ihm schlugen die Knechte
III Mit Brennesseln schlugen die Knechte

55 I Mit Brennesseln auf die sanften Augen
II
III Dem Sterbenden auf die sanften Augen

55a I/II [Und ließen ihn unter verfallenen Gräbern stehen.]

*B: 53 I Die Klagen
Die Wachen ⟨?⟩ in schwarzen Novemberstürmen.
Waisen
[Die Psalmen]
II Und jene verstorben in kahlen Zimmern erscheinen
III |:aus:| treten
Die Variante Die Klagen *kann auch erst nach* Waisen *geschrieben worden sein.*

54 I/II Liebe. O heiliges Blindsein
III O ihr Psalmen in roten Sternen
Stürmen
feurigen Mitternachtsregen

55 I–III Da die Knechte d⟨ie⟩
mit Brennesseln
Nesseln die sanften Augen schlugen

56 I Die Früchte des Hollunders sich Kindern (α)
II alten über (β)
kindlichen des Menschen (γ)
der Witwen (δ)
Mütter (ε)
[ ] Witwe (ζ)
[Mariens (η)
II/III [(ϑ)
(α) neigen .
(β) Gräbern
(γ) |:Gräber :|
(δ)
(ε)
(ζ)
(η)]
(ϑ) |:über:| das leere Grab]

57 III |:Sich neigen über das leere Grab:|
Es läßt sich nicht mit Sicherheit sagen, wann Zeile 56 gebrochen worden ist.

58–60

58 Stiller rollen zu Häupten deine
|:rollt :| ein Sternbild
Heiter
Einsam
Leise

59 Dem gesungen ein Lied folgt.
* ∧ nächtiges [ ]
Dem zu Zeiten der Trunkene folgt.

58 Leise rollen die runden Monde
metallene

59 Über die Sterbelinnen des Jünglings
kühlen |: linnen:|
|:Fieberlinnen:|

60 Eh dem Winter und Schweigen folgt *H*(1)

82 O die Stunden der Nacht in schwarzen Zimmern
Schrecken
×
die Stufen des Wahnsinns

83 Erfüllt von Myrrinens ⟨?⟩ ⟨Myrriams?⟩ Leichengeruch ,
feuchtem
[gräulichem] *[ ]*
Die Schatten der Alten unter der offenen Tür

84 Da Helians Seele sich im rosigen Spiegel beschaut

85 Und Schnee und Aussatz von seiner Stirne sinken.
|:seinen:| Schläfen

86 An den Wänden sind die Sterne erloschen

87 Und die weißen Schatten der Vordern.
* bleichen Alten .
weißen Gestalten des Lichts .

88 Aus Teppichen steigt die Nähe der Gräber
*Dem |:Teppich :| |:entsteigt:| das Gebein

89 Das Schweigen verfallener Kreuze am Hügel

90 Weihrauch im purpurnen Abendwind .
*Des |:Weihrauchs:| Süße |:Nachtwind:|

91 Von schwarzen Mündern fließt sanfter Gesang
tönt
O ihr zerbrochenen Augen in schwarzen Mündern

92 Da der Enkel im Schatten des Wahnsinns
Schwermut
in sanfter Umnachtung

93 Lange dem dunkleren Ende nachsinnt,
Einsam

94 Der heitere Gott die goldenen Lider aufschlägt
* stille blauen über ihn hebt ;
* senkt

Die drei folgenden, kreuzweis gestrichenen Zeilen sind zwar durch größeren Abstand, aber nicht durch ein Strophenkreuzchen von Zeile 94 getrennt.

94a jener über ver
|:zerbrochene:| Stufen schweigend ins Dunkel hinabsteigt
[zum Weiher]

94b [unter Weiden ein weißer Wandrer]

94c durch die [abendliche] Landschaft seiner Seele.
(abendliche)
[nächtige] $H^{(3)}$

$\mathfrak{H}^3$, E^1 *und* E^2 *weisen folgende Varianten auf:*

1 Helian. $\mathfrak{H}^3$

11 Plan] Plan [begegnen wir uns] *offenbar Abschreibfehler!* $\mathfrak{H}^3$

22 Anschaun.] S
|:Anschaun:|. $\mathfrak{H}^3$

23 Gartens,] Gartens *offensichtlich Druckfehler!* E^2

24 junge Novize] ⟨kran⟩ke ⟨?⟩ Novize
junge *auf Rasur!* $\mathfrak{H}^3$

37 Wahnsinns,] Wahnsinns. $\mathfrak{H}^3$ E^1

43 tönt,] tönt. $\mathfrak{H}^3$ E^1

44 Verfällt der schwarze B⟨aum?⟩ e
|:Verfallen:| |:die:| |:schwarzen:| Mauern am Platz, *von* die *bis* Mauern (*α*)
(α) *teilweise auf Rasur!* $\mathfrak{H}^3$

45 Die tote Wache ⟨?⟩ ruft zum Gebet .
Ruft der tote Soldat zum Gebet . *die ganze Zeile auf Rasur!* $\mathfrak{H}^3$

48 gegangen.] gegangen *offensichtlich Druckfehler!* E^2

49 unter *bis* im] im
unter den Säulen $\mathfrak{H}^3$

55 mit] d⟨ie⟩
|:mit:| $\mathfrak{H}^3$

57 ein leeres] das leere
ein *auf Rasur!* |:leeres:| $\mathfrak{H}^3$

58 vergilbte] metallene
vergilbte *auf Rasur!* $\mathfrak{H}^3$

59 die] das
|:die:| $\mathfrak{H}^3$

62 weiches Geschöpf,] sanftes ⟨?⟩ Geschöpf
weiches *auf Rasur!* $\mathfrak{H}^3$

75 Schlanke Mägde tasten] Trunkene × × × × × n tasten
Mägde *auf Rasur!*
Schlanke $\mathfrak{H}^3$

78 Lasset das] Lasst
|:Lasset:| das $\mathfrak{H}^3$

79 Hingangs,] Hingangs *offensichtlich Druckfehler!* E^2

80 × er ⟨?⟩ × de⟨s⟩ Einsamen dunkle⟨re⟩ ⟨S⟩age geht.
Des Verwesten, der bläulich die Augen aufschlägt *. die ganze Zeile* (α)
(α) *auf Rasur!* $\mathfrak{H}^3$

81 Froh wi⟨r⟩d bald ein Wiedersehn ⟨se⟩in.
O wie traurig ist dieses Wiedersehn. *die ganze Zeile auf Rasur!* $\mathfrak{H}^3$

An den Knaben Elis 49

Überlieferung:
Siehe die Darstellung S. 279.

Text folgt: E^3

Datierung: s. S. 280.

Varianten:

5 blutet] blutet, *Druckfehler,* E^3*; vgl. Brief 83, [HKA] Bd. I, S. 518 [Dort heißt es:*

Schriftleitung ›Der Brenner‹
Innsbruck-Mühlau

Ende Mai/Juni 1913

Sehr geehrter Herr!

Auf Ihre Anfrage teile ich Ihnen umgehend mit, daß die betreffende Stelle im Satz vollkommen richtig ist. Das »Laß« hat hier die Bedeutung von »dulden«; deshalb ja auch kein Beistrich nach »blutet«.

Nehmen Sie, sehr geehrter Herr, den Ausdruck vorzüglichster Hochachtung entgegen

Ihres ergebenen
Georg Trakl *]*

und Erinnerung..., S. 178.

Elis 50

Überlieferung:

1. Fassung: Elis *[s. S. 204]*

$\mathfrak{H}^1$*: G 190*
*Einzelbl., Papiergruppe *13. Typoskript: violettes Farbband, rote Spuren in einigen Unterlängen; unter dem Text* Georg Trakl. *(Masch.); hsl. überarbeitet (Bleistift); Rückseite leer.*

2. Fassung: Elis *[s. S. 205]*

V: Eine Vorstufe für das Gedicht Elis, *2. Fassung, und zwar für Teil 1 (Zeile 2–21), stellt das Gedicht* An den Knaben Elis *dar; vgl. das Stemma S. 279.*

ℌ²: *G 189 und*
F IV 6
*G 189: Dbl., Papiergruppe *6.2a. Typoskript (Zeile 1–21): violettes Farbband, rote Spuren in einigen Unterlängen; von den Hrsgg. »1« bis »4« paginiert; S. 2–4 leer.*
*F IV 6: Dbl., Papiergruppe *6.2a. Typoskript (2. F.: Zeile 22–36|37–52; 3. F.: Zeile 1–16|17–33): violettes Farbband, rote Spuren in einigen Unterlängen, hsl. überarbeitet (Bleistift, schwarze Tinte); auf S. 4 oben, kopfstehend, »Trakl | Manuskripte«, fremde Hand (Bleistift); S. 2 leer. Faksimile: Basil, S. 134*

3. Fassung: Elis
ℌ²: *F IV 6, bei Berücksichtigung der hsl. Überarbeitung*
Beschreibung s. o.
*E*¹: *J (J. III, 1912|13, H. 19 vom 1. Juli 1913, S. 870f.)*
*E*²: *B (S. 11f.)*
X: *verschollen, vormals im Besitz Karl Minnichs (auf Befragen 1958)*

Text folgt: ℌ¹ *(1. Fassung),* ℌ² *(2. Fassung) und E² (3. Fassung)*

Datierung: ℌ¹ *(1. Fassung) und* ℌ² *(2. Fassung), vermutlich auch die hsl. Überarbeitung von* ℌ² *(3. Fassung), sind in Salzburg anzusetzen, wohin Trakl nach dem 4. und vor dem 7. Mai 1913 gefahren ist und wo er bis zum 18. Mai weilte. Die Überarbeitung für E¹ ist vermutlich nach dem 26. Mai in Innsbruck erfolgt. N*

Varianten:

1. Fassung: Elis

1 Elis.

13–15 *Die Stufen I und II ergeben sich aus der hsl. Überarbeitung des Typoskripts.*

13 in der Winzer] I [bisweilen in des Menschen]
II in des
|:der:| Winzer

14 I Der leise die Bläue der Landschaft bewegt.
II Der blauen Stille des Ölbaums.

15 fanden] I finden
II |:fanden:| ℌ¹

2. und 3. Fassung: Elis

ℌ² *und E¹ weisen keine regelmäßige Großschreibung am Versanfang auf.*
Stufe I = 2. Fassung, Stufe II = 3. Fassung!

1 I Elis. ℌ²

2 I 1. ℌ²

1 II Elis *für die 3. Fassung nachgetragen!* ℌ² Elis *E*¹ *E*²

22/2 I 2.
II 1. $\mathfrak{H}^2$
1. E^1 E^2

34–36/13–15

A: 34 I Ein heiterer Sinn

35 I wohnt in der Winzer dunklem Gesang,

36 I der blauen Stille des Ölbaums. $\mathfrak{H}^2$

B: 13 II Leise sinkt $\mathfrak{H}^2$ E^1 E^2

14 II An kahlen Mauern des Ölbaums blaue Stille, $\mathfrak{H}^2$ E^2
an kahlen Mauern des Ölbaums blaue Stille, E^1

15 II Erstirbt eines Greisen dunkler Gesang
. $\mathfrak{H}^2$
erstirbt eines Greisen dunkler Gesang . E^1
Erstirbt eines Greisen dunkler Gesang . E^2

16.17 I/II Bereitet fanden im Haus die Hungernden Brot und Wein. $\mathfrak{H}^2$

16 II Ein goldener Kahn E^1 E^2

17 II schaukelt, Elis, dein Herz am einsamen Himmel. E^1
Schaukelt, Elis, dein Herz am einsamen Himmel. E^2

37/18 I 3.
II |:2:| $\mathfrak{H}^2$
2. E^1 E^2

39/20 I/II am Abend $\mathfrak{H}^2$ E^1
II Am Abend, E^2

43/24 I Ein brauner Baum steht einsam da; $\mathfrak{H}^2$
II Ein brauner Baum steht abgeschieden da; E^1 E^2

49/30 I trinken nachts den goldenen Schweiß, $\mathfrak{H}^2$
II trinken nachts den eisigen Schweiß, E^1
Trinken nachts den eisigen Schweiß, E^2

52/33 I an schwarzen Mauern Gottes eisiger Odem.
II Wind $\mathfrak{H}^2$
an schwarzen Mauern Gottes einsamer Wind. E^1
An schwarzen Mauern Gottes einsamer Wind. E^2

Sebastian im Traum

Überlieferung:

V: *Eine Vorstufe für das Gedicht* Sebastian im Traum *stellt der Komplex* Sommer. In Sonnenblumen gelb klapperte morsches Gebein... *[s. S. 232] (G 54–56 und G 80) dar, s. S. 310.*

$\mathfrak{H}^1$: *G 198 und Durchschlag F IV 41ª*

G 198: Drei Einzelbll., Papiergruppe 18. Typoskript (Zeile 1–22 | 24–44 | 46–59): kursive Typen, violettes Farbband; masch. und hsl. korrigiert (dunkler Grünstift); Rückseiten leer.

F IV 41ª: Drei Einzelbll., Papiergruppe 18. Typoskript: Durchschlag zu G 198, blaßblaues Kohlepapier; masch. und hsl. korrigiert und die einzelnen Blätter in der rechten oberen Ecke 1, 2, 3 numeriert (heller Grünstift); Rückseiten leer.

E^1: *J (J. IV, 1913/14, H. 1 vom 1. Okt. 1913, S. 18–20)*

X^{2a}, X^{2b}: *G 126 und G 127, verschollen, bezeugt als masch. Reinschriften in F. Brunners Verzeichnis der Sammlung G. Nach F. Brunner sind sie textidentisch mit* E^2.

E^2: *B (S. 14–16)*

Text folgt: E^2

Datierung: Entstanden nach dem 22. September und vor dem 1. Oktober 1913 (E^1*) in Innsbruck. N*

Varianten:

1 Traum] Traum. $\mathfrak{H}^1$

2 Für] für $\mathfrak{H}^1$ E^1 Loos] Loos. $\mathfrak{H}^1$

4 Hollunders,] Holunders, E^2

7 in Mitleid sich] sich
in Mitleid $\mathfrak{H}^1$

20 im kahlen] in kahlem $\mathfrak{H}^1$ E^1

23 *fehlt!* $\mathfrak{H}^1$ E^1 2. E^2

24 Seele.] Seele ?
|:;:| *wahrscheinlich Schreibfehlerkorrektur!* $\mathfrak{H}^1$

32 ging,] ging
, $\mathfrak{H}^1$

36 Hollunder] Holunder E^2 fing,] fing; $\mathfrak{H}^1$ E^1

37 Nußbaums;] Nußbaums
|:;:| $\mathfrak{H}^1$

45 *fehlt!* $\mathfrak{H}^1$ E^1 3. E^2

57 Verfiel der] Der $\mathfrak{H}^1$

58 Hollunders,] Holunders, E^2

59 in] aus
in $\mathfrak{H}^1$

Abend in Lans 54

Überlieferung:

1. Fassung: Sommer *I (?) [s. S. 209]*

H^1: *G 54–56, S. 2*

G 54–56: Zwei Einzelbll., vormals ein Dbl., Briefpapier. Bl. 1: G 54; S. 1 des Dbl.: Wilhelm Trakls Brief 1 [s. HKA Bd. II, S. 787] (Typoskript: blaugrünes Farbband, rote Spur in einer Unterlänge; Unterschrift: violetter Kopierstift); darunter, querstehend: Sommer. In Sonnenblumen gelb klapperte morsches Gebein..., *H, Zeile (V) 11–(VI) 15. S. 2, am rechten Rand:* Sommer. In Sonnenblumen gelb ⟨...⟩, *H, in der oberen Hälfte, querstehend, Zeile (III) A: 13b–(III) A: 13d, in der unteren Hälfte, querstehend, Zeile (III) B: 13b–(III) B: 13d; darunter, von* Sommer. In Sonnenblumen gelb ⟨...⟩, *H durch einen Querstrich getrennt, in der unteren Hälfte, querstehend,* Abend in Lans, H^1 *und* Abend in Lans, H^2, *Zeile 2–7, in der oberen Hälfte, querstehend,* Abend in Lans, H^2, *Zeile 8–10. Bl. 2: G 55–56; S. 3 des Dbl., in der oberen Hälfte, querstehend, G 56:* Sommer. In Sonnenblumen gelb ⟨...⟩, *H, Zeile 1–(II) 16; in der unteren Hälfte, querstehend, G 55:* Sommer. In Sonnenblumen gelb ⟨...⟩, *H, Zeile (II) 17–(III) 13a und – unter einem Querstrich – Zeile (IV) 11–(IV) B: 15. S. 4, in der unteren Hälfte, querstehend:* Sommer. In Sonnenblumen gelb ⟨...⟩, *H, Zeile (VIII) 11 – (VIII) B: 14a:. Trakls Hand (Bleistift, stellenweise verwischt, auf S. 2 stark, am rechten Rand fast völlig verwischt).*

2. Fassung: Abend in Lans

H^2: *G 54–56, S. 2*
Beschreibung s. o.

$(\mathfrak{H})^3$: *F IV 43 und Durchschlag G 206ª*

F IV 43: Einzelbl., Papiergruppe 18. Typoskript: kursive Typen, violettes Farbband; unter dem Text Georg Trakl. *(Masch.); Rückseite leer.*

G 206ª: Einzelbl., Papiergruppe 18. Typoskript: Durchschlag zu F IV 43, blaßblaues Kohlepapier; Rückseite leer.

E^1: *J (J. IV, 1913/14, H. 3 vom 1. Nov. 1913, S. 109)*

E^2: *B (S. 19)*

Text folgt: H^1 *(1. Fassung) und* E^2 *(2. Fassung)*

Datierung: H^1, H^2 *und* $(\mathfrak{H}^3)$ *sind nach dem 22. September und vor dem 1. November 1913* (E^1) *in Innsbruck anzusetzen,* H^1 *und* H^2 *höchstwahrscheinlich,* $(\mathfrak{H})^3$ *vielleicht schon vor dem 1. Oktober. N*

Varianten:

1. Fassung: Sommer *I (?)*

1 Sommer.

6 am knöchernen] am knöchernen̦

7 Über] × |: Über:| des] den̦ *Schreibfehler!*

Die ganze 1. Fassung ist – bis auf Zeile 1 – kreuzweis gestrichen und durch ein Strophenkreuzchen von der anschließenden 2. Fassung getrennt. Es ist zweifelhaft, ob die nicht gestrichene Überschrift (Zeile 1) auch noch für die 2. Fassung in H^2 gelten soll. H^1

2. Fassung: Abend in Lans

1 *fehlt!* H^2, *s. o. zu* H^1 *!*

1 Lans] Lans. $(\mathfrak{H})^3$

2 Sommer] Sommer, H^2

3 Bogen,] Bogen H^2

4 - 3a Wo die Schwalbe ein und aus flog H^2

4a Tranken wir feurigen Wein H^2

5 Schön ist gerechtes Gespräch und frohes Lachen. H^2 $(\mathfrak{H})^3$

7 Stillen mit heiterem Leben die [glühende] Stirne. H^2
Stillen mit heiterem Leben die Stirne uns. $(\mathfrak{H})^3$

8 rinnen] rannen $(\mathfrak{H})^3$ Walds,] Walds H^2 Walds,; $(\mathfrak{H})^3$ Walds; E^1

9 Die] Die [Silbern ⟨?⟩] H^2

10 Immer klingt der Wind im Korn
Freund der verfallene Weg ins Dorf. H^2
Freund; der verfallene Weg ins Dorf. $(\mathfrak{H})^3$

⟨Delirien⟩ 174

Überlieferung:

Der Kleinzyklus ⟨Delirien⟩ *bildet eine Vorstufe für die Gedichte* Delirium *[s. S. 175] und* Am Rand eines alten Brunnens *[s. S. 175], vgl. das Stemma S. 299.*

1. Fassung: ⟨Delirien⟩

H^1: *S 42 (Privatbesitz, Salzburg, 1959), vormals Slg. G*
Faltbrief. Außenseite, obere Hälfte: »Georg Trakl | p. Adr. Ludwig von Ficker | Inns-

bruck-Mühlau 102«, Erhard Buschbecks Hand (schwarze Tinte); »Innsbruck« gestrichen, fremde Hand (Rotstift); Poststempel: »⟨...⟩ WIEN ⟨...⟩ | 17. I. 13–8«; *auf der Adresse, querstehend, mit einem Pfeil auf Trakls Niederschriften in der unteren Hälfte:* »*Originalgröße*«, *fremde Hand (Material?). Außenseite, untere Hälfte, querstehend, am linken Rand begonnen:* Aspirin ⟨*und ein Buchstabe oder eine Klammer, gestrichen*⟩ | Morph. (Pulver) | Sublimat. (Glas) | Doverische Pulver | Xeroform | Kal. chloric. | Codeinpulver | Formanwatte | Veronal, *Trakls Hand (Bleistift, deutsch-lateinische Mischschrift); querstehend, am rechten Rand begonnen:* Delirien, *H*[1], *Trakls Hand (Bleistift); unter der Querfalte links:* Lilli Hauer | Rosengasse, Hall, *Trakls Hand (Bleistift); unter der Querfalte, hart am linken Rand, querstehend: »8« im Kreis, fremde Hand (Rotstift). Innenseite: E. Buschbecks Brief 7 [s. HKA Bd. II, S. 752] (schwarze Tinte); in der linken unteren Ecke »1608« und »115 × 85 ⟨...⟩«, fremde Hände (Bleistift).*

Faksimile: Wolfgang Schneditz, Georg Trakl in Zeugnissen der Freunde. Salzburg (1951), S. 97

X[2]: *verschollen, zweiteilige Fassung, erschlossen aus Brief 51 und 52. [Dort heißt es:*

51. An Erhard Buschbeck ⟨in Wien⟩

LUDWIG VON FICKER
INNSBRUCK-MUEHLAU 102. *zweite Hälfte Januar 1913*

Lieber Freund!

Anbei drei Subskriptionen. Ebenso hat mich Kalmár ersucht für ihn noch ein Exemplar zu zeichnen.

Falls Du mir in dieser Woche noch schreiben solltest bitte nach Innsbruck-Mühlau zu adressieren, da ich diese Woche noch hier verbleibe.

Umstehend das Manuskript zweier Gedichte, die Du nach Belieben verwenden magst.

Mit den herzlichsten Grüßen

Dein
G

p. s. Bitte mir mitteilen zu wollen, daß Du diesen Brief erhalten hast.

52. An Erhard Buschbeck in Wien

[Mühlau, 22. I. 1913]

Lieber Freund! Bitte folgende Korrektur anzubringen:

2.

Dunkle Deutung des Wassers: Stirne im Mund der Nacht,
Seufzend in schwarzen Kissen des Menschen rosiger Schatten,
Röte des Herbstes, das Rauschen des Ahorns im alten Park,
Kammerkonzerte, die auf verfallenen Treppen verklingen.

3. (anzufügen)
Der schwarze Kot, der von den Dächern rinnt.
Ein roter Finger taucht in deine Stirne
In die Mansarde sinken blaue Firne,
Die Liebender erstorbene Spiegel sind.

Mit vielen herzlichen Grüßen

Dein G]

2. Fassung: ⟨Delirien⟩ *[s. S. 174]*
H^3: *Bb 39, Brief 52 an Buschbeck vom 22. Januar 1913 (Poststempel), nur Zeile 7–16 [s. o.]*

⟨Delirien⟩ – Delirium – Am Rand eines alten Brunnens

S 42
⟨Delirien⟩, *1. Fassung,* H^1, *Ansatz für Z. 9–11*

X^2
⟨Delirien⟩, *1. Fassung, verschollen*

⟨Delirien⟩, *2. Fassung,* X^3/H^3
[s. S. 174 f.]

Z. 3–6
1. Fassung, Z. 3–6, X^2

Z. 13–16
Bb 39, H^3

Z. 8–11
Bb 39, H^3

G 72
Delirium H^1

Bb 40
Am Rand eines alten Brunnens
1. Fassung, H^1
[s. S. 175]

Bb 40
Delirium H^2
[s. S. 175]

F V 9
Am Rand eines alten Brunnens
2. Fassung, $(\mathfrak{H})^2$
[s. S. 175 f.]

Text folgt: H^3

Datierung: H^1 *(1. Fassung) ist nach dem 17. und vor dem 22. Januar 1913 in Innsbruck anzusetzen. Die 2. Fassung lag schon am 22. Januar 1913 – mit Brief 52 – in Innsbruck vor.* N

Varianten:

1. Fassung: ⟨Delirien⟩

(I)

1	I/II	Seufzend in schwarzen Kissen des Menschen rosiger Schatten
2	I	Sanfte Umarmung der Liebenden im alten Park
	II	Röte des Herbstes, das Rauschen des Ahorns
3	I	Bleiche Engel, die aus verstorbenen Augen treten
	II	des Liebenden *H*[1]

(II) *verschollen! X*[2]

2. Fassung: ⟨Delirien⟩

1 Delirien *überliefert in Brief 54 an Erhard Buschbeck vom 28. Januar 1913 (Poststempel), s. [HKA] Bd. I, S. 501f. [Dort heißt es:*

[Mühlau, 28. ⟨I.⟩ 1913]

Lieber Freund! Nachstehend eine zusammengezogene Fassung des 1. u. 3. Gedichtes »Delirien«. Das 2.* unter dem Titel »Am Rand eines alten Wassers«.

Delirium.

Der schwarze Schnee, der von den Dächern rinnt;
Ein roter Finger taucht in deine Stirne
Ins kahle Zimmer sinken blaue Firne,
Die Liebender erstorbene Spiegel sind.
In schwere Stücke bricht das Haupt und sinnt
Den Schatten nach im Spiegel blauer Firne,
Dem kalten Lächeln einer toten Dirne.
In Nelkendüften weint der Abendwind.

Am Rand eines alten Wassers.

Dunkle Deutung des Wassers: Stirne im Mund der Nacht⟨,⟩
Seufzend in schwarzen Kissen des Menschen rosiger Schatten,
Röte des Herbstes, das Rauschen des Ahorns im alten Park,
Kammerkonzerte, die auf verfallenen Treppen verklingen.

(Das erste entfällt somit.)

Hoffentlich ist es nicht zu spät, die Korrekturen anzubringen. Dr. Heinrich hat die Manuskripte gestern an den Verlag geschickt. Übermorgen erhältst Du einen Abzug auf Büttenpapier des »Helian«; Mittwoch fahre ich nach Salzburg. Hoffentlich erhalte ich bald eine Nachricht von Schwab. Bitte teile mir mit Karte mit, ob Du die Korrekturen noch hast anbringen können. Mit herzlichsten Grüßen

Dein G.

**Die Ziffern 1., 3. und 2. sind unterstrichen.]*

2–6 *verschollen, identisch mit Teil 1 der 1. Fassung*

7 2.

12 3. *Es folgt in Klammern der Zusatz* anzufügen, *woraus hervorgeht, daß die 1. Fassung nur zweiteilig war.* H^3

Delirium 175

Überlieferung:

V: Delirium *geht aus dem Kleinzyklus* ⟨Delirien⟩, *Zeile 3–6 und Zeile 13–16, hervor, vgl. das Stemma S. 299.*

H^1: *G 72 (G 72–79ʳ)*
Beschreibung s. S. 278.

H^2: *Bh 40, Brief 54 an Erhard Buschbeck vom 28. Januar 1913 (Poststempel) [s. o.]*

E: *Erinnerung…, S. 140*

Text folgt: H^2

Datierung: H^1 *ist nach dem 22. Januar 1913 in Innsbruck anzusetzen;* H^2 *lag am 28. Januar – mit Brief 54 [s. o.] – in Innsbruck vor.* N

Varianten:

1 *fehlt!* H^1 Delirium. H^2

2 Schnee,] Kot, H^1 rinnt;] rinnt. H^1

3 Stirne] Stirne. H^1

5 erstorbene] erstorbęne H^1

7 blauer Firne,] blauer Firne
schwarzer H^1

7a I/II [Mit Nelkendüften füllt den Abendwind] H^1

8 I Das fremde Lächeln einer toten Dirne.
II *|:Dem:| |:fremden:| kalten H^1

9 II Mit Nelkendüften füllt sich sacht ⟨?⟩ der Abendwind.
In weint ʌ H^1

Am Rand eines alten Brunnens 175

Überlieferung:

V: Am Rand eines alten Wassers *geht aus dem Kleinzyklus* ⟨Delirien⟩, *Zeile 8–11, hervor, vgl. das Stemma S. 299.*

1. Fassung: Am Rand eines alten Wassers *[s. S. 175]*
H[1]: Bb 40, Brief 54 an Erhard Buschbeck vom 28. Januar 1913 (Poststempel) [s. o. S. 300]
E: Erinnerung..., S. 140

2. Fassung: Am Rand eines alten Brunnens *[s. S. 175]*
(§)[2]: F V 9
*Einzelbl., vielleicht Papiergruppe *6 (ohne Wz.). Typoskript: violettes Farbband, rote Spur in einer Unterlänge; Rückseite leer.*

Text folgt: H[1] (1. Fassung) und (§)[2] (2. Fassung)

Datierung: Die Vorstufe ⟨Delirien⟩ *lag am 22. Januar 1913 – mit Brief 52 –, die 1. Fassung am 28. Januar – mit Brief 54 [s. o. S. 298* u. *300] – in Innsbruck vor. Die 2. Fassung wird vor dem 13. Juli 1913 in Salzburg abgeschlossen worden sein; bezeugt ist sie erst für den 6. März 1914. N*

Varianten:

1. Fassung: Am Rand eines alten Wassers

1 Wassers] Wassers.

2 Nacht⟨,⟩] Nacht *am Blattrand! H[1]*

2. Fassung: Am Rand eines alten Brunnens

1 Brunnens] Brunnens.

3 in schwarzem] im
|: in :| schwarzem *(§)[2]*

Lange lauscht der Mönch dem sterbenden Vogel am Waldsaum... 230

Komplex G 21

Überlieferung:
H: G 21
Der Komplex G 21 stellt eine gemeinsame Vorstufe für die Gedichte An die Schwester *[s. S. 34],* Nähe des Todes *[s. S. 34],* Abendlied *[s. S. 38] und* Helian *[s. S. 40] dar.*
Dbl., Briefpapier, Briefkopf auf S. 1: »CAFÉ BAZAR | SALZBURG.« *(schwarzer Aufdruck). Bleistift, auf S. 1 stellenweise verwischt, (Zeile (I) 1 – (II) 15 II | (III) 1 – (III) 23 | (III) 23a – (V) 12 |* [Ist es ein Zug] *und Zeile (VI) 1 – (VI) 4). Von den Hrsgg. »1« bis »4« paginiert (Bleistift).*
Faksimile: Walther Killy, Über Georg Trakl, Göttingen (1960) (Kleine Vandenhoeck-Reihe 88/89), nach S. 88
E: Walther Killy, Der Helian-Komplex in Trakls Nachlaß mit einem Abdruck der Texte und einigen editorischen Erwägungen. In: Euphorion 53, 1959, S. 411–416

Text folgt: H

Datierung: Entstanden oder jedenfalls begonnen worden höchstwahrscheinlich nach dem 27./30. November und vor dem 9. Dezember 1912 in Salzburg. N

Varianten:

Die Zeilen der nicht gestrichenen aufeinanderfolgenden Ansätze (II) – (VI) werden entgegen der sonstigen Gepflogenheit durchgezählt.

(I)

1 Schön ist Opheliens Wahnsinn,

2 Der blaue Teich , der durch die Weiden rinnt;
* alte Weiher

3 [Die Lider, die]
Und die Schwermut ihrer verbogenen Lider
* kindliche ∧
* bleiche
* glühende
*Schatten darin ⟨?⟩ ∧ verbogenen
*Die blaue ∧ ∧ |:ist:| (α)
* ∧ Die
(α) ins rote Laub gesunken

4 Mit Schnee und Aussatz füllt sich die betäubte Seele
*[Und leise] betrübte

5 Und folgt den Abendflöten im dürren Rohr.
* ∧ ∧ |:die :| |:Flöten :| des Abends

Die folgenden Ansätze (II)–(VI) werden im Gegensatz zu Ansatz (I) nicht gestrichen.

(II)

1 Lange lauscht der Mönch dem sterbenden Vogel am Waldsaum

1a Der fremde Bruder, der den Hohlweg herabsteigt.
[weiße]

2 O die Nähe des Todes, die Kreuze am Hügel
verfallenen
verfallender

3 Der Angstschweiß der auf wächserne Stirnen tritt.
die |:Stirne :|

4 Und
O das Wohnen in blauen Höhlen der Schwermut.
Versunkenes
Weiches
O das
Danach etwas größerer Zeilenabstand; Absatz?

4a Ein schneeiges Antlitz, das × zu ruhigen ⟨?⟩ Wassern sinkt.
* langsam metallenen
* schweigsamen
*[verpestetes ∧ zu den Schatten]

5 [Blutbefleckte Erscheinung, die den Hohlweg herabsteigt]
Vom Hohlweg steigt
O (Blutbefleckte Erscheinung, die den Hohlweg herabsteigt)

6 Daß du leblos in die silbernen Kniee brichst
der Besessene |:bricht :| .
Danach Strophenkreuzchen!

7 Mit Schnee und Aussatz füllt sich die trübe
faulende Seele
*In
*Mit kranke

8 Da sie am Abend dem Wahnsinn der Nymphe lauscht,

9 Den dunklen Flöten im dürren Rohr;
* vergilbten
* des ×s (dürren)

10 Böse ihr Bild im Sternenweiher beschaut .
*Finster |:;:|
Danach Absatz!

***11** I a/b Stille sitzen die Blinden unter dem grauen Himmel
Abends
Nächtlich
(Stille)
II Aber indes ⟨?⟩ ist einsam der Irre ⟨?⟩ am Fenster
Über verschüttete Stiegen hinab ein weißes Grab
III Und der Tote in seinem weißen Grab.
Die Magd in ihrem weißen Grab.
Stille schläft die Magd im Dornenbusch
verwest

***11 a**[a] I b Ferne den Dörfern
Ferne sind die leeren Dörfer
II/III ∧ ∧ ∧ ∧ ∧

*12 Ia Und die verödeten Pfade und Stätten der Dörfer
|:des:| |:Dorfes:|
Ib des Todes
Kreuze ⟨?⟩ ∧ ∧
leeren Stätten
II/III leeren Dörfer

13 I-III Bedecken sich mit gelbem Gras.

14 I/II Im Winde verstummt das Zischeln der Schlangen.
III Über verschüttete Stiegen , wo Träumende stehn
[ ] hinab ein ⟨?⟩ purpurner ⟨?⟩ Abgrund.
|:- ⟨?⟩:|

Danach Seitenende!

(III)

15/1 Wo an schwarzen Mauern Besessene stehn

16/2 Steigt der bleiche Wandrer im Abend hinab
* |:Wanderer:| Herbst

17/3 Wo vordem ein Baum war, ein blaues Wild im Busch

18/4 Öffnen sich, zu lauschen, die welchen Augen

19/5 Helians. *Danach Strophenkreuzchen!*

Das verwirrende Bild, das die beiden folgenden Strophen von Ansatz (III) in der Hs. bieten, sucht Trakl nachträglich zu klären, indem er die erste Strophe (Zeile 6–8) durch eine geschweifte Klammer zusammenfaßt und die Zeilen des endgültigen Wortlautes durch Kreuze auszeichnet (außer Zeile 6 und 8).

20/6 I Wo in dunklen Zimmern die
einsam die Liebenden waren
II * finsteren einst schliefen

21/7 I Laß den Verruchten mit silbernen Schlangen spielen
Mönch
Spielt der Mönch mit silbernen Schlangen .
II * Tote |:,:|
* Blinde

22/8 I O Wehmut des herbstlichen
verfallenen Mondes am Fenster.
II Der ernsten Wehmut des Mondes .
sanften
herbstlichen
Nach Stufe I etwas größerer Zeilenabstand, aber kein Strophenkreuzchen!

23/9 I Grau verdorrte im braunen Gewand der Leib (α)
* der wüste ⟨weiße?⟩ (β)
II * |:verdorren:| die Glieder ∧ (γ)
* (δ)
* (ε)
(α) der Magd
(β-γ)
(δ) des Fremdlings
(ε) [der Magd]

24/10 I Der sich im Spiegel seufzender Wasser
IIa * Und verstorbener
IIb [Ein] steinerner Bogen ∧
|:steinerne :| |:Bögen:|
Ein |:steinerner:| |:Bogen:|

25/11 I Verzückt. Die steinernen Bogen des Domes ×
* Kreuzgangs
IIa *|:Verzücken:| sich ∧
IIb Der sich im Spiegel faulender Wasser verzückt.
roter
(faulender)

26/12 IIb Schreckliche Maske, die einst Gesang war.
*Einsame ⟨?⟩ sanfter
*Beinerne
*Knöcherne (einst)

27/13 IIb [O] wie schweigsam die Stätte. *Danach Absatz!*
|:Wie:|

28/14 Ein verpestetes Antlitz, das zu den Schatten sinkt,

29/15 Ein Dornenbusch der den roten Mantel des Büßenden sucht;

*30/16 I Da der Finger des Blinden seine Zeichen sucht .
IIa ∧ ∧ ∧ ∧
[Wenn] magische
der seinen Sternen
IIb/c Leise folgt 17 IIb/c [Seinen erloschenen]

*31/17 IIa Seinen traurigen Zeichen folgt.
erloschenen
heiteren ⟨?⟩.
IIc |:Seinen erloschenen Sternen:|
Danach Absatz!

*32/18 II O wie schön ist der sterbende Mensch (α)
verwesende (β)
bleich im Wahnsinn der (γ)
III ∧ Ein |:bleiches:| Geschöpf [ ] (δ)
weißes [,] ∧ ∧ ∧ ∧ (ε)
(ist der sterbende Mensch) (ζ)
einsame
(α) und erscheinend im Dunkel ,
(β)
(γ) ∧
(δ) |:scheinend:|
(ε) (erscheinend)
(ζ) ∧ ∧ ∧ ∧

33/19 II Wenn er leise Arme und Beine bewegt,
III *Das ∧ staunend

34/20 II In purpurnen Höhlen langsam die Augen rollen.
III *Dem in silbern
∧ ∧ |:Purpurnen:| darin verblichene
Danach Strophenkreuzchen!

35/21 Über verschüttete Stiegen hinab wo Mörder stehn
Verfluchte
niemand ⟨?⟩ |:steht :|
Sterbende |:stehn:|
Verstorbene
Einsame
Tanzende
Böse

36/22 Ein Klang von Tanz und Zymbeln verklingt
traurigen
herbstlichen

37/23 Öffnet sich wieder ein glühender Abgrund.
weißer ⟨?⟩
Danach Seitenende!

Mit Zeile 23a sollte vermutlich eine neue Strophe beginnen, die jedoch sofort abgebrochen wird und erst in dem wahrscheinlich später niedergeschriebenen Ansatz (IV) aufgeht.

37a/23a [Verwandelt tritt in die tote Stadt der Verhüllte]

(IV)

38/1 Durch schwarze Stirne taumelt schief die tote Stadt
geht

39/2 Der trübe Fluß darüber Möven flattern
[streifen]
|:flattern:|

40/3 Dachrinnen
Die Rinnen der D⟨ächer⟩
Dachrinnen kreuzen sich an den Mauern
vergangenen

41/4 Ein roter Turm darüber Dohlen flattern
* kreuzen ⟨kreisen?⟩
* und ∧ Darüber

42/5 Wintergewölk, das aufsteigt. *Danach Absatz!*

42a/5a [Wo aber nicht.] *Danach Strich quer über die Seite hin!*

(V)

43/1 I Sie aber singen leise die tote Stadt;
II *Jene ∧ die Traurig⟨keit⟩
* den Untergang |:der:| dunklen
finsteren

44/2 I/II Traurige Kindheit, die wieder im Haselgebüsch spielt,
nachmittags

45/3 I/II Abends unter braunen Kastanien blauer Musik lauscht,

46/4 I/II Der Brunnen erfüllt von goldenen Fischen. *Danach Strophenkreuzchen!*

47/5 I/II Über das Antlitz des Schläfers neigt sich der greise ⟨Greise?⟩ [der] Vater

48/6 I Jener ist ferne gegangen ein bärtiges Antlitz
II Des Guten ∧ ∧ , das ferne gegangen

49/7 I Ins Dunkel pur⟨purner⟩
nördlicher Sterne .
friedlicher ⟨südlicher?⟩
fremder
trauriger
II Ins Dunkel ∧ ∧ ∧.

Danach Absatz!

50/8 I/II O Fröhlichkeit wieder, ein weißes Kind

51/9 I Das
II Hingleitend an erloschenen Fenstern.

52/10 II Wo vordem ein Baum war, ein blaues Wild im Busch

53/11 II Öffnen sich zu lauschen die weichen Augen
sterben

54/12 II Helians. *Danach Seitenende!*

Vor Ansatz (VI) stehen am oberen Rand der Seite die Wörter [Ist es ein Zug], *die weder mit dem Schluß von Ansatz (V) noch mit dem Beginn von Ansatz (VI) in Verbindung zu stehen scheinen.*

Der folgende Ansatz (VI) nimmt besonders Ansatz (III), Zeile 1–5, und Ansatz (V), Zeile 8–12, auf und steht dem Schriftbefund nach möglicherweise in Zusammenhang mit der Überarbeitung von Ansatz (V), Stufe II.

(VI)

55/1 Wo an Mauern die Schatten der Ahnen stehn,

56/2 Vordem ein einsamer wa⟨r⟩
|:Baum:| war, ein blaues Wild im Busch

57/3 Steigt der weiße Mensch auf goldenen Stiegen,

58/4 Helian ins seufzende
schweigende Dunkel hinab.
ins tiefe Dunkel
seufzende

Finster blutet ein braunes Wild im Busch . . . 232

Komplex G 125

Überlieferung:

h: *Abschrift Felix Brunners nach der verschollenen Hs. G 125.*
Der Komplex G 125 stellt eine Vorstufe für das Gedicht Helian *[s. S. 40] dar.*

Text folgt: h

Datierung: Entstanden vermutlich im Dezember 1912. N

Sommer. In Sonnenblumen gelb klapperte morsches Gebein . . .

232

Komplex G 54–56 und G 80

Überlieferung:

H: *G 56 (G 54–56, S. 3), Zeile 1 – (II) 16*
G 55 (G 54–56, S. 3), Zeile (II) 17 – (III) 13a und Zeile (IV) 11 – (IV) B: 15
G 54 (G 54–56, S. 2), Zeile (III) A: 13b – (III) B: 13d
G 54–56, S. 1, Zeile (V) 11 – (VI) 15
G 80, Zeile (VII) 11 – (VII) B: 20
G 54–56, S. 4, Zeile (VIII) 11 – (VIII) B: 14a
Der Komplex G 54–56 und G 80 stellt eine Vorstufe für das Gedicht Sebastian im Traum *[s. S. 52] dar.*
Beschreibung G 54–56 s. S. 296.
Beschreibung G 80:
Hinteres Blatt eines Briefumschlags. Recto (Außenseite): Bleistift (Text), stellenweise verblaßt; Innenseite leer.

Text folgt: H

Datierung: Entstanden nach dem 22. September und vor dem 1. Oktober 1913 in Innsbruck. N

Varianten:

1 Sommer. In schwarzem Grün klapperte morsches Gebein,
Sonnenblumen gelb

2 Stieg zu jungen Mönchen im Garten die S
gelbe Sonne hinab
*Sank der Abend des verfallenen Gartens

3 Duft d
und Schwermut *[,]*
des blühenden Hollunders,
alten

4 Da in
|:aus:| Sebastians Schatten die verstorbene Schwester trat,

5 Der Purpur ihrer zerbrochenen ×
Purpurn sein Mund am vergangnen ⟨?⟩ Leben zerbrach.
* des Schlafenden ∧ ∧ ∧
Danach ursprünglich Strophenkreuzchen, sofort getilgt!

6 Alles Dunkle sang ⟨?⟩ den englischen Gruß.
sprach
schwieg
Und die Silberstimme des Engels

7 Spielende Knaben am Hügel. O wie leise die Zeit,

8 Des Septembers und jener, da er in schwarzem Kahn

9 Am herbstlichen Weiher vorbeizog, ein Wild am Rohr .
* |:Sternen Weiher:| gelben
* dürren
* gelben *[ ]*
* ∧ ∧ am dürren Rohr ,
*

Zeile 10 I ist vielleicht als überschüssige Zeile (9a) anzusehen.

10 I Ein schwarzer Fisch [langsam] in den Wassern versank.
*[*Leise*]*
II [Abends traf ihn wilder Vögel Flug und Schrei;]
Wilder Vögel Flug und Schrei ihn traf*[.]*
Wohnte ∧ ∧
Er aber wohnte in
[ein Dunkles]
In

11ff. *Die folgenden Ansätze werden generell halbfett durchgezählt.*

(I)

11 Abends wieder in der [Nonnen] ernster Kirche,
|:ernsten:|
rosigen
Frauen |:rosiger :|

12 Neigte in gelben Locken das Antlitz,

13 Umfing in Schmerzen ihn der blaue Mantel der Mutter
*Und umfing Heiligen,

14 Da in schwarzem Wahnsinn sein Mörder hinter ihm stand.
* in braunem Licht ⟨?⟩ glühend
* ein toter Mörder ⟨?⟩ ∧ ∧
* schwarzer
* ∧ ∧ ∧ ein Totes
* schwärzlich

(II)

11 Abends saß die Mutter im Schatten des Herbstes
* braunen
*Ferne ging ∧ ∧

12 [Ein weißes Haupt.] Über verfallene Stufen

13 O wie leise senkte sich der einsame Schritt
|:des:| |:Einsamen:|
* ∧ ∧ ∧ der weiße Schläfer hinabstieg
* sank |:hinab :|
* stieg
*∧ ∧ ∧ mit blindem Schreiten

14 Herzzerreißende Stunde [.]

15 Und die härene ⟨?⟩ Nacht. Stern und frommes ⟨?⟩ Erwachen

16 Leise weint aus wissenden ⟨?⟩ Augen des Menschen dunkles (α)
Blaue Seele weint ⟨?⟩ × ein ⟨?⟩ ∧
(α) Geschlecht

17 Ferne ging im Schatten
saß ⟨?⟩ die Mutter im Schatten des Herbstes,
ein Taugrund ⟨?⟩
im

18 Ein weißes ⟨?⟩ Haupt

(III)

11 Ferne sank in Schatten und Stille des Herbstes
ging

12 Ein weißes Haupt,
[dunkles]

*13 I Stieg der Schatten des Schläfers verfallene Stufen hinab ,
weiße ⟨?⟩
weiße
∧⟨!⟩ ∧ ∧ ∧ |:Schläfer :|
(der) (Schatten des)
II |:.:|

13a I [Und ⟨?⟩ im Innern des Baums schwieg die rosige Stimme des Engel ⟨!⟩]
I/II [Und die Legende der Stadt.]
Ansatz (III), Zeile 11–13, nicht gestrichen!
Die Einordnung der Zeilen (III) 13b – (III) 13d ist unsicher, doch scheint der folgende Ansatz (IV), der durch einen Querstrich nach Zeile (III) 13a vom vorhergehenden getrennt ist und der Schrift zufolge nicht im Zusammenhang mit Zeile (III) 11–(III) 13a niedergeschrieben worden ist, ihre Motive vorauszusetzen.

13b–13d

A: 13b Rosige Glocke, da aus seinem schwärzlichen Grab

13c Der Heiland aufstand

13d Und die Silberstimmen
|: Silberstimme :| des Engels.
Abendengels⟨?⟩.

: 13b *unlesbar verwischt!*

13c [Flog ein rosiger × , die Silberstimme]

13d [Eines singenden Vogels.]

(IV)

11 I Ferne ging ein Greises in Schatten und Stille des Herbstes
II-IV Ferne saß die Mutter im Schatten des Herbstes

12 II-V Ein weißes Haupt. Über verfallene Stufen

13 II Stieg im Garten der dunkle Schläfer hinab.
III die Klage⟨?⟩ der ⟨?⟩ Drossel
IV der × Schläfer
V (der dunkle Schläfer)

14 II Rosige Glocke des Abendmahls –
III Starb die Schläfer .
IV/V [ ] Klage der Drossel.

15

: 14a I/II [Und die hāręne Nacht; Stern und leises Erwachen]

15 I Lang iṃ morscheṇ Geäst;
II Stern und leises Erwachen;

15a II Schweigend gürtet sich die härene Nacht.
Drunten

: 15 O die hāręne Stadt; Stern und rosig Erwachen.
Ansatz (IV) ist nicht gestrichen!

(V)

11 Ferne saß die Mutter im Schatten des Herbstes,

12 Ein weißes Haupt. Über verfallene Stufen.

13 – Stern und leises Erwachen iṃ morscheṇ Geäst

14 Stieg im Garten der weiße Schläfer hinab,

15 Rief die rosige Glocke zum Abendmahl.
Stadt die

(VI)

Vor Zeile 11 Einweisungszeichen mit Entsprechung nach Zeile 15, wo indes kein Text folgt.

11 Ferne neigte im braunen Schatten des Herbstes
* ging
* [aber]

12 Der weiße Schläfer.

13 Über verfallenen Stufen glänzte ein Mond sein Herz,

14 Klangen ihm
leise ihm blaue Blumen nach –
|:,:|

15 Stern und Erwachen.
[stummes]
Leise ein Stern.
Ansatz (VI) nicht gestrichen!

(VII)

11 Oder wenn er ein schmächtiger Leichnam
weißer Novize
×
sanfter

12 Abends in der Mönche steil dämmernde Kirche ging,
* |:des:|
* Sankt Ursulas ∧ trat

13 Eine silberne Blume sein Antlitz in die härenen Locken [barg]
* barg eisigen ⟨?⟩
* wirren
* ∧ ∧

14 Und in Schauern [umfing] ihn der blaue Mantel des Vaters *[.]*
umfing

15 Herbst und Kühle eines vergangenen Tags
*Die dunkle ∧ |:Tods:|
* ∧ des
* der Mutter

16 I/II Ferne neigte sich im Schatten des Herbstes ein greises Haupt,
braunes ⟨?⟩
[(greises)]
greises

17 I/II Strahl und Erscheinung in der braunen Stille des Nußbaums.

18 I Ein vergessener Tag
Abend
II [vergangenes] Gärtchen
Im
[Abend; Heimsuchung der Mutter im däm- (*a*)
***[Ein]* *[(Abend)]* blaues Blumengeläut
*Leise
(*a*) mernden Garten]

18a I/II [Sänger blauer Blumen im dämmernden Garten.]

18b I/II [Liebe und friedliches Anschaun.]

19.20

A: 19 Nacht!
Über verfallene Stufen
Auf
Traurige Nacht im Schnee
und Irren
Wohnen

20 Stundenlang fiel Schnee. St × flackert ein Stern auf; (*a*)
* ∧ leise
* über dem Schläfer
* purpurn
* ×
(*a*) schwarzes Erwachen.

B: 19 O das Wohnen im Schnee

20 Unter sterbendem Baum und Stern, stummes Erwachen.
Ansatz (VII), Zeile 11–15, nicht gestrichen!

(VIII)

11 Oder wenn er ein sanfter Novize

12 Abends in Sankt Ursulas dämmernde Kirche trat,

13 Eine silberne Blume das Antlitz barg in härenen Locken . ⟨?⟩
* Stimme ⟨?⟩ |:,:|

14

A:	**14**	I	Und der dämmernde Garten verwüstete
		II	Stille |:des:| |:Gartens:|, Träne
	14a	I	Leise verklang
		II	Der erstorbenen Flöte *[im Innern des Nußbaums]* ***Zeile 14a ist unvollständig gestrichen!***
B:	**14**	I	Und in Schauern
		II	Ihn die
	14a	I/II	[Ihn die blaue Stille] *H*

Zeittafel

1887 3. II.: Georg Trakl nachmittags um zwei Uhr dreißig im Schaffnerhaus am Waagplatz Nr. 2 in Salzburg geboren.
Eltern: Tobias Trakl, Eisenhändler, geb. 11. VI. 1837 in Oedenburg (Sopron), und Maria Catharina Trakl, geborene Halik, geb. 17. V. 1852 in Wiener Neustadt.
Ältere Geschwister: Wilhelm Trakl, geb. 7. V. 1868 in Wiener Neustadt (aus Tobias Trakls erster Ehe mit Valentine Trakl, geborener Götz, geb. 18. III. 1841, gest. 29. V. 1870); Gustav Trakl, geb. 25. VI. 1880 in Salzburg; Maria Trakl, geb. 21. XII. 1882 in Salzburg; Hermine Trakl, geb. 7. VI. 1884 in Salzburg.
8. II.: Getauft von Pfarrer H. Aumüller (ev. Augsburger Konfession).

1890 27. II. Friedrich Trakl in Salzburg geboren.

1891 8. VIII.: Margarethe Trakl in Salzburg geboren.

1892 Herbst: Trakl kommt auf die der katholischen Lehrerbildungsanstalt angeschlossene Übungsschule. Besuch des Religionsunterrichts in der protestantischen Schule, wobei er Erhard Buschbeck (geb. 1889 in Salzburg) kennenlernt.

1897 Herbst: Trakl kommt auf das k. k. Staatsgymnasium. Mitschüler: Erhard Buschbeck, Karl von Kalmár, Karl Minnich, Franz Schwab, Oskar Vonwiller u. a.

1901 13. VII.: Trakl wird am Ende der vierten Klasse nicht versetzt und muß diese daher wiederholen.

etwa 1904–1906: Mitglied des Dichter-Zirkels »Apollo«, später »Minerva«. Aus dieser Zeit stammt möglicherweise das Gedicht »Der Heilige« (s. S. 150). Ebenfalls in diese Zeit fallen nach der Erinnerung eines Jugendfreundes Prosastücke mit den Titeln »Der Relegierte«, »Das Jausenbrot«, »Die Brüder« und »Ein Irrtum« (vgl. HKA Bd. I, S. 518).

1905 15. VII.: Trakl wird am Ende der siebenten Klasse nicht versetzt und verläßt das Gymnasium. (Abmeldung am 26. IX.).
Ende August/Mitte September: Der älteste überlieferte Brief Trakls an seinen Freund Karl von Kalmár mit dem ersten Hin-

weis auf Rauschgiftgenuß: »Um über die nachträgliche Abspannung der Nerven hinwegzukommen habe ich leider wieder zum Chloroform meine Zuflucht genommen. Die Wirkung war furchtbar.« (vgl. HKA, Brief 1.)
18. IX.: Antritt des Praktikums in Carl Hinterhubers Apotheke Zum weißen Engel in der Linzer Gasse in Salzburg.
Herbst (?): Bekanntschaft mit dem Dramatiker und Erzähler Gustav Streicher.

1906 31. III.: »Totentag. Dramatisches Stimmungsbild in 1. Akt« im Stadttheater in Salzburg uraufgeführt.
12. V.: Erste Veröffentlichung einer Prosaarbeit (»Traumland. Eine Episode« *[s. S. 109]*, in: Salzburger Volkszeitung).
15. IX.: »Fata Morgana. Tragische Szene« im Stadttheater in Salzburg uraufgeführt. Nach den Kritiken zu urteilen (vgl. HKA Bd. II, S. 511 u. 516) handelte es sich um Stücke in der Manier Ibsens und Maeterlincks. Trakl hat beide Stücke später vernichtet.

1908 26. II.: Erste Veröffentlichung eines Gedichtes (»Das Morgenlied« *[s. S. 101]*, in: Salzburger Volkszeitung).
26. II.: Tirocinalprüfung, womit Trakl das Recht zum einjährig-freiwilligen Militärdienst nach absolviertem Magisterium erwirbt.
20. IX.: Abschluß der Praktikantenzeit, Tirocinalzeugnis.
5. X.: Immatrikulation zum Studium der Pharmazie an der Universität in Wien.
Trakl lernt in dieser Zeit Rimbauds Dichtungen in der Ammerschen Übersetzung kennen; sie hinterlassen einen bleibenden Eindruck.

1909 7. II.: Meldung zur Vorprüfung.
20. III.: Vorprüfung in Physik (»genügend«).
13. VII.: Vorprüfung in Botanik (»genügend«).
16. VII.: Vorprüfung in Chemie (»ausgezeichnet«).
17. VII.: Vorprüfungszeugnis, »mit dem Hauptkalkul ›genügend‹«.
Herbst (?), jedenfalls nach dem 2. VIII.: Zusammenstellung seiner ersten Gedichtsammlung, der ›Sammlung 1909‹.
17. X.: Auf E. Buschbecks Verwendung hin veranlaßt Hermann Bahr den Abdruck der Gedichte »Andacht« *[s. S. 134]*, »Vollendung« *[s. S. 149]* und »Einer Vorübergehenden« *[s. S. 150]* im Neuen Wiener Journal.
15. XII.: Rückkehr nach Salzburg, Weihnachtsferien.
In diesem Jahr erlebt Trakl einen neuen dichterischen Aufschwung. An einem Brief an Buschbeck vom 11. Juni heißt es:

»Du kannst Dir nicht leicht vorstellen, welch eine Entzückung einen dahinrafft, wenn alles, was sich einem jahrlang zugedrängt hat, und was qualvoll nach einer Erlösung verlangte, so plötzlich und einem unerwartet ans Licht stürmt, freigeworden, freimachend. Ich habe gesegnete Tage hinter mir – o hätte ich noch reichere vor mir, und kein Ende, um alles hinzugeben, wiederzugeben, was ich empfangen habe – und es wiederempfangen, wie es jeder Nächste aufnimmt, der es vermag.« (vgl. HKA, Brief 10.) Buschbeck nimmt sich des Freundes als Agent und Kritiker an – er studiert seit dem Herbst 1909 Jura in Wien –; unter anderm schlägt er ihm vor, sich durch Eintragung in »Kürschners Literaturkalender« zunächst einmal bekannt zu machen. Jemand der im Kürschner stehe, so insinuiert er, werde von Zeitschriften-Redakteuren nicht so leicht abgewiesen. (vgl. Buschbecks Brief 1., vom 7. Juni, HKA, Bd. II, S. 748: »Bei jedem Namen, der einem Redakteur unterläuft, schaut er immer zuerst, ob er schon im Kürschner steht. Um wieviel leichter nimmt er etwas an wenn dies der Fall ist. (Er denkt sich dann, er steht ja so schon drinnen, da kann man nichts mehr machen.)«

1910 Seit dem Sommersemester: Bekanntschaft mit Ludwig Ullmann und seiner Braut Irene Amtmann (und erste Beziehungen zum Akademischen Verband für Literatur und Musik in Wien?).

18. VI.: Tod Tobias Trakls, in Salzburg.

28. VI.: Praktische Prüfung in Pharmakognosie (»genügend«).

9. VII.: Praktische Prüfung in Chemie (»ausgezeichnet«).

2. Hälfte Juli: Brief an E. Buschbeck, über »die heiß errungene Manier meiner Arbeiten«: Ullmann hatte ihm ein Gedicht vorgelesen und Trakl fühlte sich plagiiert: »Gestern hat mir Herr Ullmann ein Gedicht vorgelesen, vorher des längeren ausgeführt, daß seine Sachen den meinigen verwandt wären, etc, und siehe da, was zum Vorschein kam hatte mehr als Verwandschaft mit einem meiner Gedichte »Der Gewitterabend« *[s. S. 17]*. Nicht nur, daß einzelne Bilder und Redewendungen beinahe wörtlich übernommen wurden (der Staub, der in den Gossen tanzt, Wolken ein Zug von wilden Rossen, Klirrend stößt der Wind in Scheiben, Glitzernd braust mit einemmale, etc. etc.) sind auch die Reime einzelner Strophen und ihre Wertigkeit den meinigen vollkommen gleich, vollkommen gleich meine bildhafte Manier, die in vier Strophenzeilen vier einzelne Bildteile zu einem einzigen Eindruck zusammenschmiedet ⟨,⟩ mit einem Wort bis ins kleinste Detail ist das Gewand, die heiß errungene Manier meiner Arbeiten nachgebildet worden.« (vgl. HKA, Brief 14).

21. VII.: Theoretische Prüfung in beiden Fächern (»genügend«).
25. VII.: Sponsion zum Magister der Pharmazie (Gesamtprädikat »genügend«).
1. X.: Antritt des militärischen Präsenzdienstes als Einjährig-Freiwilliger bei der K. und k. Sanitätsabteilung Nr. 2 in Wien.

1911 30. IX.: Ende des militärischen Präsenzdienstes in Wien.
Herbst: Verkehr in der Salzburger Literatur- und Kunstgesellschaft Pan, in der er Karl Hauer kennenlernt.
10. X.: Bewerbung um eine Praktikantenstelle im Ministerium für öffentliche Arbeiten in Wien.
15. X.: Tätigkeit als Rezeptarius in der Apotheke Zum weißen Engel in Salzburg.
nach dem 24. XI.: Trakl erhält die Mitteilung, daß er für eine Rechnungspraktikantenstelle im Ministerium für öffentliche Arbeiten in Wien vorgemerkt worden sei.
mit 1. XII.: Ernennung zum Landwehrmedikamentenakzessisten im nichtaktiven Stande.
20. XII.: Beendigung des Apothekendienstes.
20. XII.: Gesuch um Aktivierung als Militärmedikamentenbeamter.

1912 27. III.: Einberufung zum Probedienst zum 1. IV.
1. IV.: Antritt des Probedienstes in der Apotheke des Garnisonsspitals Nr. 10 in Innsbruck. Wohnung in Pradl. – Robert Müller, ein Freund E. Buschbecks, empfiehlt Trakl dem Herausgeber der Halbmonatsschrift »Der Brenner« (gegründet 1910), Ludwig von Ficker.
1. V.: L. v. Ficker veröffentlicht im »Brenner« Trakls Gedicht »Vorstadt im Föhn« *[s. S. 30]*. Bald darauf, jedenfalls nach dem 9. V., vielleicht am 22. V., erste Begegnung mit L. v. Ficker im Café Maximilian. Bekanntschaft mit Mitarbeitern des »Brenner«, namentlich Carl Dallago, Max von Esterle, Karl Röck. K. Röck führt ein Tagebuch über seine Beziehungen zu Trakl.
Anfang August (vor dem 5. VIII.?): Höchstwahrscheinlich Begegnung mit Karl Kraus im Brenner-Kreis in Innsbruck.
29. VIII.: Positive Gutachten der Apotheke und des Garnisonsspitals über den am 30. IX. endenden Probedienst.
1. X.: Übersetzung in den Aktivstand als Militärmedikamentenbeamter.
1. X.: Mit »Psalm« *[s. S. 32]* beginnend, erscheinen von jetzt an regelmäßig Gedichte Trakls im »Brenner«.
23. X.: Verleihung einer Rechnungspraktikantenstelle im Ministerium für öffentliche Arbeiten in Wien zum 1. XI.
30. X.: Daraufhin Gesuch um Übersetzung in die Reserve und

– da diese auf sich warten läßt – zweimalige Bitte um jeweils vierwöchigen Aufschub des Dienstantrittes im Ministerium für öffentliche Arbeiten (am 29. X. und am 14. XI.).
Herbst: E. Buschbeck leitet eine Subskription ein *[vgl. S. 259: Die »Gedichte« und »Sebastian im Traum«]*, um die Veröffentlichung von Trakls Gedichten zu ermöglichen. Trakl beginnt mit der Herstellung des Manuskriptes?
1. XI.: Subskriptionseinladung im »Brenner«.
7. XI.: Subskriptionseinladung in der »Fackel«.
30. XI.: Übersetzung in die Reserve.
Anfang Dezember: Herstellung des Manuskriptes der Gedichtsammlung oder jedenfalls Abschluß der Arbeit daran und Absendung des Manuskriptes an E. Buschbeck.
9. XII.: Rückkehr nach Innsbruck. Begegnung mit Karl Borromaeus Heinrich. Dieser empfiehlt am 12. XII. E. Buschbeck, Trakls Gedichte dem Verlag Albert Langen in München, bei dem er Lektor sei, einzureichen.
18. XII.: E. Buschbeck bietet Trakls Gedichte dem Verlag Albert Langen in München an.
31. XII.: Antritt der Rechnungspraktikantenstelle im Ministerium für öffentliche Arbeiten in Wien.

1913 1. I.: Gesuch um Entlassung aus der am Vortage angetretenen Stelle.
1. II.: Auflösung der Eisenhandlung Tobias Trakl und Co., wahrscheinlich zum 1. IV. (Löschung im Gewerberegister am 4. IV.).
Mitte Februar (?): Kurzfristiger Apothekendienst in Oberndorf (?).
18. III.: Bewerbung beim Kriegsministerium in Wien um eine Stelle als Rechnungskontrollbeamter und gleichzeitige Aktivierung; am 5. IV. bemüht sich Hauptmann Robert Michel auf Bitten L. v. Fickers persönlich im Kriegsministerium zu Trakls Gunsten. Da Trakl seine Bewerbung ohne Unterlagen eingereicht hatte, wird er unter dem 23. IV. aufgefordert, diese mit einer neuerlichen Bewerbung einzusenden.
19. III. : Bescheid des Verlages Albert Langen über die Ablehnung von Trakls Gedichten.
1. IV.: Angebot Kurt Wolffs, eine Sammlung von Gedichten Trakls zu veröffentlichen; Trakl erhält das Angebot am 5. IV.
vor dem 16. IV. : Einsendung des Manuskriptes der »Gedichte« an den Kurt Wolff Verlag nach gründlicher Revision der Sammlung.
etwa 5./6. V.: Rückkehr (über München: Treffen mit K. B. Heinrich) nach Salzburg, wo Trakl die Unterlagen für seine Bewerbung im Kriegsministerium zusammenstellt (Ausstellung

eines Heimatscheines am 9. V.) und seine Bewerbung erneuert.
15. VII.: Aufnahme des unbesoldeten Probedienstes als Rechnungspraktikant im Fachrechnungsdepartement des Kriegsministeriums in Wien. Verkehr mit Karl Kraus, Adolf Loos, Franz Zeis.
Mitte Juli: Trakl erhält die »Gedichte«, die in der zweiten Hälfte des Monats an die Subskribenten ausgeliefert werden.
vor dem 20. VII.: Trakl meldet sich im Amte krank; ob er den Dienst vor seinem Ausscheiden noch einmal aufgenommen hat, ist unbekannt.
12. VIII.: Verzicht auf den Probedienst im Kriegsministerium.
16. VIII.: Gemeinsame Reise mit Adolf und Bessie Loos, Karl Kraus und Peter Altenberg nach Venedig, wohin auch Ludwig und Cissi von Ficker kommen.
21. VIII.: Datum eines Gesuches um Verleihung einer provisorischen Assistentenstelle im Sanitäts-Fachrechnungsdepartement des Ministeriums für öffentliche Arbeiten.
etwa 4. XI.: In Wien, wahrscheinlich um seine Anstellung im Arbeitsministerium nun persönlich zu betreiben. Wiederum Verkehr mit K. Kraus, A. und B. Loos, F. Zeis und wahrscheinlich auch mit Oskar Kokoschka. In der zweiten Hälfte des Monats erneuter Reaktivierungsplan.
10. XII.: Vorlesung Robert Michel/Georg Trakl. In der Besprechung des Autorenabends im »Allgemeinen Tiroler Anzeiger« Nr. 286 vom 13. 12. 1913, S. 2 heißt es (zitiert nach: HKA, Bd. II, S. 720): » . . . Anders dürfte es um die Vorlesungen Trakls ⟨stehen⟩, aus denen die überzeugende Kraft einer eigenartigen Persönlichkeit des Geistes spricht. Der Dichter las leider zu schwach, wie von Verborgenheiten heraus, aus Vergangenheiten oder Zukünften, und erst später konnte man in den monotonen gebethaften Zwischensprachen dieses schon äußerlich ganz eigenartigen Menschen Worte und Sätze, dann Bilder und Rythmen erkennen, die seine futuristische Dichtung bilden. Alles wird Bild und Gleichnis in ihm, tauscht sich in seiner Seele zu andern Ausdrucksmöglichkeiten um, die dann den Menschen von heute noch nicht liegen, aber doch so überzeugend gebracht werden, daß man ihre Möglichkeit glaubt. Allerdings, wann dieses Dichters Zeit gekommen sein wird? – Denn ein Dichter ist dieser stille, alles in sich umtauschende Mensch gewiß, davon überzeugt jedes seiner Gedichte, die Offenbarungen gleich wirken. Aber das Publikum, das von heute und morgen, versteht ihn noch lange nicht, und die Klaköre, die gar so laut taten, am allerwenigsten.«
In der Besprechung in den »Innsbrucker illustr. Neuesten

Nachrichten« Nr. 12 vom 14. 12. 1913, S. 5 heißt es (zitiert nach: HKA Bd. II, S. 720 f.): »... Georg Trakl erntete mit seinen geistvollen Gedichten (Die junge Magd – Sebastian im Traum – Abendmuse – Elis – Sonja – Afra – Kaspar Hauser Lied – Helian) reichen Applaus, wenngleich seine Vorlese-Art besser für einen intimen Zirkel als für einen größeren Saal paßt und die zuweilen übergroße Gedämpftheit des Vortrages manches untergehen ließ. Der Abend war ein literarisches Ereignis für Innsbruck, für welches Kenner den Veranstaltern vollen Dank wissen werden. ...«
etwa 12. XII.: Trakl erhält den ablehnenden Bescheid des Arbeitsministeriums.

1914 6. III.: Einsendung des Manuskriptes von »Sebastian im Traum« an den Kurt Wolff Verlag.
etwa Mitte März: Reise nach Berlin zu seiner Schwester Margarethe Langen. Begegnung mit Else Lasker-Schüler.
3. (?) IV.: Rückkehr nach Innsbruck.
6. IV.: Mitteilung Kurt Wolffs über die Annahme von »Sebastian im Traum«.
26. (?) V.: Übersiedlung auf die Hohenburg bei Igls zu Rudolf von Ficker. Die Dauer des Aufenthalts steht nicht fest, jedenfalls scheint Trakl Innsbruck vor Ausbruch des Krieges nicht mehr verlassen zu haben.
8. VI.: Anfrage beim Kgl. Niederländischen Kolonialamt nach einer Anstellungsmöglichkeit im Kolonialdienst; der ablehnende Bescheid datiert vom 18. VI.
27. VII.: Ludwig Wittgenstein billigt Ludwig von Fickers Vorschlag, Trakl 20000 Kronen von seiner dem »Brenner« zur Verteilung an bedürftige Künstler Österreichs zur Verfügung gestellten Summe zukommen zu lassen.
24. VIII.: Nachts Abreise mit einem Militärtransport.
etwa Anfang September: Trakls Einheit, das Feldspital 7/14, wird in Galizien stationiert und in der Schlacht von Grodek/Rawa-Ruska vom 6.–11. IX. eingesetzt.
etwa Anfang Oktober: Stationierung in Limanowa in Westgalizien.
7. X.: Einweisung in das Garnisonsspital in Krakau zur Beobachtung des Geisteszustandes.
24./25. X.: Besuch Ludwig von Fickers in Krakau.
3. XI.: Eintreten des Todes um 9 Uhr abends infolge einer Kokainvergiftung.
6. XI.: Beisetzung auf dem Rakoviczer Friedhof in Krakau.

1925 7. X.: Beisetzung der von Krakau überführten Gebeine auf dem Friedhof der Gemeinde Mühlau bei Innsbruck.

Auswahlbibliographie

1. Bibliographien:

Walter Ritzer, Trakl-Bibliographie. Salzburg: Otto Müller Verlag. 2. erw. Aufl. 1971 (Trakl-Studien Bd. 3)

Otto Basil, Georg Trakl in Selbstzeugnissen und Dokumenten. (Reinbek:) Rowohlt (1965) (rowohlts monographien 106), S. 167 bis 174

Hans-Georg Kemper, Kommentierte Auswahlbibliographie zu Georg Trakl. In: Text + Kritik. Zeitschrift für Literatur. Hrsg. von Heinz Ludwig Arnold. Bd. 4/4a. Stuttgart: Richard Boorberg Verlag 1969, S. 62–71

2. Werke:

Georg Trakl, Gedichte. Leipzig: Kurt Wolff Verlag 1913 (Der jüngste Tag. 7/8)

Georg Trakl, Sebastian im Traum. Leipzig: Kurt Wolff Verlag 1915 (Copyright 1914)

Georg Trakl, Die Dichtungen. Erste Gesamtausgabe. Anordnung und Überwachung der Drucklegung durch Karl Röck. Leipzig: Kurt Wolff Verlag (1917). 12. Aufl. (1969) revidiert nach dem Text der historisch-kritischen Ausgabe

Georg Trakl, Aus goldenem Kelch. Die Jugenddichtungen. Salzburg/Leipzig: Otto Müller Verlag (1939). 2. erw. Aufl. Salzburg: Otto Müller Verlag (1951) (Gesamtausgabe. 2)

Georg Trakl, Dichtungen und Briefe. Historisch-kritische Ausgabe. Hrsg. von Walther Killy und Hans Szklenar. 2 Bände. Salzburg: Otto Müller Verlag 1969

3. Biographien:

Otto Basil, Georg Trakl in Selbstzeugnissen und Dokumenten. (Reinbek:) Rowohlt (1965) (rowohlts monographien 106)

Erinnerungen an Georg Trakl. Innsbruck: Brenner-Verlag 1926. 3. erw. Aufl.: Ludwig von Ficker, Erinnerungen an Georg Trakl. Zeugnisse und Briefe. Neu hrsg. von Ignaz Zangerle. Mit einem Nachwort von Hans Szklenar. Salzburg: Otto Müller Verlag 1966

4. Zu Editionsproblemen:

Ludwig Dietz, Zur Druck- und Textgeschichte der Dichtungen Georg Trakls. In: Jahrbuch der deutschen Schillergesellschaft 6, 1962, S. 340–352

Hans Szklenar, Beiträge zur Chronologie und Anordnung von Trakls Gedichten auf Grund des Nachlasses von Karl Röck. In: Euphorion 60, 1966, S. 222–262

5. Gesamtdarstellungen:
Walther Killy, Über Georg Trakl. Göttingen: Vandenhoeck und Ruprecht. 3. erw. Aufl. 1967 (Kleine Vandenhoeck-Reihe 88/89/89a)
Wolfgang Preisendanz, Auflösung und Verdinglichung in den Gedichten Georg Trakls. In: Immanente Ästhetik – Ästhetische Reflexion. Lyrik als Paradigma der Moderne. Hrsg. von Wolfgang Iser. München: Wilhelm Fink Verlag 1966, S. 227–261 und Diskussion S. 485–494
Theodor Spoerri, Georg Trakl. Strukturen in Persönlichkeit und Werk. Eine psychiatrisch-anthropographische Untersuchung. Bern: Francke 1954

Verzeichnis der Gedichtanfänge und -überschriften

VERZEICHNIS DER GEDICHTANFÄNGE UND -ÜBERSCHRIFTEN

VERZEICHNIS DER GEDICHTANFÄNGE UND -ÜBERSCHRIFTEN

VERZEICHNIS DER GEDICHTANFÄNGE UND -ÜBERSCHRIFTEN

Verzeichnis sonstiger Stücke